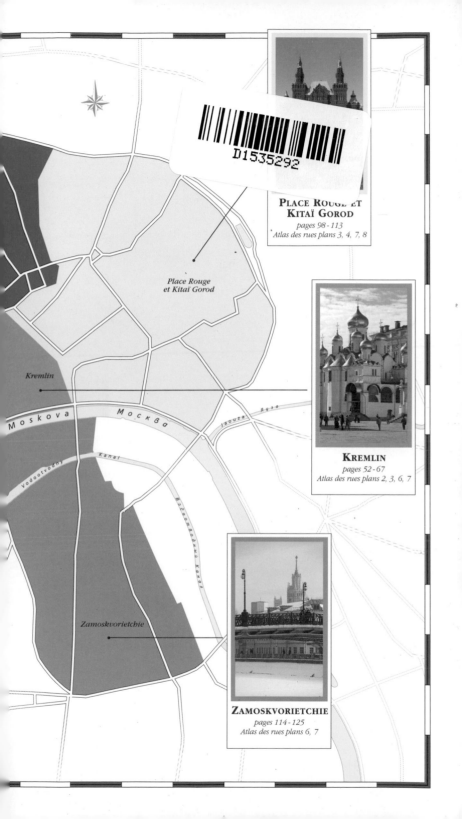

Place Rouge
et Kitaï Gorod

Kremlin

Moskova   Москва   Jaouza   Яуза

Vodootvodny   Kanal

Vodootvodny Kanal

Zamoskvorietchie

GUIDES VOIR

MOSCOU

MOSCOU

Libre Expression

Libre Expression

CE GUIDE VOIR A ÉTÉ ÉTABLI PAR
Christopher Rice et Melanie Rice

DIRECTION
Isabelle Jeuge-Maynart

DIRECTION ÉDITORIALE
Catherine Marquet

ÉDITION
Hélène Gédouin

TRADUIT ET ADAPTÉ DE L'ANGLAIS PAR
Agnès Piganiol
AVEC LA COLLABORATION DE
Catherine Blanchet-Laussucq et de Janine Lévy

MISE EN PAGES (PAO)
Maogani

Publié pour la première fois en Grande-Bretagne
en 1998 sous le titre
Eyewitness Travel Guides : Moscow
© Dorling Kindersley Limited, London 1998
© Hachette Livre (Hachette Tourisme) 1999
pour la traduction et l'édition française.
Cartographie © Dorling Kindersley 1998.
© Éditions Libre Expression ltée, 1999,
pour l'édition française au Canada.

Aussi soigneusement qu'il ait été établi, ce guide
n'est pas à l'abri des changements de dernière heure.
Faites-nous part de vos remarques, informez-nous
de vos découvertes personnelles : nous accordons
la plus grande attention au courrier de nos lecteurs.

Éditions Libre Expression
2016, rue Saint-Hubert
Montréal (Québec) H2L 3Z5

DÉPÔT LÉGAL : 2ᵉ trimestre 1999
ISBN : 2-89111-834-0

SOMMAIRE

Sculpture réaliste soviétique
au Centre panrusse
des expositions *(p. 145)*

PRÉSENTATION
DE MOSCOU

La galerie Tretiakov *(p. 118-121)*
abrite des chefs-d'œuvre

MOSCOU
QUARTIER PAR
QUARTIER

Magnifique iconostase du monastère Danilovski *(p. 136–137)*

Spécialité russe : les blinis
au caviar *(p. 136–137)*

La cloche Reine *(p. 57)* fondue
pour la tsarine Anna, au Kremlin

LES BONNES
ADRESSES

RENSEIGNEMENTS
PRATIQUES

Cathédrale Basile-
le-Bienheureux
(p. 108-109)

COMMENT UTILISER CE GUIDE

Ce guide a pour but de vous aider à profiter au mieux de votre séjour à Moscou. L'introduction, *Présentation de Moscou,* situe la ville dans son contexte géographique, historique et culturel. Dans le chapitre consacré à l'histoire, une chronologie permet de visualiser les principaux événements. *Moscou d'un coup d'œil* offre un aperçu des visites les plus intéressantes. *Moscou quartier par quartier* présente les principaux

Statue néo-classique, Kouskovo

sites et monuments classés en trois groupes : ceux du centre de Moscou, ceux situés dans les quartiers périphériques et ceux des environs de Moscou, qui demandent un ou deux jours d'excursions. Enfin, *Les bonnes adresses* vous fourniront des renseignements sur les hôtels, les restaurants et les boutiques, et les *Renseignements pratiques* vous donneront des conseils utiles, que ce soit pour téléphoner ou utiliser les transports publics.

MOSCOU QUARTIER PAR QUARTIER

Nous avons divisé Moscou en sept quartiers. Chaque chapitre débute par un portrait du quartier et une liste des monuments présentés, situés clairement par des numéros sur le plan *Le quartier d'un coup d'œil.*

Un ou deux plans « pas à pas » développent ensuite la partie du quartier la plus intéressante. La numérotation des monuments reste constante de page en page.

1 Plan général du quartier
Les principaux centres d'intérêt du quartier sont classés par catégories (églises, musées et galeries, places et rues historiques, parcs et jardins) et signalés par des numéros sur le plan Le quartier d'un coup d'œil *qui indique aussi les stations de métro, les gares, les parcs de stationnement et les embarcadères.*

Une carte de situation indique où se trouve le quartier dans la ville.

Des repères de couleur aident à trouver le quartier dans le guide.

Carte de situation

La zone détaillée dans le *Plan pas à pas* est **ombrée de rose.**

2 Plan du quartier pas à pas
Il offre une vue aérienne du cœur du quartier. La numérotation des monuments correspond à celle du plan Le quartier d'un coup d'œil *et à celle des descriptions détaillées des pages suivantes.*

Itinéraire conseillé

Une liste recense les sites à ne pas manquer.

PLAN GÉNÉRAL DE MOSCOU
Chacune des zones colorées de ce plan *(p. 14-15)* correspond à l'un des cinq quartiers principaux décrits dans *Moscou quartier par quartier (p. 50-125)*. Ces repères de couleur apparaissent sur d'autres plans tout au long de ce guide. Ils permettent ainsi de trouver les monuments les plus importants dans *Moscou d'un coup d'œil (p. 36-49)*, ou certains des meilleurs hôtels dans *Les bonnes adresses (p. 172-173)*.
Les couleurs des bordures des plans correspondent à celles des onglets colorés situés en haut de chaque page.

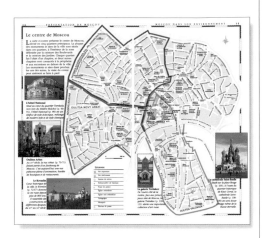

Les numéros renvoient à ceux des plans situant le monument.

Chaque rubrique donne les **informations pratiques** nécessaires à l'organisation d'une visite, ainsi que la référence au plan de l'atlas des rues *(p. 220-237)*.

3 Renseignements détaillés
Les sites importants sont décrits individuellement dans l'ordre correspondant à leur numérotation sur le plan Le quartier d'un coup d'œil. Chaque chapitre donne également tous les renseignements pratiques tels que les heures d'ouverture ou services disponibles. Un tableau des symboles se trouve sur le rabat de la dernière page.

Le mode d'emploi vous aide à organiser votre visite.

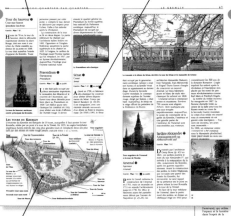

Des plans illustrés montrent en détail les sites historiques.

4 Les principaux monuments de Moscou
Deux pleines pages ou plus leur sont réservées. La représentation des bâtiments historiques en dévoile l'intérieur. Les plans des musées vous aident à y localiser les plus belles expositions.

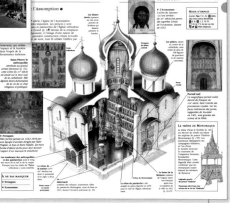

Des étoiles signalent les œuvres ou éléments remarquables.

Des encadrés approfondissent certains sujets.

PRÉSENTATION DE MOSCOU

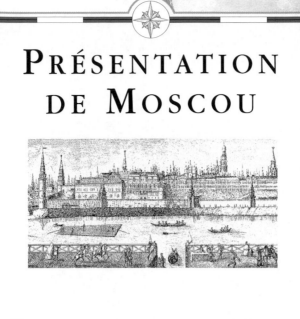

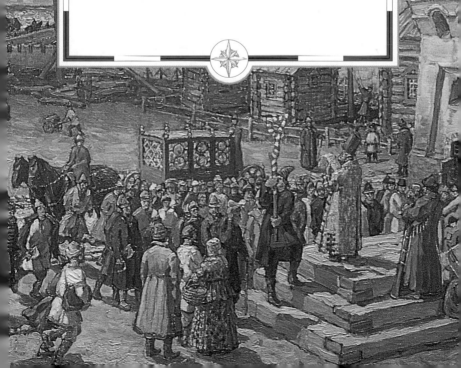

Moscou dans son environnement

La Fédération de Russie s'étend de la Baltique au Pacifique sur une superficie de 17 millions de km², près de deux fois celle des États-Unis. La plus grande des 15 républiques de l'ancienne URSS est aujourd'hui le plus vaste pays du monde. Située au cœur de la Russie d'Europe, Moscou, la capitale, compte 9 millions d'habitants. Saint-Pétersbourg est la deuxième ville du pays. La Russie est membre de la CEI, qui regroupe la plupart des anciennes républiques soviétiques.

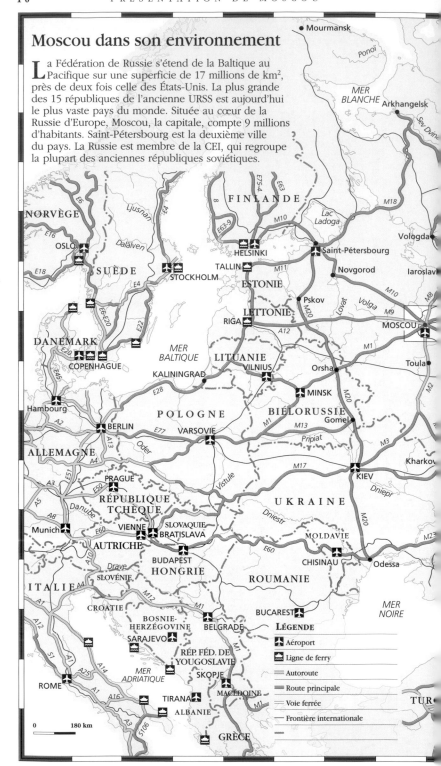

LÉGENDE

- ✈ Aéroport
- ⛴ Ligne de ferry
- ═══ Autoroute
- ═══ Route principale
- ─── Voie ferrée
- ─·─ Frontière internationale

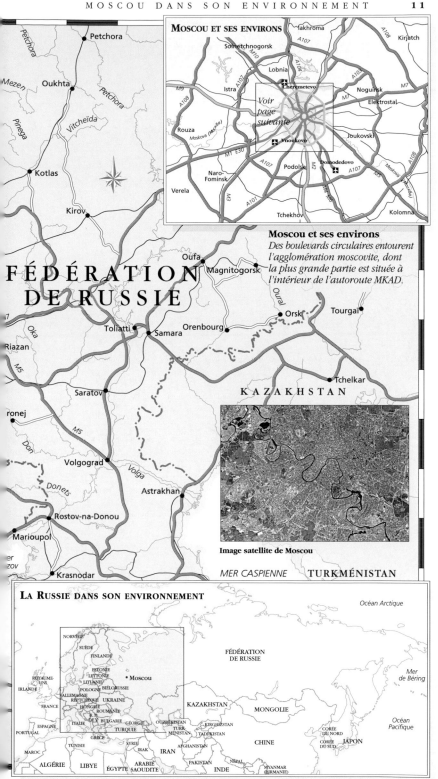

MOSCOU ET SES ENVIRONS

Iakhroma
Kirjatch
A108
Solnetchnogorsk
A107
M10
A104
Lobnia
Cheremetevo
Noguinsk
M9
A107
Istra
M7
Elektrostal
Voir page suivante
Rouza
Moskova (Moskba)
Vnoukovo
Joukovski
Naro-Fominsk
Podolsk
Domodedovo
A107
A108
Moskva (Moskba)
Vereïa
M2
A101
Tchekhov
Kolomna

Petchora
Petchora
Petchora
Mezen
Oukhta
Vitcheïda
Pinega
Petchora
Kotlas
Kirov

FÉDÉRATION DE RUSSIE

Oufa
Magnitogorsk
Oural
Orsk
Tourgaï
Oka
Toliatti
Orenbourg
Riazan
Samara
M5
Saratov
Voronej
Tchelkar
KAZAKHSTAN
Don
Donets
Volgograd
Volga
Rostov-na-Donou
Astrakhan
Marioupol
r
zov
Krasnodar
MER CASPIENNE **TURKMÉNISTAN**

Moscou et ses environs
Des boulevards circulaires entourent l'agglomération moscovite, dont la plus grande partie est située à l'intérieur de l'autoroute MKAD.

Image satellite de Moscou

LA RUSSIE DANS SON ENVIRONNEMENT

Océan Arctique
NORVÈGE
SUÈDE
FINLANDE
FÉDÉRATION DE RUSSIE
ESTONIE
LETTONIE
LITUANIE
ROYAUME-UNI
BIÉLORUSSIE
• Moscou
Mer de Béring
IRLANDE
ALLEMAGNE
POLOGNE
FRANCE
RÉPUBLIQUE
UKRAINE
KAZAKHSTAN
TCHÈQUE
HONGRIE
MONGOLIE
ROUMANIE
ESPAGNE
R.F.
ITALIE
BULGARIE
GÉORGIE
OUZBÉKISTAN
Océan Pacifique
PORTUGAL
TURQUIE
TURK-
KIRGHIZISTAN
CORÉE DU NORD
GRÈCE
MÉNISTAN
TADJIKISTAN
MAROC
TUNISIE
SYRIE
IRAK
AFGHANISTAN
CHINE
CORÉE DU SUD
JAPON
IRAN
ALGÉRIE
LIBYE
ÉGYPTE
ARABIE SAOUDITE
PAKISTAN
NÉPAL
INDE
MYANMAR (BIRMANIE)

L'agglomération moscovite

Au cours des dernières décennies, Moscou s'est considérablement développée et présente aujourd'hui l'aspect d'une gigantesque métropole, avec des banlieues très étendues, autour d'un centre historique relativement compact. Une grande partie de l'agglomération se trouve à l'intérieur de l'autoroute MKAD, l'une des six voies circulaires qui font le tour de Moscou. La plupart des quartiers sont desservis par le métro, renommé pour son efficacité, et par un réseau de bus, de trams et de trolleybus (p. 214-217).

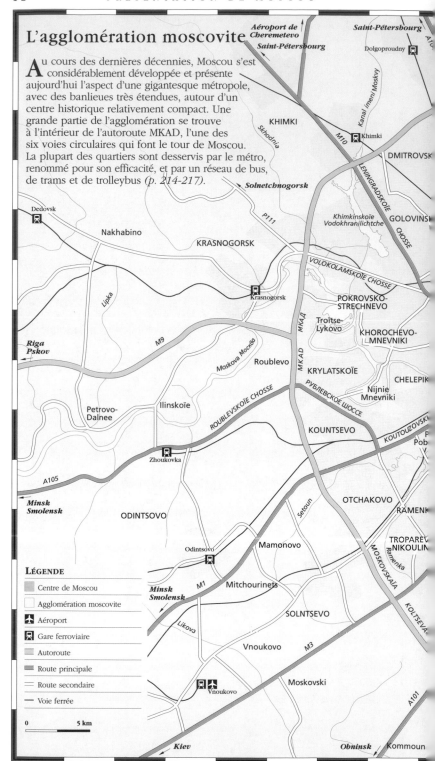

LÉGENDE

- Centre de Moscou
- Agglomération moscovite
- Aéroport
- Gare ferroviaire
- Autoroute
- Route principale
- Route secondaire
- Voie ferrée

0   5 km

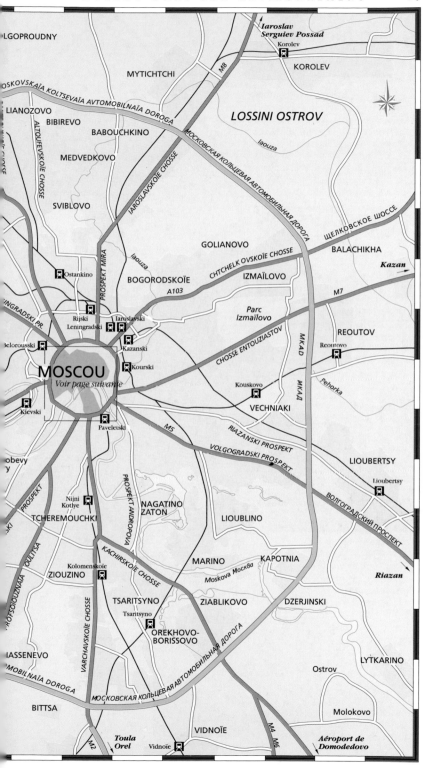

Le centre de Moscou

L a carte ci-contre présente le centre de Moscou,
divisé en cinq quartiers principaux. La plupart
des monuments et sites de la ville sont situés
dans ces quartiers, à l'intérieur de la zone
délimitée par la ceinture des Boulevards
et la ceinture des Jardins. Chaque quartier
fait l'objet d'un chapitre, et deux autres
chapitres sont consacrés à la périphérie
et aux excursions en dehors de la ville.
Les monuments et sites étant proches
les uns des autres, la visite du centre
peut aisément se faire à pied.

L'hôtel National
*Situé au cœur du quartier Tverskaïa,
non loin du théâtre Bolchoï (p. 90-
91), l'hôtel National (p. 89) est un
édifice de style éclectique, mélange
de modern style et de style classique.*

Oulitsa Arbat
*Au XVe siècle, la rue Arbat (p. 70-71)
faisait partie d'un faubourg de
Moscou. C'est aujourd'hui une rue
piétonne pleine d'animation, bordée
de boutiques et de restaurants.*

Le Kremlin
*Cœur historique de
la ville, le Kremlin
(p. 52-67) domine
la vie russe depuis
plus de 800 ans.
Il rassemble des
constructions de
différentes époques,
du XVe au XXe siècle.*

LÉGENDE

▩	Site important
▩	Site intéressant
Ⓜ	Station de métro
⛴	Embarcadère de bateaux
🚓	Poste de police
✝	Église orthodoxe
✝	Église non orthodoxe
✡	Synagogue
C	Mosquée
⊠	Bureau de poste

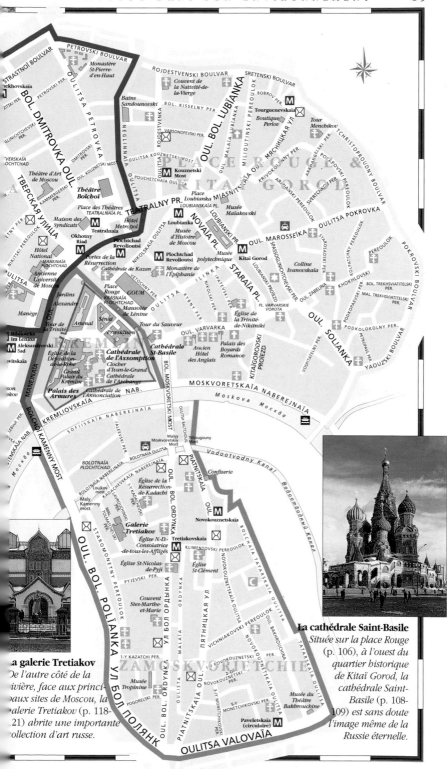

PETROVSKI BOULVAR
ROJDESTVENSKI BOULVAR
SRETENSKI BOULVAR
Monastère St-Pierre-d'en-Haut
Couvent de la Nativité-de-la-Vierge
Bains Sandounovski
BOBROV PER.
Tourguenevskaïa
Tour Menchikov
Boutique Perlov
OUL. BOL. LUBIANKA
BOL. KISSELNY PER.
VARSONOFEVSKI PER.
MALAIA LUBIANKA
MILIOUTINSKI PEREOULOK
MIASNITSKAÏA OUL.
ARKHANGELSKI PER.
BOBROV PER.
KRIVOKOLENNY PEREOULOK
ARMIANSKI PEREOULOK
SVERTCHKOV PER.
BOL. DMITROVKA OUL.
OULITSA PETROVKA
NEGLINNAIA
ROJDESTVENKA
OULITSA KOUZNETSKI MOST
POUCHETCHNAÏA OULITSA
TCHISTOPROUDNY BOULVAR
POKROVSKI BOULVAR
TVERSKAÏA OULITSA
Théâtre d'Art de Moscou
Théâtre Bolchoï
Place des Théâtres
TEATRALNAÏA PL.
Hôtel Métropol
Maison des Syndicats
Okhotny Riad
Hôtel National
MANEJNAÏA PLOCHTCHAD
Ancienne Université de Moscou
TEATRALNY PR.
Teatralnaïa
Plochtchad Revolioutsi
Loubianka
Musée d'Histoire de Moscou
NIKOLSKAÏA OULITSA
Portes de la Résurrection
Cathédrale de Kazan
Monastère de l'Épiphanie
PLACE ROUGE & KITAÏ GOROD
Place Loubianka
LOUBIANSKAÏA PL.
Musée Maïakovski
NOVAÏA PL.
Musée polytechnique
Kitaï Gorod
OUL. MAROSSEÏKA
STAROSADSKI PER.
PEREOULOK
POKROVSKI BOULVAR
Colline Ivanovskaïa
KHOKHLOVSKI PER.
KOLPATCHNY PER.
PODKOLOKOLNY PER.
OUL. SOLIANKA
Jardins Alexandre
Manège
Tour de la Trinité
Arsenal
Bibliothèque im Lénine
Aleksandrovski Sad
Place Rouge
KRASNAÏA PLOCHTCHAD
GOUM
Mausolée de Lénine
Sénat
Présidium
OULITSA RYBNY PER.
ILINKA
NIKOLSKI PER.
PATEVSKI PER.
STARAÏA PL.
LOUBIANSKAÏA OULITSA
PL. VARVARSKIE VOROTA
OUL. ZABELINA
SPASSOGLINITCHEVSKI PER.
LOUBIANSKI PROIEZD
Tour du Sauveur
OUL. VARVARKA
Église de la Trinité-de-Nikitniki
VOSPITATELNY PER.
Cathédrale de l'Assomption
Cathédrale St-Basile
Ancien Hôtel des Anglais
Palais des Boyards Romanov
KITAÏGORODSKI PROIEZD
Clocher d'Ivan-le-Grand
Cathédrale de l'Archange
Grand Palais du Kremlin
Palais des Armures
Cathédrale de l'Annonciation
Église de la Déposition-de-la-Robe
KREMLIOVSKAÏA NAB.
SOFIISKAÏA NABEREJNAÏA
PALEVSKI PER.
BOL. MOSKVORETSKI MOST
OULITSA BALTCHOUG
MOSKVORETSKAÏA NABEREJNAÏA
Moskova Mockba
Malaïa Moskvoretski Most
Tchougouny Most
Vodootvodny Kanal
Confiserie
Москва Mockba
BOLOTNAÏA PLOCHTCHAD
BOLOTNAÏA MANEJNAÏA
Loujkov most
BOLOTNAÏA OULITSA
KADACHEVSKAÏA NABEREJNAÏA
1-Y KADACHEVSKI PER.
Église de la Résurrection-de-Kadachi
Maly Kamenny most
PIATNITSKAÏA
OUL. BOL. ORDYNKA
Novokouznetskaïa
BOLOTNY КАМENNY MOST
STAROMONETNY PEREOULOK
MAL. TOLMATCHEVSKI PER.
Galerie Tretiakov
Église N-D-Consolatrice-de-tous-les-Affligés
Tretiakovskaïa
KLIMENTOVSKI PEREOULOK
BOLCHAÏA TATARSKAÏA OULITSA
OULITSA NOVOKOUZNETSKAÏA
BOL. TATARSKAÏA OULITSA
Église St-Nicolas-de-Pyji
Église St-Clément
PYJEVSKI PER.
Couvent Stes-Marthe-et-Marie
OUL. BOL. POLIANKA
УЛ. БОЛ. ОРДЫНКА
MALAÏA OULITSA
OUL. BAKHROUCHINA
VICHNIAKOVSKI PEREOULOK
ZAMOSKVORIETCHIE
1-Y KAZATCHI PER.
Musée Tropinine
PIATNITSKAÏA OULITSA
PYJEVSKI PER.
NOVOKOUZNETSKI PER.
2-DI NOVOKOUZNETSKI PER.
MONETTCHIKOVSKI PER.
Musée du Théâtre Bakhrouchine
УЛ. БОЛ. ОРДЫНКА
POGORELSKI PER.
MALAIA PIATNITSKAÏA OUL.
5-Y MONETTCHIKOVSKI PER.
Paveletskaïa (circulaire)
OULITSA VALOVAÏA

La galerie Tretiakov
De l'autre côté de la rivière, face aux principaux sites de Moscou, la galerie Tretiakov (p. 118-121) abrite une importante collection d'art russe.

La cathédrale Saint-Basile
Située sur la place Rouge (p. 106), à l'ouest du quartier historique de Kitaï Gorod, la cathédrale Saint-Basile (p. 108-109) est sans doute l'image même de la Russie éternelle.

HISTOIRE DE MOSCOU

D estinée à régner sur un sixième de la surface du globe, Moscou n'était, au XIIe siècle, qu'une modeste bourgade fortifiée. L'histoire de son développement est marquée par des périodes glorieuses et sombres, notamment celle où Saint-Pétersbourg l'avait reléguée pour deux siècles au rang de respectable douairière.

LES ORIGINES

La région de forêts autour de Moscou était peu peuplée, mais les terres fertiles de la Russie méridionale et de l'Ukraine servaient depuis longtemps de voie de passage pour les échanges entre l'Orient et l'Europe. C'est là que s'établirent les Slaves, ancêtres des Russes. Venus de l'est de l'Europe au VIe siècle, ils construi-sirent des villages isolés le long des prin-cipales rivières. Au VIIIe siècle, ils entrèrent en contact avec les Varègues (Vikings), qui empruntaient les voies navigables pour faire le commerce de l'ambre, des fourrures et des esclaves.

Guerriers mongols partant au combat sur leurs chevaux, représentés sur une boîte laquée du XVe siècle

LA RUSSIE KIÉVIENNE

Les querelles endémiques entre les tribus slaves prirent fin avec la venue au pouvoir d'un chef varègue, appelé Rourik, qui s'établit à Novgorod. Son successeur, Oleg, s'empara de Kiev et en fit sa capitale. En 988, le grand-prince Vladimir Ier, descen-dant de Rourik, se fit baptiser chrétien orthodoxe (p. 137) et épousa la sœur de l'empereur byzantin.

Conversion de Vladimir dans le *Baptême de la Russie* de Vasnetsov

Cette conversion fut décisive pour la Russie, qui resta un pays orthodoxe jusqu'au XXe siècle.

L'INVASION MONGOLE

Au XIIe siècle, la suprématie de Kiev avait déjà été défiée par les puissants principautés russes du Nord, en par-ticulier Rostov-Souzdal (p. 155), dont faisait partie le Kremlin de Moscou. Lorsque la redoutable armée mongole envahit la région en 1237, les Russes, déchirés par leurs querelles intestines, n'opposèrent guère de résistance à Batu, petit-fils de Gengis Khan. Mais cette invasion leur coûta cher : pen-dant les 240 années suivantes, bien qu'autorisés à se gouverner eux-mêmes, ils durent verser aux khans un tribut annuel exorbitant.

CHRONOLOGIE

V. 8 Les Varègues arrivent dans la région pour faire du commerce et découvrent des tribus en conflit	*Rourik, chef varègue* **988** Le grand-prince Vladimir se convertit au christianisme		**1147** Premier document attestant l'existence de Moscou	**1156** Le prince Iouri Dolgorouki construit le premier Kremlin en bois de Moscou	**1240** Les Mongols dominent presque toute la Russie
800	**900**	**1000**	**1100**	**1200**	
862 Rourik s'empare de Novgorod et en fait une forteresse varègue	**882** Oleg prend Kiev, qui devient sa capitale **863** Les missionnaires Cyrille et Méthode inventent l'alphabet cyrillique, fondé sur l'alphabet grec. L'alphabétisation progresse avec le christianisme	**1108** Fondation de la ville de Vladimir (p. 155)	**1223** Premier raid mongol **1236-1242** Le prince Alexandre Nevski de Novgorod bat les envahisseurs suédois puis les chevaliers Porte-Glaive		

◁ **Saint Georges et le Dragon, symbole de Moscou, sur une icône du XVe siècle à la galerie Tretiakov**

L'ESSOR DE MOSCOU

Au XIVᵉ siècle, les Mongols chargent le grand-prince Ivan Iᵉʳ Kalita de Moscou, surnommé « l'Escarcelle » (1325-1340), de lever le tribut sur toutes les principautés conquises. Ce prince obséquieux et avide de pouvoir, s'était déjà mis au service de l'envahisseur en réprimant une révolte contre les Mongols menée par son voisin, le grand-prince de Tver. Mais en consacrant ainsi la suprématie de Moscou sur ses voisines, les Mongols scellaient leur propre destin. Forte de ses privilèges, la ville va connaître une prospérité croissante et constituer une menace pour leur pouvoir. Cinquante ans plus tard, le grand-prince moscovite, Dimitri Donskoï (1359-1389), inflige aux Tatars leur première défaite, à la tête d'une armée de soldats venus de plusieurs principautés russes. L'idée d'une nation russe était née.

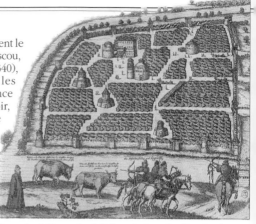

Sur ce plan de Moscou du XVᵉ siècle, on distingue, dans l'enceinte des murs en pierre, des rangées de maisons en bois et plusieurs églises

Cependant, la domination mongole ne prendra vraiment fin que sous le règne d'Ivan III, dit le Grand (1462-1505), dont le royaume s'étend alors depuis l'océan glacial Arctique jusqu'aux monts Oural. En épousant la nièce du dernier empereur de Byzance, fuyant Constantinople, tombée aux mains des Ottomans en 1453, Ivan accroît encore le prestige de Moscou, qui prétend être le dernier bastion de la vraie orthodoxie. Il cherche également à affermir la position de la ville à travers un vaste programme de construction et fait appel, pour la première fois, à des architectes étrangers, notamment italiens (p. 44) qui bâtissent les murs d'enceinte de l'actuel Kremlin.

Ivan le Terrible (1533-1584)

IVAN LE TERRIBLE

Ivan IV le Terrible (1533-1584), petit-fils d'Ivan le Grand, succédant à son père, Vassili III, prend le titre de « tsar de toutes les Russies ». Sous son règne, la Russie va s'étendre au-delà de l'Oural, jusqu'en Sibérie. Les remparts de Moscou sont renforcés pour faire face aux attaques des Mongols de Crimée qui se poursuivent de façon sporadique jusqu'en 1571.

Mais, malgré l'immense pouvoir dont il dispose, Ivan souffre de paranoïa.

Après la mort d'Anastasia, son épouse bien-aimée, il est convaincu que celle-ci a été empoisonnée par les boyards (p. 20), et il instaure le premier régime policier russe, en s'entourant d'une garde qui sème partout la terreur. Ses sinistres *opritchniki,* coiffés de cagoules noires, massacrent des villages entiers pour éliminer les prétendus ennemis du tsar, tandis que les aristocrates comme les paysans sont

CHRONOLOGIE

soumis à toutes sortes de restrictions. Les excès de ce système autocratique finiront par ruiner le pays. En tuant dans un accès de rage paranoïaque son fils Ivan, seul capable de lui succéder, le tsar met fin à la dynastie varègue.

LE TEMPS DES TROUBLES

Cet événement marque le début d'une époque qu'on a appelée le Temps des troubles. Fiodor, le fils aîné d'Ivan, simple d'esprit, va régner pendant quatorze ans (1584-1598) sous la régence d'un ancien *opritchnik*, Boris Godounov. À la mort de Fiodor, disparu sans héritier, Godounov s'installe au Kremlin, mais se voit bientôt menacé par un prétendant au trône qui se fait passer pour Dimitri, le fils cadet d'Ivan le Terrible, que l'on croyait mort. Ce prétendant inattendu va chercher de l'aide en Pologne et, en 1604, se dirige vers Moscou avec une armée de 4 000 hommes. À la mort de Boris Godounov, en 1605, il est proclamé tsar. Son règne est toutefois de courte durée, car il mécontente les boyards de Moscou, qui le tuent pour mettre à sa place un nouvel imposteur, Basile Chouïski. Celui-ci doit à son tour faire face à un « faux Dimitri » qui marche sur Moscou en 1607 et demande de l'aide à la Suède, provoquant une nouvelle intervention de la Pologne. Les Polonais atteignent Moscou en 1610. Chouïski est alors détrôné par les boyards. Au nord, les Suédois profitent de l'instabilité du pouvoir pour s'emparer de Novgorod. Cette situation désespérée pousse enfin les Russes à s'unir pour chasser l'occupant polonais. Une armée levée par Minine et le prince Dimitri Pojarski *(p. 108)* met fin au siège du Kremlin en 1612.

**Boris Godounov
(1598-1605)**

LES PREMIERS ROMANOV

Décidés à mettre un terme à l'anarchie, les notables de Moscou s'accordent pour élire comme tsar héréditaire Michel Romanov (1613-1645), petit-neveu de la première femme d'Ivan le Terrible, Anastasia, inaugurant ainsi les 300 ans de règne de la dynastie des Romanov. Assisté de son père, Philarète, le jeune tsar, âgé de 16 ans, va permettre à la Russie de se relever de la période mouvementée qu'elle vient de traverser. Mais c'est surtout son héritier, Alexis (1645-1676), qui va contribuer au redressement du pays. Cet homme pieux et intelligent essaie de moderniser l'État. Il fait codifier le droit russe et encourage la venue de techniciens étrangers, s'opposant ainsi à l'Église orthodoxe. Sous le règne d'Alexis, celle-ci connaît des temps difficiles à la suite du schisme entre les réformateurs menés par le patriarche Nikon *(p. 57)*, et les vieux-croyants, partisans de la tradition. Afin de limiter le pouvoir du patriarche, Alexis renforce le contrôle de l'État sur l'Église.

Ambassadeurs du Conseil du royaume suppliant le jeune Michel Romanov d'accepter la couronne en 1613

Le Moscou médiéval

À l'époque de sa construction, en 1156, Moscou n'est qu'une forteresse en bois *(kremlin)* isolée. 400 ans plus tard, c'est une capitale prospère. Ses murs d'enceinte abritent des quartiers regroupés autour du Kremlin, dont la palissade en bois est remplacée en 1367 par un mur en pierre destiné à protéger la ville contre les attaques mongoles, puis, en 1485, par une imposante muraille en brique. Après la chute de Constantinople (1453), Moscou, devenue la « troisième Rome », arbore plusieurs cathédrales en pierre dignes de son nouveau rôle. La place Rouge est le lieu des manifestations publiques. Le reste de la ville est peuplé de boyards, de marchands, de domestiques, et d'artisans.

L'AGGLOMÉRATION MOSCOVITE

▧ *XIIIᵉ siècle*   ☐ *1590*

Le sauna public
(bania) était toujours situé près de l'eau, à l'écart des habitations.

Andreï Roublev (v. 1370-1430)
Le plus grand peintre d'icônes, Andreï Roublev, est représenté ici peignant une fresque au monastère Saint-Andronic (p. 140). Les icônes (p. 61) servaient à l'instruction religieuse du peuple.

Un *kovch* en argent
À l'origine en bois, ce récipient à boire, appelé kovch, s'utilisait lors des cérémonies. Au XIVᵉ siècle, on commença à fabriquer des kovchi en métal. Certains étaient décorés avec raffinement, et le tsar en offrait souvent à ses sujets favoris. Quand ils n'étaient pas utilisés, ces précieux objets étaient exposés comme symboles de richesse.

LA VILLE FORTIFIÉE
Ce tableau de Vasnetsov *(p. 144)*, représentant le Kremlin au XVᵉ siècle, montre l'enche-vêtrement des maisons en bois qui entouraient les palais et les églises. C'est là que se trouvaient les célèbres ateliers du Kremlin.

Boyards et marchands
Bien que richement vêtus, les boyards (nobles) de la Russie médiévale étaient généralement incultes et rudes dans leurs manières. Des marchands spécialisés dans le commerce des fourrures du Nord et des soies de Turquie pourvoyaient à leurs besoins matériels.

Les étrangers à Moscou

Dès le XVIe siècle, diplomates et marchands étrangers commencèrent à se rendre dans ce pays isolé et xénophobe qu'était la Russie. Cherchant une voie de passage vers l'Orient par le nord-ouest, un explorateur anglais, Richard Chancellor, atteint Moscou, où il réussit à négocier un traité de commerce avec Ivan le Terrible.

Les maisons en bois pouvaient s'acheter préfabriquées dans un marché. Cela permettait de remplacer celles détruites par les fréquents incendies.

Murs en pierre calcaire construits par Dimitri Donskoï (p. 155)

Cathédrale de l'Assomption

De petits navires marchands se pressaient le long des rives de la Moskova pour décharger les marchandises destinées à la ville. Les rivières de Russie étaient de loin les meilleures voies d'accès pour le commerce.

Ivan le Terrible

Même si son règne (1533-1584) eut des aspects positifs pour la Russie, Ivan IV mérite certainement son surnom. Parmi les nombreux morts qu'il avait sur la conscience figure son fils Ivan, seul capable de lui succéder. Le tsar le tua dans un accès de rage et en eut des remords toute sa vie.

OÙ VOIR LE MOSCOU MÉDIÉVAL

Le Kremlin abrite trois constructions médiévales : les cathédrales de l'Assomption (p. 58–59), de l'Archange (p. 60) et de l'Annonciation (p. 60). Le palais des Armures (p. 64–65) présente objets d'art, armes et armures, tandis que la vie quotidienne de la noblesse est reconstituée dans le palais des Boyards Romanov (p. 102–103). La cathédrale Basile-le-Bienheureux date de cette époque.

La salle à manger *du palais des Boyards Romanov*

Construction d'une cathédrale

Lors de la construction de la cathédrale de l'Assomption, sous le règne d'Ivan Ier (1325–1340), le métropolite Pierre fut transféré à Moscou pour devenir le chef de l'Église orthodoxe. Cette enluminure le montre bénissant la cathédrale.

PIERRE LE GRAND

Élevé dans un esprit de réforme, Pierre Ier, dit le Grand, fils d'Alexis, avait la volonté de faire de son pays un État moderne européen. Premier tsar à se rendre à l'étranger, il entreprend en 1697 une série de voyages afin d'étudier la construction navale et d'autres techniques européennes. Dès son retour, il ordonne la construction d'une flotte, réforme l'armée et oblige ses courtisans à s'habiller à l'occidentale. En 1709, il

Portrait de Pierre le Grand par Vassili Sourikov. Le tsar regarde passer les streltsy conduits au lieu d'exécution après leur rébellion, en 1698

remporte à Poltava une écrasante victoire sur les Suédois, qui, depuis un siècle, représentaient une menace pour son pays, et s'impose au regard de l'Europe comme chef d'une nouvelle puissance.

Le règne de Pierre Ier eut une influence décisive sur le destin de Moscou. À dix ans, il avait assisté à l'assassinat de plusieurs membres de sa famille au Kremlin, lors de la révolte des streltsy. Cette rébellion, causée par les luttes de succession entre la famille de sa mère, les Narychkine, et celle de la première femme

Le tsar Pierre le Grand
(1682-1725)

de son père, les Miloslavski, eut pour conséquence sa nomination de co-tsar aux côtés de son demi-frère Ivan. Détestant Moscou, il rumina une vengeance qui s'accomplit 16 ans plus tard avec l'exécution sans pitié d'un millier de streltsy.

Dans le même temps, Pierre décide de construire une nouvelle ville sur les rives marécageuses de la Néva, au bord de la Baltique, et contraint la famille impériale et le gouvernement à s'y installer. En 1712, cette cité humide et froide, baptisée Saint-Pétersbourg, est proclamée capitale de la Russie.

Tsarine Élisabeth
(1741-1762)

LE RÈGNE DES FEMMES

Après la mort de Pierre le Grand, en 1725, et pendant la plus grande partie du XVIIIe siècle, la Russie va être gouvernée par des femmes : Catherine Ire, Anna, Élisabeth et Catherine II. Bien que toujours couronnées à Moscou, dans la cathédrale de l'Assomption (p. 58-59), les tsarines préfèrent le style de vie occidental de Saint-Pétersbourg. Seule Élisabeth, la fille de Pierre, séjourne régulièrement à Moscou. Pendant le règne de son père, les constructions en pierre, hors de Saint-Pétersbourg, avaient été interdites, mais Moscou restait la ville favorite de grandes familles russes et, sous Élisabeth, on voit s'y élever une floraison de nouveaux bâti-

CHRONOLOGIE

1696 Mort d'Ivan. Pierre Ier règne seul	**1698** Les streltsy sont écrasés **1700-1721** Grande guerre du Nord contre la Suède	**1721** Pierre Ier remplace le patriarcat par un synode moins puissant **1730-1740** Règne d'Anna	**1773** Rébellion de Pougatchev **1741-1762** Règne **1768-1774** Première d'Élisabeth guerre russo-turque

1700	1725	1750

1682 Révolte des **1709** streltsy ; Pierre Ier Victoire nommé tsar avec son russe demi-frère Ivan V, à la sous la régence de bataille de sa demi-sœur Sophie Poltava	**1712** La capitale est transférée à St-Pétersbourg **1727-1730** Règne de Pierre II. Moscou capitale pendant deux ans	**1725-1727** Règne de Catherine Ire	*Tsarine Anna*	**1762** Pierre III assassiné. Catherine monte sur le trône **1755** Mikhaïl Lomonossov fonde l'université de Moscou

ments. La première université de Moscou *(p. 94)*, fondée sous la direction du savant et poète Mikhaïl Lomonossov, date de cette période. Moscou restera épargnée par la vague d'occidentalisation qui règne dans la capitale et gardera ainsi une âme et une identité plus profondément russes.

CATHERINE LA GRANDE

En 1762, Catherine II, princesse allemande, dite « Catherine la Grande », renverse le faible Pierre III, son mari, avec l'aide de son amant Grégoire Orlov, officier de la garde. Sous son gouvernement habile et énergique, le pays voit s'accroître son prestige et annexe de nouveaux territoires aux dépens de la Turquie et de son vieil adversaire, la Pologne. Son intérêt

Catherine la Grande (1762-1796)

pour la culture européenne incite l'impératrice à acquérir d'importantes collections d'art et de livres (notamment la bibliothèque de Voltaire) et, en 1767, elle publie son *Nakaz* (« Instruction impériale ») sur laquelle devait être fondé un nouveau code des lois. Pour Catherine II, que l'on peut qualifier de monarque éclairé, Moscou était une ville rétrograde, repliée sur elle-même, et elle y passait peu de temps.

MOSCOU AU XIXᵉ SIÈCLE

L'invasion de Moscou par Napoléon en 1812 et le rôle héroïque qu'elle a joué dans sa défaite *(p. 24-25)* semblèrent redonner à la ville une nouvelle vigueur. Selon Alexandre Herzen *(p. 71),* « Moscou était redevenue la capitale du peuple russe grâce à Napoléon », et, en effet, par le grand élan de reconstruction qu'elle suscita, la destruction des

deux tiers de la ville par le feu eut des conséquences positives sur le plan architectural. Les guerres napoléoniennes marquèrent également un tournant dans l'histoire politique de la Russie, les soldats rapportant avec eux les idées libérales découvertes en Europe. Loin de la cour de Nicolas Iᵉʳ, le « tsar de fer », Moscou offre un refuge aux conspirations des décembristes et des premiers révolutionnaires comme l'écrivain Herzen. La société moscovite reste toutefois enfermée dans un conservatisme, qui lui est favorable, reposant sur le système du servage. Mais avec l'émancipation des serfs en 1861, la plupart des nobles se trouvent privés de leur puissance économique. Les serfs libérés, trop pauvres toutefois pour acheter leur propre terre, se rendent en masse dans les usines d'entrepreneurs moscovites. Se substituant à l'aristocratie, ces derniers font fortune dans le commerce, les textiles, les chemins de fer, la banque, l'édition, et utilisent leurs profits pour financer une renaissance des arts russes.

Le théâtre Bolchoï, un des lieux de divertissement préférés de l'aristocratie moscovite

1787-1792 Deuxième guerre russo-turque	1805-1807 Guerre contre la France. La Russie est battue à Austerlitz et Friedland	*Tsar Nicolas Iᵉʳ*	1835 Premier code de lois moderne	1851 Ouverture de la ligne de chemin de fer Moscou-St-Pétersbourg	1853-1856 Guerre de Crimée

1800	1825	1850

1796 Mort de Catherine II. Avènement de Paul Iᵉʳ	1807 Traité de Tilsit	1816-1819 Émancipation des serfs des provinces baltes	1825 Nicolas Iᵉʳ devient tsar et écrase la révolte des décembristes	1855 Mort de Nicolas Iᵉʳ. Avènement d'Alexandre II
1801 Paul Iᵉʳ assassiné. Alexandre Iᵉʳ devient tsar et entame des réformes	1812 Napoléon envahit Moscou puis se retire			1861 Émancipation de tous les serfs
				1865-1869 Tolstoï publie *Guerre et Paix*

Guerre et paix

L'ascension de la Russie au rang de grande puissance s'est accélérée entre 1800 et 1830, malgré de sévères défaites infligées, notamment par la France, à la bataille d'Austerlitz (1805), et la signature du traité de Tilsit en 1807. Cette paix fragile prit fin en 1812, avec l'invasion de la Grande Armée de Napoléon. La Russie transforma le désastre en victoire et, en 1814-1815, le tsar Alexandre Ier prit part au congrès de Vienne pour décider du sort de l'Europe. Mais les guerres napoléoniennes avaient déjà semé les idées européennes libérales qui devaient entraîner plus tard les profondes mutations politiques russes du XXe siècle.

L'AGGLOMÉRATION MOSCOVITE

■ *1812, avant l'incendie*
□ *Quartiers détruits par le feu*

Alexandre Ier (1801-1825)
Le jeune tsar, acquis aux idéaux des Lumières, se laissa progressivement influencer par ses conseillers réactionnaires.

Le Kremlin souffrit davantage des pillages de l'armée française que de l'incendie.

Napoléon occupa un temps les appartements du tsar, avant de chercher refuge en dehors de la ville.

L'INCENDIE DE MOSCOU

Après la retraite du maréchal Michel Koutousov à Borodino, l'armée française entra dans Moscou. Mais les Moscovites mirent le feu à leur ville et s'enfuirent. En quatre jours, les deux tiers de l'agglomération avaient brûlé, laissant l'armée privée d'abri et de provisions. Cet incendie et le refus d'Alexandre Ier de négocier tant que Napoléon restait sur le territoire russe entraînèrent la défaite de l'empereur français.

Les soldats français livrés à la boisson et au pillage.

La bataille de Borodino, septembre 1812
Cette bataille (p. 152) dura 15 heures et fit 70 000 morts, dont la moitié étaient français. Napoléon la qualifia cependant de victoire et avança sur Moscou.

Retraite de la Grande Armée de Napoléon
Sans provisions, l'armée commença à battre en retraite en octobre. 30 000 hommes sur 600 000 survécurent.

Le style Empire
Des sièges aux assiettes, de nombreux objets de style Empire (p. 45) ont été créés à cette époque. Cette tasse et sa soucoupe, au motif classique, datent de 1810 et proviennent de la fabrique de Popov près de Moscou.

OÙ VOIR LE MOSCOU NÉO-CLASSIQUE

On trouve les premiers exemples de style néo-classique aux palais d'Ostankino *(p. 144)* et de Kouskovo *(p. 142-143)*, à la maison

Fronton du palais de Kouskovo

Pachkov *(p. 75)* et à l'ancienne université *(p. 94)*. Après l'incendie de Moscou, plusieurs quartiers furent reconstruits dans le style Empire. Bolchaïa Nikitskaïa oulitsa *(p. 93)*, oulitsa Pretchistenka *(p. 74)* et la place des Théâtres *(p. 88)* sont bordées d'édifices de l'époque.

Université de Moscou
Après les guerres napoléoniennes, l'université de Moscou, fondée en 1755, acquit la réputation d'être un foyer de libéralisme. Les discussions politiques ne pouvaient cependant avoir lieu que dans des endroits tenus secrets.

Alexandre Pouchkine
Le grand poète romantique Alexandre Pouchkine (p. 73) sut saisir l'esprit de l'époque. Il était souvent invité avec sa femme, Natalia, aux bals de la cour. Cela permettait à Nicolas Ier de garder un œil sur le poète libéral et sur sa séduisante épouse.

De nouveaux incendies furent allumés à travers la ville, sur ordre du gouverneur tsariste.

La rivière n'empêcha pas la propagation du feu, attisé par un vent violent.

L'oppression du servage
La vie facile des aristocrates reposait sur le travail de millions de serfs dans leurs vastes domaines. Ce tableau montre un propriétaire qui, pour régler ses dettes, vend une jeune fille à un nouveau maître.

LA FIN DE L'EMPIRE

Malgré une rapide industrialisation dans les années 1890, la Russie connaît une récession désastreuse au début du XXe siècle. La guerre de diversion de Nicolas II contre les Japonais échoue et provoque une instabilité économique qui aggrave la misère de la classe ouvrière et aboutit finalement à la révolution de 1905. Le 9 janvier, à Saint-Pétersbourg, la troupe tire sur un cortège venu adresser une pétition au tsar. Ce « dimanche rouge » met le feu aux poudres, et des grèves éclatent dans tout le pays. Pour éviter un plus grand soulèvement, Nicolas doit promettre les libertés civiques fondamentales et l'élection d'un parlement, qu'il se permettra toutefois de dissoudre à sa guise. Cette attitude autoritaire, ainsi que l'amitié de la famille impériale pour le « saint homme » Raspoutine, terniront beaucoup la réputation des Romanov.

Le Bolchevik par Boris Koustodiev, peint en 1920

Le début de la Première Guerre mondiale suscite une flambée de patriotisme dont Nicolas essaie de profiter en prenant personnellement le commandement des troupes. Mais à la fin de 1916, la situation est dramatique : la Russie a perdu 3 500 000 hommes, le moral au front est très bas et l'approvisionnement en nourriture dans le pays est de plus en plus difficile.

RÉVOLUTION ET GUERRE CIVILE

En février 1917, des grèves éclatent à Saint-Pétersbourg. La population descend dans la rue, les prisons sont saccagées : c'est le début de la révolution de Février. Le tsar abdique, et sa famille est placée en résidence surveillée. Les révolutionnaires en exil reviennent pour former des soviets d'ouvriers et de soldats. Élus par les ouvriers, ils constituent, face à un gouvernement provisoire non élu, un puissant groupe de pression contre la guerre. Au mois d'octobre, les dirigeants bolcheviks, poussés par Lénine, organisent une insurrection armée. À l'aube du 26 octobre, ils renversent le gouvernement provisoire au palais d'Hiver de Saint-Pétersbourg.

En quelques mois, les bolcheviks se révèlent aussi peu soucieux de démocratie que le tsar : ils renvoient l'Assemblée constituante et créent leur propre police, la Tchéka. En mars 1918, ils tiennent néanmoins leur promesse en

Tatiana
Olga
Maria
Anastasia

Le tsar Nicolas II entouré de sa femme Alexandra, de leurs quatre filles et du tsarévitch Alexis, en 1913

CHRONOLOGIE

1881 Alexandre II est tué par le groupe « Volonté du peuple ». Avènement d'Alexandre III

1894 Mort d'Alexandre III après un règne répressif. Avènement de Nicolas II

1905 Révolution de 1905 et inauguration de la Douma (1906)

1902 Lénine publie *Que faire ?*

1912 Premier numéro de la *Pravda*

1880

1900

1881-1882 Pogroms contre les Juifs

1887 Le frère de Lénine est pendu pour avoir attenté à la vie du tsar

1898 Fondation du parti social-démocrate

1903 Scission entre les bolcheviks et le parti ouvrier social-démocrate de Russie

1904-1905 Guerre russo-japonaise

1913 300e anniversaire de la dynastie Romanov

1914 Ire Guerre mondiale

faisant sortir la Russie de la guerre, mais pour aussitôt plonger les soldats dans une désastreuse guerre civile. Moscou redevient la capitale d'où Lénine et son gouvernement dirigent leur armée « rouge » contre la coalition des divers groupes contre-révolutionnaires appelés les « Blancs ». Lorsqu'en juillet 1918 les soldats blancs s'apprêtent à pénétrer dans Ekaterinbourg, où sont exilés les Romanov, la famille royale est brutalement massacrée par ses gardes. Mais les Blancs sont une force disparate, et en novembre 1920, ils sont définitivement écrasés. La Russie soviétique doit alors faire face à une terrible famine, qui va durer deux ans.

La cathédrale du Christ-Sauveur, démolie sur ordre de Staline dans le cadre du nouveau plan d'urbanisme

1928-1929. Puis, en 1934, Serge Kirov, le chef du Parti de Léningrad, est assassiné sur ordre de Staline, bien que le meurtre ait été officiellement attribué à une cellule secrète anti-stalinienne. C'est le début de cinq années de purges marquées par l'exécution de plus d'un million d'individus et l'arrestation de quelque 15 millions de personnes envoyées dans des camps de travaux forcés, dont la plupart ne reviendront pas.

En 1937-1938, Staline ordonne une purge sanglante de l'Armée rouge. En 1941, les Allemands pénètrent aisément en Russie et soumettent Léningrad à un terrible blocus de presque 900 jours. Mais Moscou ne sera jamais prise car Hitler, comme Napoléon avant lui, sous-estime la rigueur de l'hiver et la combativité des Russes. Après la défaite allemande, le peuple russe, qui a perdu plus de 20 millions d'hommes et de femmes doit faire face à une nouvelle vague de terreur qui ne prendra fin qu'avec la mort de Staline.

Joseph Staline sur une affiche de propagande de 1933

LES ANNÉES STALINE

Durant les cinq années qui suivent la mort de Lénine en 1924, Joseph Staline profite de sa position de secrétaire général du parti communiste pour éliminer des rivaux tels que Léon Trotski et établir un régime de dictature.

La terreur commence dans les campagnes, avec la collectivisation de l'agriculture qui force les paysans à céder leurs terres, leur matériel et leur bétail à des fermes collectives, en échange d'un salaire. On estime à 10 millions le nombre de personnes ayant péri au cours de cette période et durant la famine qui s'ensuivit en 1931-1932. La première grande purge parmi les intellectuels frappe les zones urbaines en

Défendons notre chère Moscou, affiche de propagande de 1941

Serguei Kirov

La révolution russe

L a révolution russe, qui commença à Saint-Pétersbourg et rendit à Moscou son rôle de capitale, marque un tournant dans l'histoire du xxᵉ siècle. À la fin de 1916, dans un pays épuisé par les défaites et la famine, même les ministres et les généraux se mettent à douter des capacités du tsar à gouverner. En 1917 éclatent deux insurrections successives : la révolution de Février, qui débute par des grèves généralisées et aboutit à l'abdication de Nicolas II, et la révolution d'Octobre, qui renverse le gouvernement provisoire et amène les communistes au pouvoir. Sortis victorieux de la guerre civile qui suit, ces derniers vont essayer de construire une nouvelle société.

L'AGGLOMÉRATION MOSCOVITE

▨ 1917   ☐ Aujourd'hui

De nombreux soldats désertaient pour prendre l'uniforme de l'Armée rouge.

L'ex-tsar
Nicolas II, déblayant la neige pendant sa résidence surveillée près de Saint-Pétersbourg, avant d'être emmené avec sa famille à Ekaterinbourg, dans l'Oural. C'est là qu'ils furent massacrés, en 1918, et leurs corps jetés dans un puits de mine.

Les classes moyennes comme les pauvres prirent part à la révolution.

LES ROUGES DEVANT LE KREMLIN
En octobre, les bolcheviks s'attaquent au Kremlin. Au bout de trois jours, les révolutionnaires doivent céder le terrain conquis, et il leur faudra encore six jours pour venir à bout des troupes loyalistes à l'intérieur de la forteresse et dans le reste de la ville.

Les femmes participaient aux manifestations.

Le camarade Lénine
Orateur charismatique, peint ici par Victor Ivanov, Lénine revint d'exil en avril pour conduire la révolution. À la fin de 1917, le parti bolchevik avait conquis le pouvoir.

Assiette révolutionnaire
Pour commémorer les événements importants, on fabriquait des objets en céramique aux thèmes révolutionnaires mêlés de folklore russe. Cette assiette date de la fondation de la IIIᵉ Internationale de 1919.

Léon Trotski

L'intellectuel Trotski a joué dans la révolution un rôle militaire important. Mais après la mort de Lénine, une lutte pour le pouvoir s'engagea au sein du parti, et, en 1928, il fut exilé par Staline, et assassiné en 1940 à Mexico par ses agents.

La propagande
L'un des principes du régime soviétique était une propagande intensive. De nombreux artistes de talent se virent confier la réalisation d'affiches au graphisme percutant pour propager le message socialiste. Durant la guerre civile (1918-1920), des affiches vantaient l'« armée pacifiste des travailleurs » pour soutenir le communisme de guerre.

L'art d'avant-garde
Avant 1917, les artistes russes avaient fait preuve d'esprit révolutionnaire et créé les premières véritables peintures abstraites, comme ce Supremus n° 56, de Kazimir Malevitch, qui date de 1916.

Banderoles proclamant la liberté

Jeunes et vieux se laissaient entraîner par la ferveur révolutionnaire.

Les nouvelles valeurs
La révolution entraîna un changement radical des mœurs. Au lieu de se marier à l'église, les couples échangeaient leurs serments sous le drapeau rouge. L'égalité des sexes fut proclamée, mais cela signifiait que les femmes devaient travailler deux fois plus – à la maison et à l'usine.

CHRONOLOGIE

Février Révolution à Saint-Pétersbourg	**Mars** Le tsar abdique. Le gouvernement provisoire est dirigé par le prince Lvov	**Oct.** Les bolcheviks s'emparent du palais d'Hiver à Saint-Pétersbourg, et chassent le gouvernement provisoire	**Mars** Les bolcheviks signent la paix de Brest-Litovsk avec l'Allemagne et font sortir la Russie de la guerre. Moscou redevient la capitale
1917		**1918**	
Juillet Kerenski devient Premier ministre du gouvernement provisoire	*Croiseur Aurore*	**1918 Janv.** Trotski, commissaire du peuple à la guerre **Déc.** Lénine forme la Tchéka (police secrète)	**Juillet** Début de la guerre civile. Le tsar et sa famille assassinés en prison à Ekaterinbourg

La Colombe de la paix de Washington (1953), caricature russe de l'époque de la guerre froide

la guerre nucléaire. Quand Leonid Brejnev prend la relève en 1964, la liberté de pensée est à nouveau jugulée. Les dix premières années de son gouvernement sont une époque de relative prospérité, mais qui cache l'existence d'un vaste marché noir et une corruption croissante. Les apparatchiks du parti, qui profitent de la situation, n'ont aucun intérêt à tuer la poule aux œufs d'or. Lorsque Brejnev meurt, en 1982, le Politburo, décidé à empêcher l'arrivée au pouvoir d'une génération plus jeune, le remplace par Andropov, âgé de 68 ans, suivi de Tchernenko, 72 ans.

LE RIDEAU DE FER

Trois ans après la mort de Staline, Nikita Khrouchtchev dénonce les crimes de son prédécesseur au XXe congrès du Parti et inaugure la période dite de « dégel ». Des milliers de prisonniers politiques sont libérés et des livres critiquant Staline sont publiés. Mais la politique extérieure est moins libérale. En 1956, les tanks soviétiques envahissent la Hongrie et, en 1962, la décision de Khrouchtchev d'installer une base de missiles nucléaires à Cuba conduit la communauté internationale au bord de

GLASNOST ET PERESTROÏKA

En 1985, avec la nomination de Mikhaïl Gorbatchev, la faillite de l'ancien système apparaît au grand jour, lorsque le nouveau secrétaire général de 53 ans s'engage sur la voie des réformes avec la *perestroïka* (restructuration) et la *glasnost* (transparence). Il ne soupçonne pas l'ampleur des changements qu'il va déclencher. En 1989, et pour la première fois depuis 1917, les élections au Congrès des députés offrent un vrai choix, ce qui permet à des hommes comme Andreï Sakharov, défenseur des droits de l'homme, ou Boris Eltsine de gagner des sièges. Durant l'automne

Mikhaïl Gorbatchev avec George Bush

et l'hiver de la même année, on assiste à la fin du pacte de Varsovie, les pays de l'Europe de l'Est revendiquant leur indépendance les uns après les autres. Les élections locales de 1990 à l'intérieur de l'Union amènent au pouvoir des candidats nationalistes dans les républiques, et

PREMIÈRE NATION DANS L'ESPACE

Du temps de Khrouchtchev, en 1957, l'Union soviétique réussit un coup magistral contre l'Occident en lançant le premier satellite, *Spoutnik 1*. La même année, la chienne Laïka fut la première créature vivante envoyée dans l'espace, avec *Spoutnik 2*. Elle n'en revint pas, mais quatre ans plus tard, le vol réussi de Iouri Gagarine, premier homme dans l'espace, fit de celui-ci un héros. Si les Soviétiques furent devancés dans la course au premier homme sur la Lune, leur programme spatial fut cependant un puissant moyen de propagande contre les pays de l'Ouest.

Spoutnik 2 et la chienne Laïka, 1957

CHRONOLOGIE

1950-1954 Guerre de Corée
1953 Mort de Staline
1961 Le corps de Staline quitte le Mausolée
1957 Lancement de *Spoutnik 1*
1962 Khrouchtchev installe des missiles à Cuba après l'intervention des USA. Menace de guerre nucléaire
1969 Pourparlers pour la limitation des armes stratégiques
Leonid Brejnev

1950 **1960** **1970**

1955 Pacte de Varsovie
1956 Khrouchtchev dénonce Staline au XXe congrès du parti. Insurrection réprimée en Hongrie
1961 Construction du mur de Berlin. Iouri Gagarine premier homme dans l'espace
1964 Brejnev nommé secrétaire général du parti
1968 Troupes soviétiques en Tchécoslovaquie pour mettre fin au « printemps de Prague »
Nikita Khrouchtchev

Héros communiste tombé en disgrâce après le putsch de 1991

a quadruplé entre 1991 et 1997, et les boîtes de nuit se sont multipliées comme s'il n'y en avait jamais assez pour satisfaire leurs besoins de fête. Une grande partie de la ville a été rénovée en 1997 à l'occasion de son 850e anniversaire, et dans le cadre du programme de restauration, on a reconstruit la cathédrale du Christ-Sauveur *(p. 74)*, démolie par Staline en 1931. Cette reconstruction est un signe de la renaissance de l'Église orthodoxe, réduite à la clandestinité durant l'ère soviétique. Les églises se remplissent à nouveau pour les mariages, les baptêmes et les fêtes religieuses. Le maire de Moscou du milieu des années 1990, Iouri Loujkov, a profité de la richesse de la ville pour lui donner un air de cité prospère, mais pour la plupart des citoyens, à la différence des « nouveaux Russes », les richesses ne sont qu'un mirage. Moscou est maintenant une des villes les plus chères du monde, alors que des quantités de travailleurs gagnent des salaires comparables à ceux du tiers-monde.

démocrates dans la plupart des conseils locaux russes les plus importants. En 1991, les républiques baltes et la Russie quittent l'Union soviétique. À l'élection pour la présidence de la république de Russie, Eltsine remporte une victoire écrasante, lui permettant de porter le coup fatal à l'Union soviétique. L'occasion lui en est donnée après le putsch militaire contre Gorbatchev en août 1991. Quand Gorbatchev rentre de sa résidence surveillée en Crimée, Eltsine le contraint à déclarer hors la loi le parti communiste. À la fin de l'année, toutes les républiques ayant proclamé leur indépendance, l'Union soviétique avait cessé d'exister.

Les 850 ans de Moscou

Moscou aujourd'hui

Les années 1990 ont vu l'ex-capitale soviétique se transformer radicalement. Les immenses ressources naturelles de la Russie ayant attiré vers le pays un afflux de capitaux étrangers, Moscou a vu passer entre ses mains une bonne part de cet argent. Pour certains Moscovites, ceux qu'on appelle les « nouveaux Russes », le niveau de vie s'est considérablement amélioré : le nombre de voitures, notamment,

Les mariages religieux sont de nouveau prisés par les jeunes Russes

1982 Mort de Brejnev, remplacé par Andropov	**1984** Andropov remplacé par Tchernenko. L'URSS boycotte les Jeux olympiques de Los Angeles	**1989** L'URSS quitte l'Afghanistan. Indépendance des pays de l'Europe de l'Est	
		1993 Eltsine fait échec à un nouveau putsch	**1994** Loujkov, maire de Moscou, entame le programme de reconstruction

1980		**1990**		**2000**

1980 J.O. de Moscou boycottés par l'Occident	**1986** Catastrophe nucléaire de Tchernobyl	**1991** Eltsine président de la Russie. Échec du putsch d'août ; l'URSS est dissoute en décembre	**1997** Moscou célèbre son 850e anniversaire
79 L'URSS envahit Afghanistan	**1985** Gorbatchev secrétaire général du parti communiste	**1990** Gorbatchev reçoit le prix Nobel de la paix. Indépendance de la Lettonie, de la Lituanie et de l'Estonie	*Boris Eltsine avec le drapeau russe*

MOSCOU AU JOUR LE JOUR

Toujours prêts à célébrer quelque chose, les Moscovites sont très attachés à leurs fêtes officielles. Chez eux, une fête ne se conçoit pas sans fleurs, qu'il s'agisse du mimosa pour la Journée internationale des femmes ou du lilas pour symboliser l'approche de l'été. Les fêtes officielles, et certaines fêtes locales comme la fête de la Ville, sont célébrées à travers toute la cité, à grand renfort de concerts et de feux d'artifice. Elles donnent souvent lieu à

Lilas, signe que l'été approche

des festivals de musique classique, folk ou contemporaine, auxquels participent des artistes du monde entier. Lors des célébrations les plus importantes, les foules se rassemblent sur la place Rouge pour écouter les meilleurs chanteurs russes et internationaux. Mais les Moscovites trouvent d'autres nombreuses occasions de sortir et de s'amuser : le ski, en hiver, les pique-niques au printemps ou en été, et la cueillette des champignons en automne.

Acteurs vêtus de costumes en papier mâché pour le Rite du printemps

PRINTEMPS

L'arrivée des corneilles, généralement fin mars, et la floraison des violettes et des perce-neige sont les premiers signes du printemps moscovite.

Pour se réchauffer après les longs mois d'hiver, on célèbre *maslennitsa* (« le jour du beurre ») en mangeant des blinis. C'est l'équivalent de notre Mardi gras. On ramasse des branches de saule avec des chatons pour le dimanche des Rameaux, et, le jour du Pardon, juste avant le carême, les gens demandent pardon à

Messe de Pâques, laure de la Trinité-Saint-Serge

ceux qu'ils pourraient avoir offensés pendant l'année. Les riches Moscovites se rendent habituellement dans leur datcha pour arranger le jardin et planter leurs fruits et leurs légumes.

MARS

Journée internationale des femmes *(Mejdounarodny den jenchtchin)*, 8 mars. Les hommes offrent des fleurs aux femmes, en leur souhaitant *Sprazdnikom* (« Bonne fête »). Les théâtres donnent des représentations spéciales.

Le Rite du printemps *(Vessenni obriad)*, mi-mars. Festival d'avant-garde des arts contemporains.

Dimanche de Pâques *(Paskha)*, mars-début mai, selon le calendrier orthodoxe. Les églises pleines de cierges résonnent de psaumes. Après le salut, *Khristos voskres* (« Christ est ressuscité ») et la réponse *voistine voskres* (« il est vraiment ressuscité »), les gens s'embrassent trois fois.

AVRIL

1er avril *(Den dourakov)*. Les Russes se font des farces et s'en donnent à cœur joie.

Jour des cosmonautes *(Den kosmonavtiki)*, 12 avril. L'exploration de l'espace, autrefois gloire de l'Union soviétique, est célébrée avec des feux d'artifice.

Festival alternatif, fin avril-mai. Festival annuel de musique moderne au parc Gorki.

Forum de Moscou, fin avril-mai. Festival annuel de musique moderne qui se tient en divers endroits de la ville.

Anciens combattants défilant sur la place Rouge pour la fête de la Victoire

MAI

Fête du Travail *(Den trouda)*, 1er mai. Aux grands défilés militaires sur la place Rouge ont succédé des manifestations plus modestes, avec des concerts improvisés.

Fête de la Victoire *(Den pobedy)*, 9 mai. Grand rassemblement des anciens combattants sur la place Rouge et dans Tverskaïa oulitsa pour commémorer la défaite nazie.

Fête des Gardes-frontières *(Den pogranitchnika)*, 28 mai. Les anciens gardes-frontières se réunissent au Bolchoï et au parc Gorki pour chanter.

DURÉE MOYENNE D'ENSOLEILLEMENT QUOTIDIEN

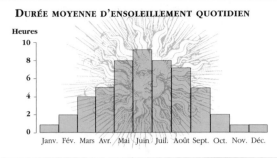

Heures

Janv. Fév. Mars Avr. Mai Juin Juil. Août Sept. Oct. Nov. Déc.

Ensoleillement

*Moscou est souvent consi-
dérée comme une ville
froide et neigeuse. Elle a
pourtant plus d'heures de
soleil durant les mois d'été
que beaucoup de villes du
nord de l'Europe. Mai,
juin et juillet sont les mois
les plus ensoleillés. Les
journées d'hiver sont, au
contraire, froides et
courtes, avec en moyenne
une heure seulement de
soleil par jour.*

ÉTÉ

E n juillet et août, la vie à
Moscou se ralentit. La
plupart des entreprises
ferment, et beaucoup de
Moscovites quittent la ville
pour aller dans leur
datcha ou passer des
vacances à
l'étranger. Les
théâtres sont le
plus souvent
fermés ou en
tournée pendant
ces deux mois,
mais la ville et
ses environs
offrent un
grand choix de
distractions.

**Costumes portés
pour l'Anniversaire de
Pierre-le-Grand**

Certains domaines en dehors
de Moscou, comme Kouskovo
(p. 142-143) et Ostankino
(p. 144-145), proposent des
concerts en plein air. Le parc
Gorki se prête à toutes sortes
d'activités, qui vont du saut à
l'élastique au pique-nique, en
passant par le canotage ou le
pédalo. Les bars et cafés en
plein air sont également très
recherchés par les Moscovites.

JUIN

Dimanche de la Trinité
(Troitsa), fin mai-fin juin. Les
croyants comme les athées
vont nettoyer les tombes des
défunts et boivent à la paix
de leur âme.
**Fête de l'Indé-
pendance** *(Den
nezavisimosti)*,
12 juin. Feux
d'artifice pour
célébrer l'indé-
pendance de la
Russie.
**Anniversaire
de Pierre le
Grand** *(Den rojdenia Petra
Pervovo)*, premier dimanche
après le 9 juin. Fêtes
costumées à Kouskovo.
**Festival international
de musique,** mi-juin. Huit
siècles de musique russe.
Concerts notamment dans
des galeries d'art.

JUILLET

**Festival de symphonies
dans les cours de Moscou,**
fin juin-début juil. Concerts
improvisés dans les cours
historiques de la ville.
Fête de la Marine *(Den
voennomorskovo flota)*,
1er dim. après le 22 juil. Fêtes
costumées à travers la ville
et feux d'artifice. Moscou
n'étant pas une cité portuaire,
ces fêtes sont moins
importantes que celles de
Saint-Pétersbourg.
**Festival international
du cinéma.** Rendez-vous
des célébrités, ce festival, qui
a lieu tous les deux ans (les
années impaires) en juillet ou
août *(p. 193)*, présente les
derniers films de tous les pays
du monde.

AOÛT

Concours Tchaïkovski, août
(ou parfois fin juil.), tous les
quatre ans (le prochain est en
2002). C'est l'un des prix les
plus prestigieux du monde
qui récompense les meilleurs
musiciens *(p. 192)*.
Des concerts ont lieu dans
toute la ville.
Festival de musique, tout
le mois d'août. Récitals de
musique classique par les
jeunes diplômés du
Conservatoire de Moscou.
**Salon de l'aéronautique de
Moscou,** vers la fin du mois
d'août. Une occasion de voir
des avions russes, notamment
des Mig et des Sukhoi.
Démonstrations acrobatiques.
Fête du Cinéma russe,
27 août. Projection des films
les plus populaires, russes
pour la plupart, à la télévision
et dans les cinémas.

Terrasse de café par un beau jour d'été dans une rue de l'Arbat

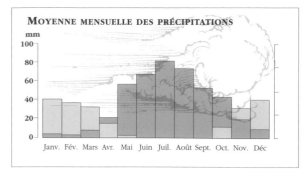

MOYENNE MENSUELLE DES PRÉCIPITATIONS

Janv. Fév. Mars Avr. Mai Juin Juil. Août Sept. Oct. Nov. Déc

Précipitations

Les mois d'hiver se caractérisent par des chutes de neige, et la ville reste enneigée jusqu'au printemps. En été, même quand il fait chaud, il y a souvent de grosses mais brèves averses.

Précipitations

Chutes de neige

AUTOMNE

L a ville recommence à s'animer quand les gens rentrent de la campagne et préparent la rentrée des classes. Les dernières semaines d'août, Moscou est couverte d'affiches annonçant le début de l'année scolaire, et les magasins sont envahis de parents venus acheter les vêtements et les livres pour leurs enfants. Les théâtres rouvrent leurs portes en septembre pour les premières des pièces et des opéras.

L'automne est aussi la saison des champignons. Tôt le matin, les Moscovites se rendent souvent dans les forêts environnantes, à la recherche de champignons blancs (les meilleurs) ou bruns (bolets, chanterelles, girolles). Comestibles ou vénéneux, les champignons abondent, et mieux vaut s'y connaître pour les cueillir.

Chanterelles

L'équitation à l'hippodrome (*p. 194*) et les promenades en bateau sur la Moskova font également partie des distractions automnales favorites.

SEPTEMBRE

Rentrée des classes (*Novy outchebny god*), 1er sept. Les plus jeunes écoliers, en particulier ceux qui vont à l'école pour la première fois, apportent des fleurs.
Fête de la Cité (*Den goroda*), 1er dim. de sept. Grandes manifestations costumées, concerts et représentations théâtrales dans toute la ville pour célébrer la fondation de Moscou en 1147 (*p. 86*).

OCTOBRE

Talents de Russie (*Talanty Rossi*), 1er-10 oct. Festival de musique classique, avec des musiciens venus de tout le pays.

Enfants apportant des fleurs pour leurs maîtres à la rentrée des classes

Festival punk, début oct. Groupes russes au parc Gorki.

NOVEMBRE

Les élèves de l'école de ballet de Moscou donnent leur première représentation annuelle en divers endroits. Ce n'est pas le meilleur mois pour visiter la ville car les rues sont sales et détrempées par la neige.
Jour de la Réconciliation (*Den primirenia*), 7 nov. Anciennement fête de la Grande Révolution socialiste d'octobre 1917. Célébrée surtout par le parti communiste.

JOURS FÉRIÉS

Nouvel An (1er janv.)
Noël orthodoxe russe (7 janv.)
Journée internationale des femmes (8 mars)
Dimanche de Pâques (mars/ avr./ mai)
Fête du Travail (1er mai)
Fête de la Victoire (9 mai)
Fête de l'Indépendance (12 juin)
Jour de la Réconciliation (7 nov.)
Fête de la Constitution (12 déc.)

Danses folkloriques en plein air à la fête de la Cité

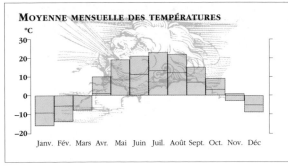

MOYENNE MENSUELLE DES TEMPÉRATURES

°C
30
20
10
0
−10
−20

Janv. Fév. Mars Avr. Mai Juin Juil. Août Sept. Oct. Nov. Déc

Températures
Le diagramme indique les moyennes des températures minimales et maximales. Les températures hivernales, bien au-dessous de zéro, peuvent paraître impressionnantes, ne permettant pas de s'attarder longtemps dehors, mais le froid est sec et plutôt vivifiant, et il y a très peu de vent.

HIVER

Dès que la glace et la neige durcissent, les patineurs et les skieurs se retrouvent aux parcs Gorki *(p. 129)*, Sokolniki et Loujniki. Les plus aguerris, ceux qu'on appelle les « morses », vont le matin à Serebryani Bor et cassent la glace pour se baigner.

Tandis que les sports d'hiver battent leur plein arrivent le Nouvel An et Noël. Noël n'est célébré que le 7 janvier, conformément au calendrier orthodoxe. Beaucoup de gens fêtent également l'ancien Jour de l'an, qui tombe une semaine plus tard, le 14 janvier.

Un des spectacles les plus populaires de la saison est le ballet de Noël du Bolchoï, *Casse-Noisette*, exécuté par une troupe de danseurs qui sont pour la plupart des enfants.

DÉCEMBRE

Fête de la Constitution
(Den konstitoutsi), 12 déc. Feux d'artifice en l'honneur de la constitution du président Eltsine.
Veille du Nouvel An *(Novy god)*, 31 déc. C'est la plus grande fête de l'année : ce jour-là, on boit du *shampanskoe*

**Pieuvre de glace
au parc Gorki**

local *(p. 179)*, les gens vont au cirque et au bal en famille, des acteurs jouent les distributeurs de cadeaux déguisés en Fille des neiges et en Grand-Père Gel.
Nuits de décembre Svyatoslav Richter *(Dekabrskie vetchera imeni Svyatoslava Rikhtera)*, tout le mois de déc. Musique classique dédiée au pianiste russe, au musée Pouchkine *(p. 78-81)*.
Hiver russe *(Rousskaïa zima)*, fin déc.-mi janv. Festival de musique classique.

JANVIER

Noël orthodoxe russe *(Rojdestvo)*, 7 janv. La veille de Noël, toutes les cloches des églises de Moscou appellent les fidèles à la traditionnelle messe du soir. Des fêtes pour les enfants, appelées *Yolka* (arbre de Noël), sont organisées dans divers endroits, notamment au Grand Palais du Kremlin *(p. 63)*.
Premier festival de Noël, fin déc.-mi-janv. Festival annuel de musique classique.
Noël à Moscou, deux prem. sem. de janv. Festival de musique classique et médiévale.
Festival de sculptures de glace au parc Gorki. Ce festival dure plusieurs mois, mais on ne peut jamais dire exactement quand il va commencer. Cela dépend entièrement du temps. Certaines années, il peut

Pêche à travers un trou dans la glace

commencer dès le mois de décembre. Pendant ce festival, le parc Gorki est rempli de statues de glace, représentant généralement des personnages de contes de fées, qui restent là jusqu'au dégel.
Fête de Tatiana *(Tatianin den)*, 25 janv. Fête pour les étudiants plutôt que fête religieuse, la Sainte-Tatiana commémore le décret signé en 1755 pour la fondation de l'université de Moscou.

FÉVRIER

Festival international de l'Église orthodoxe, tout le mois. La musique et le patrimoine culturel de l'Église orthodoxe donnent lieu à des célébrations dans plusieurs endroits.
Saint-Valentin *(Den sviatovo Valentina)*, 14 fév. Récemment ajoutée au calendrier de Moscou, cette fête n'est pas aussi populaire qu'en Europe.
Fête des Défenseurs de la patrie *(Den zachtchitnikov rodiny)*, 23 fév. Pâle équivalent masculin de la Journée des femmes. Les vétérans reçoivent des cadeaux.

**Musicien
des rues**

MOSCOU D'UN COUP D'ŒIL

L es chapitres *quartier par quartier* du guide décrivent plus de 100 lieux à découvrir : des trésors historiques de l'État et de l'Église, situés à l'intérieur du Kremlin, aux admirables icônes des collections d'art russe et occidental. On y trouvera aussi les rues les plus animées et les plus beaux parcs, offrant de multiples attractions en hiver comme en été. Pour vous aider à profiter de votre séjour, les pages qui suivent présentent un condensé de ce que Moscou a de plus intéressant à offrir. Musées et architecture, y compris les luxueuses stations de métro, tous font l'objet d'un chapitre. Les numéros de pages renvoient aux rubriques détaillées.

LES VISITES À NE PAS MANQUER

Le théâtre Bolchoï
p. 90-91

La cathédrale Saint-Basile *p. 108-109*

La galerie Tretiakov
p. 118-121

Kolomenskoïe
p. 138-139

LES TRÉSORS DU KREMLIN

Le palais des Armures
p. 64-65

La place Rouge
p. 106

Le mausolée de Lénine
p. 107

Le musée des Beaux-Arts Pouchkine *p. 78-81*

La cathédrale de l'Assomption
p. 58-59

Kouskovo
p. 142-143

◁ **La cloche Reine devant le clocher d'Ivan-le-Grand. À droite, le beffroi de la cathédrale de l'Assomption**

Les plus belles stations de métro de Moscou

P eu de villes au monde peuvent faire figurer leur métro dans la liste des attractions touristiques ou des monuments historiques. Avec leurs lustres, leurs sculptures et leurs somptueuses mosaïques, les quais et les couloirs du métro moscovite ressemblent à des palais miniatures. Le réseau est, par ailleurs, l'un des plus fréquentés et des plus performants du monde. Quelques-unes des plus belles stations qui sont présentées ici sont traitées plus en détail p. 40-41. Pour les renseignements pratiques sur le métro, reportez-vous aux pages 214-216.

Biélorousskaïa

Le couloir central de la station Biélorousskaïa est orné de mosaïques d'inspiration rurale, et pavé d'un carrelage reproduisant un motif traditionnel de tapis biélorusse.

Tverskaïa

Maïakovskaïa

Cette station possède un buste du poète Vladimir Maïakovski, auquel elle doit son nom. Le plafond est orné d'une série de mosaïques représentant des avions et des scènes sportives.

Arbatskaïa

Kievskaïa

De somptueuses mosaïques sur les murs représentent des scènes idéalisées illustrant l'amitié entre la Russie et l'Ukraine, et l'agriculture soviétique.

Kropotkinskaïa

Cette élégante station, dessinée par Douchkine dans les années 30, se distingue par ses lignes pures et ses couleurs. Elle doit son nom à un anarchiste, le prince Piotr Kropotkin.

Park Koultoury

Les murs tout blancs du couloir central de cette station comportent des niches et des médaillons en marbre. Sur chacun de ceux-ci sont représentés des personnages occupés à diverses activités de loisirs : patinage, lecture, jeux d'échecs et danse.

Teatralnaïa
Le décor de cette station évoque les différentes cultures des anciennes républiques soviétiques. Au plafond, des panneaux représentant des costumes nationaux.

Komsomolskaïa
Cette entrée doit son nom à l'Union des jeunesses communistes (Komsomol), qui participa à la construction du métro.

Place Rouge et Kitaï Gorod

Kremlin

0   600 m

Zamoskvorietchie

Plochtchad Revolioutsi
Les statues en bronze grandeur nature du hall représentent des citoyens ordinaires, comme ce fermier, qui aidèrent à la construction de l'État soviétique.

Novokouznetskaïa
Une frise en bas relief orne le couloir central de la station, construite en 1943. On y voit des héros militaires, notamment des soldats de la Seconde Guerre mondiale.

À la découverte du métro de Moscou

Bas-relief à Park Koultoury

Quand, en 1902, l'idée d'un métro fut évoquée pour la première fois à Moscou, elle fut diversement accueillie. Un journal local de l'époque s'éleva vigoureusement contre ce qui était selon lui « une scandaleuse atteinte à tout ce qu'il y a de plus cher aux Russes dans la ville de Moscou ». Mais dans les années 30, la population ayant plus que doublé avec l'industrialisation, il était devenu urgent de trouver un moyen de transport efficace. Deux jeunes communistes, Khrouchtchev et Kaganovitch, furent chargés de la construction d'un métro qui serait la vitrine du socialisme et célébrerait le travail accompli par les ouvriers et les paysans.

Les Jeunesses communistes aidant à la construction du métro

LA CONSTRUCTION DU MÉTRO

Les travaux commencèrent en décembre 1931, durant la période du premier plan quinquennal de Staline. Le parti communiste ayant décrété que « tout le pays prendrait part à la construction du métro », des ouvriers, hommes et femmes, furent recrutés dans toute l'Union soviétique pour travailler sur les chantiers aux côtés des soldats de l'Armée rouge et plus de 13 000 volontaires, membres des jeunesses communistes (Komsomol).

Pour commémorer l'engagement massif de ces jeunes, qui consacrèrent leurs loisirs à cette gigantesque entreprise, on créa la station **Komsomolskaïa.** Comme la main-d'œuvre, les matériaux de construction provenaient de différentes régions : les rails, des aciéries de Kouznetsk, le marbre, de l'Oural et du Caucase, et le granite, de la Carélie et de l'Ukraine. Le premier tronçon de 11,6 km, reliant Sokolniki à **Park Koultoury,** fut achevé en février 1935, et les 13 premières

stations furent ouvertes en mai. Un grand nombre de ceux qui avaient œuvré furent ensuite récompensés, notamment par le très convoité Ordre de Lénine. En 1939, 22 stations étaient prêtes à accueillir plus d'un million de passagers.

LA DÉCORATION DU MÉTRO

Pour décorer le métro, on fit appel aux meilleurs artistes de l'Union soviétique, qui, dans les limites du réalisme socialiste, s'inspirèrent le plus souvent de thèmes tels que la révolution, la défense nationale et la vie soviétique.

Les premières stations sont généralement considérées comme les plus réussies. **Maïakovskaïa,** créée par Douchkine en 1938, remporta le Grand Prix à la Foire internationale de New York. Ses couloirs spacieux sont soutenus par des colonnes en acier inoxydable et en marbre. **Kropotkinskaïa** (1935) et **Plochtchad Revolioutsi** (1938) sont également de Douchkine. Le couloir de la seconde

contient une série d'arcs en granite. Au pied, des statues en bronze du sculpteur M. G. Manizer représentent grandeur nature les héros ordinaires du peuple russe qui ont participé à la révolution ou qui ont aidé à l'édification de l'État soviétique : Gardes rouges, ouvriers, marins, sportifs, sans oublier un jeune pionnier, et une mère avec son enfant.

Plusieurs stations, notamment **Komsomolskaïa,** comprennent deux liaisons ou plus, avec d'autres lignes. Une des deux stations de Komsomolskaïa, sur la ligne Kirovsko-Frounzenskaïa, a été construite en 1935. Elle est ornée de piliers en marbre rose et de panneaux en majolique de Evgeni Lanceray représentant des héros de la construction du métro. L'autre station, sur la ligne circulaire, achevée 17 ans plus tard, est d'un style beaucoup plus tape-à-l'œil, avec des moulures en stuc et des lustres scintillants. Œuvre de l'architecte Chtchoussev, elle remporta également un prix à la Foire

Maïakovskaïa, une station simple et élégante, œuvre de A. Douchkine

internationale de New York. Les mosaïques dorées représentent des défilés militaires et des personnages de l'histoire russe sont de l'artiste Pavel Korine.

Les sujets guerriers ont prédominé durant la Seconde Guerre mondiale. Pour la station **Novokouznetskaïa**, les architectes Vladimir Guelfreikh et Igor Rojine commandèrent à Nikolaï Tomski une frise représentant des héros de l'armée russe aussi divers que Minine et Pojarski *(p. 108)* et le maréchal Koutouzov *(p. 152)*.

Le décor du métro était destiné à stimuler le peuple, et de nombreuses stations des années 40 et 50 exaltent les vertus du régime. Les panneaux en céramique de la station **Teatralnaïa** (1940) célèbrent les arts des anciennes républiques soviétiques, et les mosaïques de **Biélorousskaïa** (1952) et **Kievskaïa** (1937 et 1954) montrent des paysans sains et heureux, jouissant de l'abondance en dépit de la terrible famine qui sévit au début des années 30, conséquence de la politique de collectivisation de Staline.

Le sport et les loisirs sont les deux thèmes des bas-reliefs de Serguei Rabinovitch à la station **Park Koultoury** (1935 et 1949). Dans l'esprit des Soviets, les prouesses sportives préparaient aux actes héroïques.

Même en surface, les stations de métro devaient servir la propagande. Vu d'en haut, l'entrée d'**Arbatskaïa** (1935) est en forme d'étoile rouge.

Malgré les contraintes financières imposées aujourd'hui aux artistes et aux architectes, l'art n'a pas perdu tous ses droits, comme on peut le voir à la station **Tchekhovskaïa**, construite en 1987.

Komsomolskaïa, œuvre de l'architecte A. Chtchoussev

Révolutionnaires à Belorousskaïa

LE MÉTRO ET LA GUERRE

Les premières lignes de métro furent creusées à des profondeurs suffisantes pour pouvoir servir d'abris en temps de guerre. En novembre 1941, les troupes allemandes étaient arrivées aux portes de Moscou et l'Union soviétique se battait pour sa survie. Achevée trois ans plus tôt, **Maïakovskaïa** devint le quartier général des forces anti-aériennes. C'est dans le spacieux couloir central de cette station que Staline s'adressa aux généraux et militants du parti la veille du départ de l'Armée rouge pour le front.

Kirovskaïa (aujourd'hui **Tchistye proudy**) fut le quartier général de l'état-major durant toute la Seconde Guerre mondiale. C'est ici que Staline et ses conseillers organisèrent les premières offensives contre les nazis, et le métro devint alors un symbole important de la résistance contre l'invasion allemande. Sa valeur de propagande était estimée si haut que les dessins pour les mosaïques de **Novokouznetskaïa** furent évacués de Saint-Pétersbourg après la mort de leur créateur, Viktor Frolov, lors du blocus de 1941-1944.

LE MUSÉE DU MÉTRO

Situé au-dessus du couloir central de Sportivnaïa, aux monts des Moineaux *(p. 129)*, ce musée présente l'histoire et le fonctionnement du métro. Des photomontages un peu démodés montrent la construction des voies et des stations. On y voit divers types d'équipements : éléments de signalisation, portillons d'accès, maquettes de trains, escalators… ainsi que la reconstitution d'une cabine de conducteur et le premier ticket, vendu en 1935.

🏛 **Musée du métro de Moscou** Ⓜ Sportivnaïa. 📞 222 7309. ⏰ de 9 h à 16 h du mar. au ven., de 11 h à 18 h lun. ✉ (réserver à l'avance).

L'entrée d'Arbatskaïa, évoquant l'étoile rouge soviétique

Les plus beaux édifices de Moscou

Le patrimoine architectural de Moscou a de quoi surprendre le visiteur par sa richesse et sa variété. Outre les magnifiques palais et cathédrales du Kremlin, on trouve de multiples églises et chapelles, des maisons de boyards plus modestes, d'élégants hôtels particuliers néo-classiques et quelques beaux édifices publics. Côtoyant cette architecture ancienne, les bâtiments constructivistes du début du siècle et les gratte-ciel de style gothique-stalinien forment un étonnant contraste. Pour une information plus détaillée sur l'architecture, voir pages 44 et 45.

Ancienne université de Moscou
La colonnade de la façade et les couleurs jaune et blanche du bâtiment sont typiques du style néo-classique.

Maison-musée de Gorki
Ornée de superbes vitraux, la maison-musée de Gorki, construite par Fiodor Chekhtel en 1900, est un chef-d'œuvre du modern style.

Tverskaïa

Kren

Arbátskaïa

Cathédrale de l'Assomption
Magnifique combinaison du style traditionnel russe et du style Renaissance, cette cathédrale fut construite en 1475-1479 par l'architecte italien Fioravanti.

Ministère des Affaires étrangères
Ce bâtiment achevé en 1952, peu de temps avant la mort de Staline, est l'un des sept gratte-ciel construits dans le style hybride baptisé gothique-stalinien.

Maison Pachkov
Le porche néo-classique à colonnade est surmonté d'un fronton bas et large avec des sculptures en relief.

Musée polytechnique
*Œuvre de Monighetti, la partie centrale du
Musée polytechnique, construit en 1877,
est un bel exemple de style néo-russe, inspiré
de l'architecture traditionnelle.*

Cathédrale Basile-le-Bienheureux
*Les toits pointus surmontant
l'escalier de l'entrée et les rangées
de pignons arrondis illustrent
l'extraordinaire diversité architecturale
de l'édifice construit de 1555 à 1561
pour Ivan le Terrible.*

*Place Rouge et
Kitaï Gorod*

Ancien hôtel des Anglais
*Cette maison en pierre du XVIe siècle,
blanchie à la chaux, avec un toit en bois et
peu de fenêtres, fut offerte à des marchands
anglais en 1556.*

0   600 m

amoskvorietchie

**Église de la Résurrection-
de-Kadachi**
*Dans cette église de style
baroque, les kokochniki,
caractéristiques des premières
églises russes, ont été
remplacés par des rangées
de festons en pierre blanche.
Les bulbes sont traditionnels,
mais leur couleur vert jade
est inhabituelle.*

À la découverte de l'architecture de Moscou

Partie d'une fresque de Basile-le-Bienheureux

L'architecture russe a toujours été novatrice. C'est aux écoles médiévales d'architecture de Novgorod, Iaroslav et Pskov que l'on doit plusieurs des traits spécifiques des églises de Moscou, en particulier le bulbe, les *zakomary* cintrées et les *kokochniki*, en forme d'arc de petite dimension. Au cours des siècles suivants, les architectes de Moscou jouèrent un rôle de plus en plus important, soit en inventant des styles nouveaux, comme le constructivisme, soit en donnant à d'autres un caractère russe.

L'église de l'Intercession à Novodevitchi

Bureau du palais des Boyards Romanov

ARCHITECTURE RUSSE ANCIENNE

Si les premières constructions de Moscou étaient entièrement en bois, à partir du XIVe siècle, on commença à utiliser la pierre et la brique pour les bâtiments importants. Le bois resta toutefois le principal matériau jusqu'au grand incendie de 1812 *(p. 24)* qui détruisit une grande partie de la ville.

Aujourd'hui, les monuments les plus anciens de Moscou sont pour la plupart des églises, comme la cathédrale du Sauveur, au **monastère Saint-**

Andronic *(p. 140)*. Aux XVe et XVIe siècles, les tsars employèrent de nombreux architectes italiens pour construire certains prestigieux édifices du Kremlin. Ils associèrent le style russe ancien avec des éléments de la Renaissance italienne pour créer de magnifiques bâtiments, comme la **cathédrale de l'Assomption** *(p. 58-59)*.

Le *chatior* (toit pyramidal) est également une innovation du XVIe siècle, utilisée notamment pour la **cathédrale Basile-le-Bienheureux** *(p. 108-109)*. Mais, au milieu du XVIIe siècle, le patriarche Nikon en bannit l'usage au profit d'un retour au style des anciennes églises byzantines.

Les premiers bâtiments civils de Moscou ont presque tous disparu, à l'exception de l'**ancien palais des Boyards Romanov** *(p. 102-103)*, du XVIe siècle, et le charmant **hôtel des Anglais** *(p. 102)*, du début du XVIe siècle.

LE STYLE BAROQUE

La tour Mostovaïa, ou tour du Pont (1671-1676), au parc d'**Izmaïlovo** *(p. 141)*, est un des premiers exemples du baroque moscovite. Ses décorations en pierre calcaire en filigrane et ses pilastres sur fond de brique rouge en sont typiques. L'église de l'Intercession du **monastère Novodievitchi** *(p. 130-131)*, les bâtiments de **Kroutitskoïe podvorie** (résidence Kroutitski) *(p. 140)*, et l'**église de la Résurrection-de-Kadachi** *(p. 122)*, avec ses festons en pierre blanche imitant la dentelle, sont les fleurons de ce style.

Certains bâtiments baroques, notamment l'**église de l'Intercession-de-la-Vierge de Fili** *(p. 128)*, furent construits grâce aux fonds de la riche et puissante famille Narychkine. Pour cette raison, on appelle « style Narychkine » le baroque de Moscou.

NÉO-CLASSICISME

L'accession au trône de Catherine la Grande en 1762 inaugura une nouvelle période de l'architecture russe. L'impératrice avait une prédilection pour le style néo-classique, qui reprenait les formes géométriques gréco-romaines. La **maison Pachkov** *(p. 75)*, œuvre supposée de Vassili Bajenov (1784), en est un remarquable exemple.

L'assistant de Bajenov, le prolifique Matveï Kazakov, fit la preuve de la souplesse de ce style dans les nombreux bâtiments dont il réalisa les plans, notamment des églises, des hôpitaux, l'**ancienne**

LE NOUVEAU PATRIOTISME

Aujourd'hui, la reconstruction des bâtiments pré-révolutionnaires, parmi lesquels la **cathédrale de Kazan** *(p. 105)* et la **cathédrale du Christ-Sauveur** *(p. 74)*, témoigne d'une nostalgie croissante pour le passé de la Russie et d'un regain d'intérêt pour le patrimoine architectural de la nation. Le réveil de la foi orthodoxe, en particulier, a conduit à la restauration de centaines d'églises moscovites.

La cathédrale du Christ-Sauveur, reconstruite en 1994-1997

université de Moscou *(p. 94)* et la **maison des Syndicats** *(p. 88-89)*. Il est surtout connu pour le **Sénat** *(p. 66-67)*, au Kremlin.

Le gigantesque incendie qui eut lieu après la brève occupation de la ville par Napoléon, en 1812, fut suivi d'une reconstruction systématique. Les nobles moscovites firent bâtir de nouvelles maisons le long de oulitsa Pretchistenka *(p. 74)*, dans le style Empire alors à la mode. Parmi les architectes éminents de ce style plus décoratif figurent Afanassi Grigoriev et Ossip Bove, qui conçut l'aménagement de la **place des Théâtres** *(p. 88)*.

La maison de l'Amitié, un magnifique exemple d'éclectisme

Bas-relief néo-classique de la maison des Syndicats (v. 1780)

HISTORICISME ET MODERN STYLE

Né du désir de créer un style national inspiré des modèles architecturaux du passé, l'historicisme (ou néo-gothique russe) remplaça le néo-classicisme au milieu du XIXe siècle. Le **Grand Palais du Kremlin** *(p. 63)* et le **palais des Armures** *(p. 64-65)*, réalisés par Konstantin Thon vers 1840, sont typiques de ce style qui associe plusieurs influences, entre autres les styles Renaissance, classique et baroque. Thon conçut également l'étonnante **cathédrale du Christ-Sauveur** *(p. 74)*, de style byzantin, achevée en 1883 et reconstruite en 1994-1997.

L'éclectisme romantique, combinant formes et éléments passés et présents de toutes origines, donna naissance à d'étranges bâtiments, comme la **maison de l'Amitié** *(p. 95)*, de Vladimir Mazyrin. L'architecture en bois traditionnelle et l'art folklorique furent de riches sources d'inspiration pour les tenants du style néo-russe. Le **musée d'Histoire** *(p. 106)* et le **Musée polytechnique** *(p. 110)* en sont de beaux exemples. Mais le plus réussi et le plus fonctionnel est le **Goum** *(p. 107)*, œuvre de Pomerantsev.

Détail d'une frise en mosaïque autour de la maison-musée Gorki

Fiodor Chekhtel contribue de façon essentielle à l'architecture mondiale modern style. Il construisit l'hôtel particulier de Riabouchinski, jeu savant des formes et de l'espace, devenu la **maison-musée Gorki** *(p. 95)*. C'est une maison très originale, ornée de mosaïques, de bas-reliefs, de céramiques et de vitraux dont l'effet est vraiment étonnant.

ARCHITECTURE POST-RÉVOLUTIONNAIRE

Dans les dix années qui suivirent la révolution, les idées d'utilité et de fonctionnalité aboutirent au constructivisme. L'immeuble du journal *Izvestia*, place Pouchkine *(p. 97)*, de Barkhine, en est un exemple typique. Construit en 1927, il se caractérise par l'utilisation du verre et du béton armé.

Autre chef de file des constructivistes, Konstantin Melnikov réalisa pour lui-même une maison en 1927, dite **maison Melnikov** *(p. 72)*, une construction particulièrement originale formée de deux cylindres entrecroisés.

Dans les années 30, Staline lança un vaste programme de reconstruction dans un style monumental, et le constructivisme passa de mode. Les immeubles « prolétariens » de Chtchoussev sont typiques de cette architecture stalinienne massive et pompeuse, appelée gothique-stalinien. Les sept gratte-ciel érigés dans les années 40 et 50 en des points stratégiques de la ville et le **ministère des Affaires étrangères** *(p. 70)*, des architectes Mikhaïl Minkus et Vladimir Gelfreich, en sont aussi de purs exemples.

La maison-musée Gorki modern style

Les plus beaux musées de Moscou

Moscou possède plus de 80 musées qui témoignent de l'extraordinaire richesse de l'histoire et de la culture russes. Certains, comme la galerie Tretiakov et le palais des Armures, renferment des collections où figurent les œuvres d'artistes connus dans le monde entier. D'autres proposent des expositions d'un intérêt plus local ou spécialisé. Ceux qui retracent les vies d'artistes, d'écrivains et de musiciens, et qui ont préservé avec amour les pièces où ils vivaient et travaillaient, sont les plus évocateurs. Les pages 48 et 49 les présentent plus en détail.

Le palais des Armures
Cette pièce émaillée fait partie des merveilleuses collections du palais des Armures, à côté d'objets d'orfèvrerie en or et en argent, de bijoux et d'insignes royaux. Le bâtiment actuel fut construit en 1844 sur l'ordre du tsar Nicolas Ier.

La maison-musée de Chaliapine
Dans la maison du célèbre chanteur d'opéra Fiodor Chaliapine sont exposés des tableaux officiels, des images de l'artiste en scène et des dessins de ses enfants.

Tverskaïa

Arbatskaïa

Musée des Beaux-Arts Pouchkine
Outre une magnifique collection d'art européen, cette galerie abrite des objets de l'Antiquité égyptienne, grecque et romaine, dont fait partie ce masque funéraire égyptien.

0   600 m

La maison-musée de Tolstoï
Pendant plus de 20 ans, cette maison traditionnelle fut la maison d'hiver de Léon Tolstoï, l'auteur de Guerre et Paix. C'est aujourd'hui un musée qui recrée la vie quotidienne de l'écrivain et de sa famille.

Le mausolée de Lénine
La pyramide rouge et noire du mausolée de Lénine fut érigée en 1930 d'après les plans de l'architecte Chtchoussev. Il contient le corps de Vladimir Lénine, embaumé depuis 1924.

Musée Maïakovski
Cet étonnant musée rend hommage au poète révolutionnaire Vladimir Maïakovski. Les œuvres abstraites mises en scène dans cette pièce symbolisent son enfance en Géorgie.

Le palais des Boyards Romanov
L'intérieur restauré de cette maison, construite pour le boyard Nikita Romanov, et les luxueux objets présentés évoquent de façon très vivante la vie quotidienne de l'aristocratie moscovite des XVIᵉ et XVIIᵉ siècles.

Place Rouge et Kitaï Gorod

ulin

amoskvorietchie

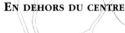

EN DEHORS DU CENTRE

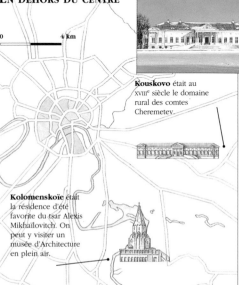

0   4 km

Kouskovo était au XVIIIᵉ siècle le domaine rural des comtes Cheremetev.

Kolomenskoïe était la résidence d'été favorite du tsar Alexis Mikhaïlovitch. On peut y visiter un musée d'Architecture en plein air.

La galerie Tretiakov
Le tableau de Valentin Serov intitulé Petite Fille aux pêches *(1887), à la galerie Tretiakov, fait partie de la plus importante collection d'art russe du monde.*

À la découverte des musées de Moscou

Q ue vous aimiez la peinture, les beaux-arts, la science, la révolution, l'histoire du théâtre russe ou la vie des nobles, vous trouverez toujours de quoi satisfaire votre curiosité dans les nombreux musées de Moscou. Vous pourrez également consacrer une demi-journée ou plus aux anciennes résidences princières des environs de la ville, notamment Kouskovo et Kolomenskoïe, aisément accessibles en métro (p. 219). Il faut toutefois savoir qu'un certain nombre de musées sont en cours de rénovation et, parfois, de révision idéologique.

L'élégant salon de la maison-musée Lermontov

Chausson de Nijinski, au musée du Théâtre Bakhrouchine

Acrobate à la boule **de Picasso, au musée des Beaux-Arts Pouchkine**

PEINTURES ET ARTS DÉCORATIFS

R écemment rénovée, la **galerie Tretiakov** (p. 118-121) abrite la plus importante collection d'art russe du monde. Ce musée possède plus de 100 000 œuvres, mais n'en expose qu'une partie à la fois. On peut y voir, entre autres, les tableaux de peintres appartenant à l'école des Ambulants (peredvijniki). La collection d'art post-révolutionnaire se trouve aujourd'hui à la **Nouvelle Galerie Tretiakov** (p. 135), où il est prévu de transférer prochainement d'autres tableaux du XXe siècle. Le **musée Tropinine** (p. 124-125) possède une belle collection d'œuvres du portraitiste du XIXe siècle Vassili Tropinine et de ses contemporains. Le **musée des Collections**

privées (p. 75) est une nouvelle galerie, installée dans un bâtiment du XIXe siècle, qui présente pour la première fois des œuvres d'artistes russes des XIXe et XXe siècles.

À côté se trouve le **musée des Beaux-Arts Pouchkine** (p. 78-81), particulièrement renommé pour ses collections de tableaux impressionnistes, post-impressionnistes et du XXe siècle. On peut y voir aussi des peintures plus anciennes, de Botticelli, de Rembrandt et de Rubens, ainsi que des objets archéologiques, notamment les trésors découverts par Heinrich Schliemann sur le site de l'ancienne Troie.

Le **palais des Armures** (p. 64-65), au Kremlin, abrite une superbe collection d'art décoratif et d'art appliqué, couvrant à peu près les sept derniers siècles. Dans les neuf salles du musée sont exposés armes et armures, bijoux, orfèvrerie et argenterie, vêtements sacerdotaux et insignes royaux.

Bouclier perse du XVIe siècle au palais des Armures

MAISONS-MUSÉES

U n grand nombre de maisons et d'appartements où ont vécu les personnages les plus représentatifs de la culture russe ont été conservés et transformés en musées. La **maison-musée Léon Tolstoï** (p. 134) contient des objets personnels ayant appartenu à Tolstoï, qui y passa plusieurs hivers en compagnie de sa famille, et comptait parmi ses fidèles visiteurs l'écrivain Anton Tchekhov. Ce dernier commença sa carrière, dans les années 1880, dans une maison qui est également ouverte au public sous le nom de **maison-musée Tchekhov** (p. 96). En face, on découvre la **maison-musée Chaliapine** (p. 83), où vécut le célèbre chanteur d'opéra Fiodor Chaliapine. On peut y admirer un beau mobilier tout en écoutant de vieux enregistrements de l'artiste.

La **maison-musée Stanislavski** (p. 93) est l'ancienne demeure de Konstantin Stanislavski, directeur et co-fondateur du Théâtre d'art (p. 92). Elle renferme des costumes et des accessoires.

Dans la **maison-musée Pouchkine** (p. 73) est exposée une intéressante collection de tableaux donnant une idée de ce qu'était Moscou lorsque Pouchkine y habitait, en 1831. La **maison-musée Bely** (p. 73), dans le bâtiment voisin, fut un temps la résidence du poète symboliste Andreï Biély. Non loin, on peut voir la **maison-musée Scriabine** (p. 72), dernière résidence du compositeur Alexandre Skriabine. À côté des buildings de Novy Arbat, la **maison-musée**

Lermontov *(p. 82-83)* paraît toute petite. Le poète Mikhaïl Lermontov habita cette modeste maison en bois, achetée par sa grand-mère dans les années 1830.

La vie extraordinaire de Vladimir Maïakovski est remarquablement évoquée au **musée Maïakovski** *(p. 111)*, situé près de l'immeuble du KGB *(p. 112)*, dans l'appartement où vécut le poète futuriste de 1919 à 1930.

Le peintre Victor Vasnetsov dessina lui-même sa maison. Dans son atelier, devenu la **maison-musée Vasnetsov** *(p. 144)*, les visiteurs peuvent voir ses immenses toiles inspirées de contes folkloriques.

La **maison-musée Tchaïkovski** *(p. 153)*, à Kline, contient encore le mobilier utilisé par le compositeur Piotr Tchaïkovski, notamment le bureau où il acheva sa *Sixième Symphonie*.

RÉSIDENCES DE CAMPAGNE

Plusieurs palais et domaines des environs de Moscou sont ouverts au public. Construit au XVIᵉ siècle pour la richissime famille Cheremetiev, le **palais d'Ostankino** *(p. 144-145)* est célèbre par son charmant théâtre, où se produisaient autrefois des serfs acteurs et musiciens. Dans les beaux jardins de **Kouskovo**, également construit pour les Cheremetiev, on peut visiter un musée de céramiques.

L'ancienne résidence d'été des tsars à **Kolomenskoïe** *(p. 138-139)*, un ensemble architectural des XVIᵉ et XVIIᵉ siècles abrite un fascinant musée de l'Architecture en bois.

Les pittoresques ruines néogothiques sont tout ce qui reste du palais de **Tsaritsyno** *(p. 137)*, qui avait été commandé par Catherine II, et ne fut jamais achevé.

Des œuvres d'artistes russes des XIXᵉ et XXᵉ siècles sont exposées au **musée Abramtsevo** *(p. 154)*, foyer de la vie artistique au siècle dernier.

Objets du musée de la Révolution

MUSÉES D'HISTOIRE

Plusieurs musées et sites, dans la ville ou hors les murs, peuvent être l'occasion de passionnantes découvertes sur le passé de Moscou.

Le **musée d'Histoire de Moscou** *(p. 111)* retrace l'histoire de la ville depuis ses origines, et présente des objets trouvés au cours de fouilles archéologiques autour du Kremlin.

La vie des boyards *(p. 20)* moscovites au XVIIᵉ siècle est évoquée au **palais des Boyards Romanov** *(p. 102-103)*. Les visiteurs intéressés par la campagne de Russie de Napoléon en 1812 *(p. 23-24)* pourront aller à **Borodino** *(p. 152)*, où eut lieu l'une des batailles les plus sanglantes. Un musée y retrace l'histoire des combats. On peut aussi visiter le **panorama de Borodino,** ou musée de la Bataille de Borodino *(p. 129)*, sur Koutouzovski prospekt. Ce pavillon circulaire contient une gigantesque fresque représentant la célèbre bataille.

Les proportions imposantes du **mausolée de**

Traîneau en terre au musée d'Histoire de Moscou

Lénine *(p. 107)* donnent une idée de l'importance du rôle de Lénine *(p. 27-28)* dans l'histoire russe du XXᵉ siècle.

Le **musée de la Révolution** *(p. 97)* couvre l'histoire russe depuis 1900 jusqu'à la dislocation de l'URSS, en 1991. Parmi les objets exposés, on trouve des papiers de bonbons représentant Marx et Lénine.

Le **musée de la Grande Guerre patriotique** *(p. 129)* présente des dioramas des plus importantes batailles de la Seconde Guerre mondiale, d'un point de vue soviétique.

MUSÉES SPÉCIALISÉS

Parmi les quelques musées spécialisés de Moscou, on trouve le **Musée polytechnique** *(p. 110)*, qui montre l'important développement de la science et de la technologie russes.

Le **musée du Théâtre Bakhrouchine** *(p. 125)* abrite une collection très intéressante consacrée au théâtre et à la danse, tandis que le **musée d'Architecture A. Chtchoussev** *(p. 82)* évoque l'histoire de l'architecture russe.

Modèle de réacteur d'une centrale nucléaire, au Musée polytechnique

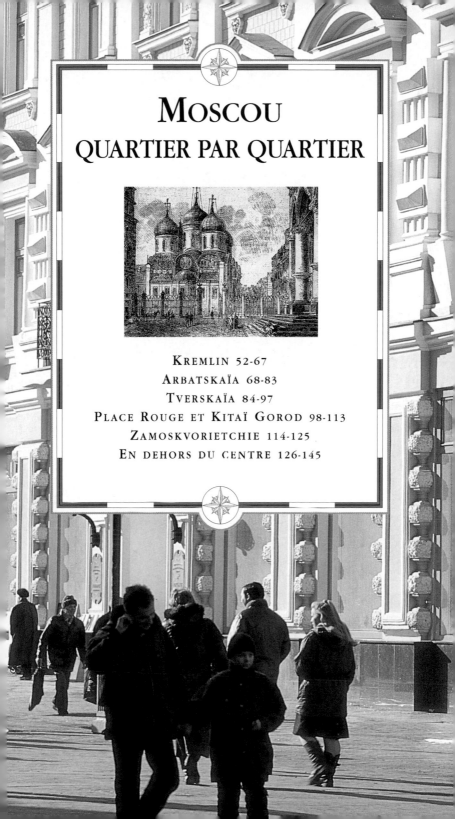

Moscou
QUARTIER PAR QUARTIER

LE KREMLIN

Citadelle des tsars, siège du gouvernement de l'Union soviétique et, aujourd'hui, résidence du président russe, le Kremlin est depuis des siècles le symbole du pouvoir. En 1156, le prince Iouri Dolgorouki choisit de bâtir le premier Kremlin en bois *(kreml* signifie « forteresse »*)* au confluent de la Moskova et de la Néglinnaïa. Vers la fin du xvᵉ siècle, le tsar Ivan III *(p. 18)* confia à des architectes italiens la construction d'un sompteux ensemble de bâtiments ecclésiastiques et séculiers, parmi lesquels le palais à Facettes, dont l'architecture est une synthèse entre le style russe traditionnel et le style Renaissance *(p. 44)*. Le Kremlin n'échappa pas au vandalisme architectural des années 30, lorsque Staline ordonna sa fermeture et fit détruire plusieurs églises et palais *(p. 75)*. Ce n'est qu'en 1955 que le Kremlin fut partiellement rouvert au public.

Canon du tsar au Kremlin

LE QUARTIER D'UN COUP D'ŒIL

Églises et cathédrales
Cathédrale de l'Annonciation **7**
Cathédrale de l'Archange-Michel **6**
Cathédrale de l'Assomption p. 58-59 **5**
Église de la Déposition-de-la-Robe-de-la-Vierge **9**

Monuments et bâtiments historiques
Arsenal **16**
Palais à Facettes **8**
Grand Palais du Kremlin **11**
Clocher d'Ivan-le-Grand **4**
Palais des Congrès **2**
Praesidium **14**
Tour du Sauveur **13**
Sénat **15**
Palais des Terems **10**
Tour de la Trinité **1**

Musées
Palais des Patriarches **3**
Palais des Armures p. 64-65 **12**

Jardins
Jardins Alexandre **17**

COMMENT Y ALLER
Les stations de métro Biblioteka imeni Lenina et Borovitskaïa sont situées juste en face des murs du Kremlin, à quelques minutes à pied des principaux monuments. On peut aussi utiliser les lignes de trolleybus 2, 16, 33 et 37 et les bus 6 et 25.

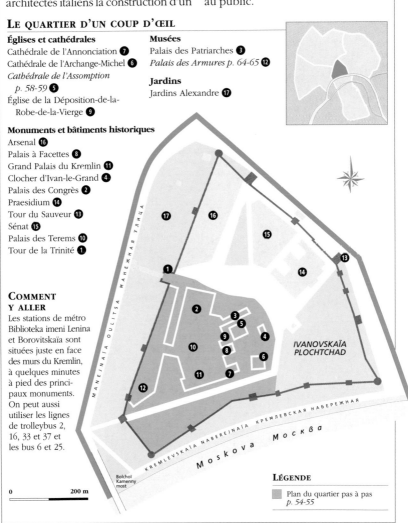

IVANOVSKAÏA PLOCHTCHAD

MANEJNAÏA OULITSA
MANEJNAÏA OULITSA

KREMLEVSKAÏA NABEREJNAÏA   KREMLEVSKAÏA NABEREJNAÏA

Moskova   Москва

Bolchoï Kamenny most

0   200 m

LÉGENDE
Plan du quartier pas à pas *p. 54-55*

◁ **La cathédrale de l'Annonciation, couronnée de bulbes dorés, sur la place principale du Kremlin**

Le Kremlin pas à pas

L e Kremlin étant la résidence du président russe et
le siège de son administration, plus de la moitié est
fermée au public. Mais les monuments les plus importants,
notamment le palais des Armures, le palais des Patriarches
et les églises de la place des Cathédrales se visitent. C'est
un endroit de dévotion depuis plus de huit siècles, mais
les premières églises en pierre furent démolies dans les
années 1470, remplacées par le magnifique ensemble de
cathédrales actuel. À l'époque impériale, les grandes
cérémonies d'apparat s'y déroulaient.

Caisse

Tour de la Trinité
*Napoléon passa triomphalement
sous ce porche lors de son entrée
au Kremlin en 1812 (p. 23-25)* ❶

Palais des Congrès
*Construit en 1961 pour les
congrès du parti, le palais est
utilisé pour toutes sortes de
manifestations culturelles* ❷

Palais des Terems
*Les 11 coupoles dorées
de ce palais baroque
sont tout ce que l'on
peut voir aujourd'hui
de ce joyau caché
du Kremlin* ❿

Grand Palais du Kremlin
*Ce palais possède plusieurs
vastes salles d'apparat.
Dans la salle Saint-Georges,
les somptueux décors en
stuc offrent un superbe
cadre aux réceptions. Sur
les murs figurent les noms
des héros militaires* ⓫

0   50 m

★ Palais des Armures
*Le palais des Armures est l'œuvre de Konstantin Thon.
Construit en 1844-1855 pour compléter le Grand Palais
du Kremlin, c'est aujourd'hui un musée qui renferme
les extraordinaires collections impériales d'art décoratif,
ainsi que l'inestimable Fonds diamantaire* ⓬

À NE PAS MANQUER

★ **Le palais des Armures**

★ **La cathédrale
de l'Assomption**

LÉGENDE

‒ ‒ ‒ Itinéraire conseillé

Église de la Déposition-de-la-Robe-de-la-Vierge

Cette petite église était le sanctuaire privé des métropolites et des patriarches ❾

Le tsar Pouchka (« roi des canons »), coulé en 1586, pèse 40 t.

Église des Douze-Apôtres *(p. 56)*

(p. 56)

CARTE DE SITUATION
Atlas des rues, plans 6 et 7

Atlas des rues, plans 6 et 7

MODE D'EMPLOI

Plan 7 A1 et A2. 📞 921 4720. Ⓜ *Biblioteka imeni Lenina, Borovitskaïa*. 🚌 6, K. 🚋 2, 16, 33. 🕐 *de 10 h à 17 h du mar. au ven.* 🎫 *Vente de billets à l'entrée du Kremlin et de certains monuments.* ♿ *au site mais pas aux bâtiments.* ✉ *Réserver au 202 4256.* 📷

Clocher d'Ivan-le-Grand

C'est le plus haut édifice de Russie depuis 1600, lorsque le troisième étage a été ajouté à ce beau clocher octogonal ❹

La cloche Reine *(p. 57)*

(p. 57)

Palais des Patriarches

Cet imposant palais, reconstruit pour le patriarche Nikon en 1652-1656, renferme un musée des Arts décoratifs du XVIIe siècle ❸

Cathédrale de l'Archange-Michel

Cette cathédrale abrite le tombeau du tsarévitch Dimitri, fils cadet d'Ivan le Terrible, qui mourut enfant, en 1591 (p. 19) ❻

Place des Cathédrales

Palais à Facettes

Ce saisissant palais Renaissance fut construit entre 1485 et 1491 par deux architectes italiens, Marco Ruffo et Pietro Solario ❽

Cathédrale de l'Annonciation

Murs et plafond sont couverts de fresques, et la coupole, au-dessus de l'iconostase, est ornée d'une peinture représentant le Christ Pantokrator dominant des rangées d'anges, de prophètes et de patriarches ❼

★ Cathédrale de l'Assomption

Cette icône du XIIe siècle de saint Georges le Guerrier est une des plus anciennes de Russie. Elle fait partie de l'iconostase de l'église, à l'intérieur richement décoré ❺

La tour de la Trinité, avec, à droite, le palais des Congrès

Tour de la Trinité ❶
Троицкая башня
Troïtskaïa bachnia

Kremlin. **Plan** 7 A1.

C'est par la tour de la Trinité que Napoléon entra triomphalement en 1812 au Kremlin avec son armée, avant de battre en retraite, un mois plus tard, lorsque les Russes mirent le feu à la ville *(p. 24-25)*.
Cette tour doit son nom au monastère de la Trinité-Saint-Serge *(p. 156-159),* qui avait jadis une mission dans ce quartier. Elle servait d'entrée aux patriarches ainsi qu'aux épouses et aux filles des tsars. Aujourd'hui, c'est l'une des deux seules tours accessibles aux visiteurs, avec la Borovitskaïa *(p. 66),* au sud-ouest.

Avec ses 76 m de haut et ses 7 étages, la tour de la Trinité est la plus haute du Kremlin. Construite entre 1495 et 1499, elle fut reliée, en 1516, à la tour Koutafia par un pont sur la Néglinnaïa. La rivière est maintenant souterraine et la Koutafia est la seule qui reste des tours qui défendaient autrefois les murs du Kremlin.

Palais des Congrès ❷
Дворец Съездов
Dvorets Siezdov

Kremlin. **Plan** 7 A1. ◯ *seulement pour les spectacles.*

Commandé en 1959 par le président Khrouchtchev pour accueillir les congrès du parti communiste, ce palais de 120 m de long est le seul édifice moderne du Kremlin. Construit en 1961 en aluminium et en verre par une équipe d'architectes dirigée par Mikhaïl Possokhine, il fut enterré de 15 m de profondeur pour s'intégrer à l'ensemble architectural du Kremlin.
L'auditorium de 6 000 places a servi aux meetings politiques jusqu'en 1991, avant d'être utilisé comme salle de spectacles pour des opéras, des concerts de rock ou des ballets, comme ceux de la compagnie des Ballets du Kremlin *(p. 192).*

Palais des Patriarches ❸
Патриарший дворец
Patriarchi dvorets

Kremlin. **Plan** 7 A1.
◯ de 10 h à 17 h, du ven. au mer.

Les métropolites de l'Église orthodoxe russe résidèrent sur le site de l'actuel palais des Patriarches pendant de nombreuses années. Au XVIᵉ siècle, lorsque fut créé le patriarcat, le patriarche supplanta le métropolite à la tête de l'Église russe et vécut dès lors au Kremlin, tandis que le métropolite s'installait à Kroutitskoïe Podvorie *(p. 140).*
En 1652, le patriarche Nikon jugea que la résidence d'alors et la petite église de la Déposition-de-la-Robe-de-la-Vierge *(p. 62-63)* n'étaient pas assez prestigieuses pour lui. Il fit agrandir et rénover le bâtiment d'habitation et y ajouta l'église des Douze-Apôtres, incorporée au palais des Patriarches.

Abécédaire du tsarévitch Alexis

Le palais abrite aujourd'hui le musée des Arts décoratifs du XVIIᵉ siècle, avec plus de 1 000 objets exposés provenant du palais des Armures *(p. 64-65)* ou d'églises et de monastères détruits par Staline dans les années 30 *(p. 75).*
La première salle est consacrée à l'histoire du palais. Dans l'antichambre de gala est présentée une éblouissante collection de robes sacerdotales du XVIIᵉ siècle. On peut même y admirer des vêtements ayant appartenu à Nikon, notamment une chasuble *(saccos),* un jeu de crosses magnifiquement ciselées, et un capuchon de damas et de satin, brodé de fils d'or, de perles et de pierreries.
Deux pièces du musée ont été réaménagées dans le style d'un appartement de boyard du XVIIᵉ siècle. Dans l'une d'elles sont exposés des manuscrits anciens, entre autres l'abécédaire du tsarévitch Alexis, dont chaque page

Résidence restaurée d'un boyard dans le palais des Patriarches

présente une lettre de l'alphabet avec une sélection d'objets commençant par cette lettre.

La salle de la Croix, à gauche de l'escalier, a des proportions impressionnantes. Lorsqu'elle fut construite, cette pièce de 280 m², ornée d'un plafond finement décoré d'entrelacs de fleurs, était la plus grande salle de Russie sans pilier central pour soutenir le toit. Par la suite, cette pièce fut utilisée pour y fabriquer de l'huile sainte, appelée *miro*, destinée à toutes les églises de Russie, et on peut encore y voir les cuves en argent et un fourneau décoré ayant servi à cette fabrication.

Refusant les nouvelles formes architecturales comme le *chatior*, Nikon imposa un style traditionnel pour l'église des Douze-Apôtres. Située à droite de l'escalier, elle renferme quelques superbes icônes, notamment des œuvres de Simon Ouchakov. L'iconostase, qui date de 1700 environ, se trouvait au couvent de l'Ascension jusqu'à la démolition de ce dernier en 1929.

LE PATRIARCHE NIKON

Réformateur de l'Église orthodoxe russe, le patriarche Nikon était si résolu à lui redonner ses racines byzantines qu'il provoqua le schisme des vieux-croyants. Partisan acharné de la suprématie de l'Église sur l'État, il finit par susciter la colère du tsar Alexis *(p. 19)*. Son attitude autocratique l'ayant rendu impopulaire, il se retira dans un monastère et fut déposé en 1667.

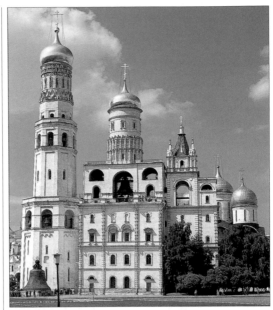

Le clocher d'Ivan-le-Grand, avec le campanile de l'Assomption et l'annexe

Clocher d'Ivan-le-Grand ❹

Колокольня Ивана Великого
Kolokolnia Ivana Velikovo

Kremlin. **Plan** 7 A1.

Ce clocher octogonal, construit entre 1505 et 1508, doit son nom à l'église de Saint-Ivan-Climacus, qui se trouvait sur le site au XIVe siècle. Depuis que le tsar Boris Godounov y fit ajouter un troisième étage, c'est le plus haut édifice de Moscou (81 m).

Le campanile de l'Assomption à 4 étages, surmonté d'un bulbe doré, fut construit à côté du clocher de 1532 à 1543. Parmi ses 21 cloches, la cloche de l'Assomption (64 t) sonnait traditionnellement 3 fois pour la mort du tsar. Un petit musée au premier étage présente des expositions temporaires sur le Kremlin. Le bâtiment à *chatior*, près du clocher-arcade de l'Assomption, fut commandé par le patriarche Philarète en 1642.

Au pied du clocher, la cloche Reine, la plus grosse du monde, pèse 200 tonnes. La cloche d'origine, commandée par le tsar Alexis, tomba du clocher et se brisa en 1701. Les fragments furent réutilisés dans une deuxième cloche commandée par la tsarine Anna. Celle-ci était encore dans la fosse de coulée quand le Kremlin prit feu en 1737. Lorsqu'on versa de l'eau froide sur le métal chaud, un gros morceau s'en détacha (il est posé à côté de la cloche).

La cloche Reine, la plus grosse du monde, avec le morceau de 11 t qui s'en détacha

La cathédrale de l'Assomption ❺

Успенский собор
Ouspenski sobor

À partir du début du XIVe siècle, l'église de l'Assomption devient un sanctuaire très important. Les princes y sont couronnés et les métropolites et patriarches de l'Église orthodoxe enterrés. Vers 1470, Ivan le Grand *(p. 18)* décida de la remplacer par une cathédrale plus imposante, à l'image d'une nation de plus en plus puissante. La première construction s'étant écroulée à la suite d'un tremblement de terre, Ivan fit rebâtir l'édifice par l'architecte italien Fioravanti, qui utilisa l'espace et la lumière dans l'esprit de la Renaissance italienne.

Les dômes dorés reposent sur des tours percées de fenêtres qui laissent pénétrer la lumière.

Croix orthodoxe

Saint Pierre le métropolite
Attribuée au grand artiste Dionysos (p. 61), cette icône du XVe siècle est située sur le mur sud de la cathédrale. Elle dépeint divers événements de la vie de ce chef religieux et politique.

★ Fresques
Elles furent peintes en 1642-1644 par une équipe d'artistes dirigée par Sidor Pospeev, et Ivan et Boris Païsein. Les murs furent d'abord dorés pour leur donner l'aspect d'un manuscrit enluminé.

Les tombeaux des métropolites et des patriarches sont le long des murs de la nef et de la crypte. Presque tous les chefs de l'Église orthodoxe y sont enterrés.

Le trône de la tsarine (XVIIe-XIXe siècles) est doré et surmonté d'un aigle à deux têtes.

Le tabernacle contient des reliques, notamment celles du patriarche Hermogène, mort de faim en 1612, durant l'invasion polonaise *(p. 19)*.

Porte ouest et entrée principale

À NE PAS MANQUER

★ Fresques

★ Iconostase

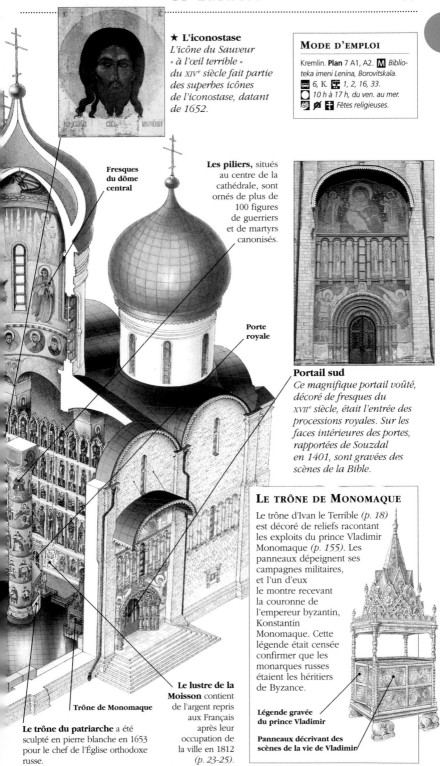

★ **L'iconostase**
L'icône du Sauveur « à l'œil terrible » du XIVe siècle fait partie des superbes icônes de l'iconostase, datant de 1652.

Fresques du dôme central

Les piliers, situés au centre de la cathédrale, sont ornés de plus de 100 figures de guerriers et de martyrs canonisés.

Porte royale

Portail sud
Ce magnifique portail voûté, décoré de fresques du XVIIe siècle, était l'entrée des processions royales. Sur les faces intérieures des portes, rapportées de Souzdal en 1401, sont gravées des scènes de la Bible.

LE TRÔNE DE MONOMAQUE

Le trône d'Ivan le Terrible *(p. 18)* est décoré de reliefs racontant les exploits du prince Vladimir Monomaque *(p. 155)*. Les panneaux dépeignent ses campagnes militaires, et l'un d'eux le montre recevant la couronne de l'empereur byzantin, Konstantin Monomaque. Cette légende était censée confirmer que les monarques russes étaient les héritiers de Byzance.

Trône de Monomaque

Le lustre de la Moisson contient de l'argent repris aux Français après leur occupation de la ville en 1812 *(p. 23-25)*.

Le trône du patriarche a été sculpté en pierre blanche en 1653 pour le chef de l'Église orthodoxe russe.

Légende gravée du prince Vladimir

Panneaux décrivant des scènes de la vie de Vladimir

Cathédrale de l'Archange-Michel ❻
Архангельский собор
Arkhangelski sobor

Kremlin. **Plan** 7 A2.

Commandée par Ivan III en 1505, cette œuvre de l'architecte vénitien Alevisio Novi est la dernière grande cathédrale construite au Kremlin. L'architecture de cette église mélange habilement le style russe traditionnel et les influences de la Renaissance italienne, en particulier les frontons ornés de coquilles sous les *zakomary (p. 44).* À partir de 1340, le site, occupé alors par un sanctuaire, servit de nécropole aux grands princes de Moscou puis aux tsars. Les tombes des tsars, situées dans la nef, sont des sarcophages en pierre blanche recouverts de bronze, portant des inscriptions gravées en slavon. La tombe du tsarévitch Dimitri, le plus jeune fils d'Ivan le Terrible *(p. 18),* est surmontée d'un dais peint et sculpté. À partir de 1712, les tsars furent inhumés à Saint-Pétersbourg, devenue la nouvelle capitale. Seul Pierre II fut enterré ici en 1730.

Les murs, les piliers et les dômes de la cathédrale sont couverts de superbes fresques, peintes entre 1652 et 1666 par une équipe d'artistes sous la direction de Simon Ouchakov, chef de l'atelier d'icônes du palais des Armures *(p. 64-65).* On peut voir plus de 60 portraits en pied de princes russes, et de superbes représentations de l'archange saint Michel, considéré comme le patron des princes de Moscovie.

La fresque de la coupole centrale est consacrée à la Sainte Trinité. On y voit le Père tenant son fils sur ses genoux et, entre eux, le Saint-Esprit sous la forme d'une colombe blanche.

L'iconostase à quatre rangs a été exécutée en 1680-1681, mais l'exceptionnelle icône de l'archange saint Michel date du XIVᵉ siècle.

La magnifique cathédrale de l'Annonciation

Cathédrale de l'Annonciation ❼
Благовещенский собор
Blagovechtchenski sobor

Kremlin. **Plan** 7 A2.

Contrairement aux autres cathédrales du Kremlin, conçues par des Italiens, la cathédrale de l'Annonciation est une construction typiquement russe. Commandée par Ivan IV en 1484 pour être une chapelle royale, elle est située à côté du palais à Facettes *(p. 62),* qui est tout ce qui reste d'un grand palais construit pour Ivan III à la même époque. Édifiée par des maîtres d'œuvre de Pskov *(p. 44),* la cathédrale possédait à l'origine trois dômes et des galeries ouvertes sur tous les côtés mais, après un incendie, en 1547, on y ajouta les chapelles d'angles et on ferma les galeries. La porte Groznenski, sur la façade sud, fut ajoutée par Ivan le Terrible, qui avait été excommunié par l'Église à la suite de son quatrième mariage, en 1572, et ne pouvait assister aux offices qu'à travers une grille.

Les peintures murales autour de l'iconostase furent réalisées en 1508 par le moine Théodose, fils du grand maître Dionysos, auquel on doit certaines peintures de la cathédrale de l'Assomption *(p. 58-59).* L'intensité de la palette de couleur des fresques crée une atmosphère d'intimité (c'était la chapelle privée des tsars), tandis que la ligne verticale des piliers attire le regard vers le haut et vers les peintures de la coupole centrale représentant le Christ Pantokrator (le Christ tout-puissant).

Trois des plus grands maîtres de la peinture d'icônes ont participé à la réalisation de l'iconostase, considérée comme la plus belle de Russie. Théophane le Grec a peint les images du Christ, de la Vierge et de l'archange Gabriel dans la rangée des icônes de la Déisis, tandis que l'icône de l'archange saint Michel, dans la même rangée, est attribuée à Andreï Roublev. Plusieurs des icônes de la rangée des fêtes, notamment *L'Annonciation* et *La Nativité,* ont également été peintes par Roublev. La plupart des autres icônes de cette rangée, entre autres *La Cène* et *La Crucifixion,* sont l'œuvre de Prochor de Gorodetz.

Fresque de la coupole centrale de la cathédrale de l'Archange-Michel

Les icônes russes

L'Église orthodoxe russe utilise les icônes comme des objets à la fois de culte et d'enseignement, et leur exécution obéit à des règles strictes. On les pensait jadis porteuses d'un pouvoir, lié au saint qu'elles représentaient, et on invoquait leur protection. Le contenu étant plus important que le style, les anciennes icônes étaient souvent repeintes. Les premières furent apportées de Byzance. Kiev fut en

Le rang des fêtes

Russie le centre le plus important de peinture d'icônes jusqu'à la conquête des Mongols en 1240. Des écoles de renommée se développèrent à Novgorod et dans la région de Vladimir-Souzdal. Celle de Moscou apparut à la fin du XVᵉ siècle, lorsque Ivan le Terrible imposa aux artistes de vivre au Kremlin. Dionysos, Théophane le Grec et Andreï Roublev faisaient partie de cette illustre école.

La Vierge de Vladimir, *icône byzantine du XIIᵉ siècle, est l'objet d'une grande vénération et a influencé l'iconographie russe.*

Théophane le Grec (vers 1340-1405) originaire de Byzance, est l'auteur présumé de cette icône de l'Assomption de la Vierge. Les personnages de ses icônes sont renommés pour la délicatesse et l'originalité de leurs traits.

L'ICONOSTASE

Dans les églises de rite byzantin, séparant le sanctuaire de la nef, l'iconostase symbolise la frontière entre les mondes spirituel et temporel. Elle constitue, généralement sur cinq rangées (parfois trois), le résumé de l'Ancien et du Nouveau Testament.

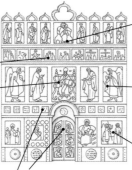

Le rang des fêtes dépeint les fêtes religieuses importantes du calendrier orthodoxe.

Le Christ en majesté est toujours situé au centre du rang de la Déisis, encadré de la Vierge Marie et de saint Jean-Baptiste.

Un rang supplémentaire entre les icônes à place fixe et le rang de la Déisis représente souvent les mois de l'année.

La rangée du haut est celle des patriarches et prophètes de l'Ancien Testament.

Le rang de la Déisis, le plus important de l'iconostase, représente la Vierge Marie et saint Jean-Baptiste.

Les portes royales, au centre des icônes à place fixe, sont habituellement décorées de panneaux montrant les quatre évangélistes et l'Annonciation. Elles symbolisent le passage qui mène à Dieu.

Andreï Roublev fut moine au monastère de la Trinité-de-Saint-Serge (p. 156-159) avant d'être envoyé dans un monastère de Moscou. Il peignit cette icône de l'archange Michel vers 1410. La finesse dans l'exécution de l'archange est typique des personnages de Roublev.

Le rang des icônes à place fixe contient des icônes du saint titulaire de l'église, ou des saints qui ont donné leur nom aux protecteurs de l'église.

L'immense salle voûtée du palais à Facettes fut entièrement repeinte en 1882

Palais à Facettes ❽
Грановитая палата
Granovitaïa palata

Kremlin. **Plan** 7 A2. ⬤ *au public.*

L e palais à Facettes, qui doit son nom aux bossages des pierres de la façade, taillées en pointes de diamant, fut rattaché au XIXe siècle au Grand Palais du Kremlin. Œuvre de deux architectes italiens, Marco Ruffo et Pietro Solario, il fut commandé en 1485 par Ivan III *(p. 18)* et achevé six ans plus tard. La splendide salle voûtée de 500 m² du 1er étage, appelée salle d'Or, est décorée de magnifiques fresques et de sculptures dorées. Salle du trône et de banquets des tsars, on y a donné les réceptions officielles jusqu'à l'époque de la perestroïka *(p. 30-31)*.

L'accès au palais se fait par un escalier, sur la façade sud, appelé Krasnoïe Kryltso (« perron rouge »). Les tsars empruntaient cet escalier pour se rendre à la cathédrale de l'Assomption lors de leur couronnement. La dernière de ces processions eut lieu pour le couronnement de Nicolas II en 1896. Au cours de la rébellion des streltsy en 1682 *(p. 22)*, plusieurs membres de la famille de Pierre le Grand furent précipités du haut de ce perron sur les piques de la garde des streltsy. Démoli par Staline dans les années 30, l'escalier fut reconstruit à grands frais en 1994.

Église de la Déposition-de-la-Robe-de-la-Vierge ❾
Церковь Ризположения
Tserkov Rizpolojenïa

Kremlin. **Plan** 7 A1. 📷 📷

C ouronnée d'un unique dôme doré, cette petite églisc a été construite pour les métropolites entre 1484 et 1486, par des architectes de Pskov *(p. 44)*. Elle doit son nom à une fête byzantine qui célébrait l'arrivée à Constantinople d'une robe censée avoir appartenu à la Vierge Marie. Cette robe aurait, dit-on, épargné à la ville plusieurs invasions.

L'extérieur de l'église se distingue par des *zakomary* en accolade, caractéristiques de nombreuses églises russes de cette période et typiques de l'école d'architecture pskovienne. À l'intérieur, les murs et les fins piliers sont

La façade sud du palais à Facettes, avec le Perron rouge

couverts de fresques du XVIIᵉ siècle exécutées par divers artistes, notamment Ivan Borissov, Sidor Pospeev et Simon Abramov. Nombre de ces fresques sont consacrées à la vie de la Vierge, d'autres à la vie du Christ, aux prophètes, aux princes et aux métropolites de Moscou.

L'exceptionnelle iconostase fut réalisée en 1627 par Nazari Istomine. À gauche des portes royales *(p. 61)*, on peut admirer une superbe représentation de la Trinité et, à droite, l'icône de la Déposition-de-la-Robe-de-la-Vierge.

La petite église de la Déposition-de-la-Robe-de-la-Vierge

Palais des Terems ❿
Теремной дворец
Teremnoï dvorets

Kremlin. **Plan** 7 A2. ⬤ *au public.*

Commandé par le tsar Michel Romanov *(p. 19)*, le palais des Terems fut construit à côté du palais à Facettes entre 1635 et 1637 par des maîtres maçons dirigés par Bajène Ogourstov. Le mot *terem* (« palais privé ») désigne une sorte de pavillon couvert d'un toit à carreaux rouges et blancs, situé en haut du bâtiment principal. À l'intérieur, de petites pièces voûtées, meublées avec simplicité.

Cinq pièces somptueuses situées au 3ᵉ étage du palais étaient réservées au tsar. L'antichambre, où les boyards *(p. 20)* et les dignitaires étrangers attendaient d'être reçus par le tsar, mène à la

Le vestibule richement décoré du palais des Terems

salle des conseils, dans laquelle se tenaient les réunions. Viennent ensuite la salle du trône, la chambre à coucher du tsar et un petit oratoire.

Le palais des Terems n'est pas visible des endroits du Kremlin accessibles au public. On aperçoit seulement, à l'extrémité du palais, les onze bulbes de la chapelle privée.

Grand Palais du Kremlin ⓫
Большой Кремлёвский дворец
Bolchoï Kremliovski dvorets

Kremlin. **Plan** 7 A2. ⬤ *au public.*

Avec sa longue façade de 125 m dominant la Moskova, ce palais jaune et blanc est impressionnant vu du quai du Kremlin. Commandé par le tsar Nicolas Iᵉʳ en 1837, il fut érigé sur l'emplacement d'un palais du XVIIIᵉ siècle, pour servir de résidence à la famille royale lors de ses séjours à Moscou. La construction, dirigée par Konstantin Thon *(p. 45)*, dura 12 ans. Thon intégra dans ce nouvel ensemble le palais à Facettes et le palais des Terems, et rebâtit le palais des Armures *(p. 64-65)*. Le rez-de-chaussée du palais est occupé par les luxueux appartements privés de la famille impériale. Les appartements officiels, situés au 1ᵉʳ étage, comprennent plusieurs grandes salles d'apparat. La fastueuse salle Saint-Georges est entourée de murs blancs où sont gravés en lettres d'or les noms des personnalités décorées de l'Ordre de Saint-Georges, une des plus prestigieuses récompenses militaires de Russie.

Bien qu'il eût investi des sommes considérables dans l'aménagement intérieur du palais, le tsar y passait peu de temps. Dans les années 30, deux des salles furent réunies en une gigantesque salle de réunion pour le Soviet suprême. Aujourd'hui, les salles sont utilisées pour recevoir les dignitaires étrangers.

Le Grand Palais du Kremlin vu du quai du Kremlin

Le palais des Armures ⑫

Оружейная палата

Oroujeïnaïa palata

L es collections du palais des Armures présentent l'ensemble des trésors accumulés par les princes et les tsars au cours des siècles. La première mention écrite de ce palais remonte à 1508, mais au XIIIe siècle, il existait déjà des forges au Kremlin qui fabriquaient des équipements guerriers. Plus tard s'y ajoutèrent l'office des Écuries impériales, des ateliers d'orfèvrerie et des ateliers consacrés à la fabrication d'icônes et de broderies. Le premier palais des Armures fut démoli en 1960 pour faire place au palais des Congrès *(p. 56).* L'actuel palais des Armures fut construit en 1844 par Konstantin Thon *(p. 45)* sur ordre de Nicolas Ier, qui en fit un musée.

★ **Les œufs Fabergé**
Cet œuf intégré dans une maquette du Kremlin est aussi une boîte à musique, et a été fabriqué en 1904 dans les ateliers de la célèbre maison Fabergé, à Saint-Pétersbourg.

Des armes et des armures
des ateliers du Kremlin sont exposées ici, à côté d'objets d'Europe occidentale et de Perse.

Carrosses et traîneaux
Cette magnifique collection comprend la belle calèche d'été dorée représentée ci-dessus, qui fut offerte à Catherine II (p. 23) par le comte Orlov. La pièce la plus ancienne est un carrosse offert à Boris Godounov par le roi d'Angleterre Jacques Ier.

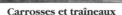

Premier étage

4

3

5

9

Le Fonds diamantaire

Cette éblouissante exposition de diamants, couronnes, bijoux et insignes royaux comprend notamment le célèbre diamant Orlov, pris dans un temple indien et offert à Catherine II par son amant, le comte Orlov La tsarine le fit monter sur le haut de son sceptre. On peut également voir sur sa couronne impériale, incrustée de près de 5 000 pierres, et un autre diamant, le Shah, offert au tsar Nicolas Ier par le shah Mirza.

Le diamant Orlov sur le sceptre de Catherine la Grande

Rez-de-chaussée

Cadeaux d'ambassadeurs offerts par les émissaires des Pays-Bas, de Pologne, d'Angleterre et de Scandinavie.

Entrée principale

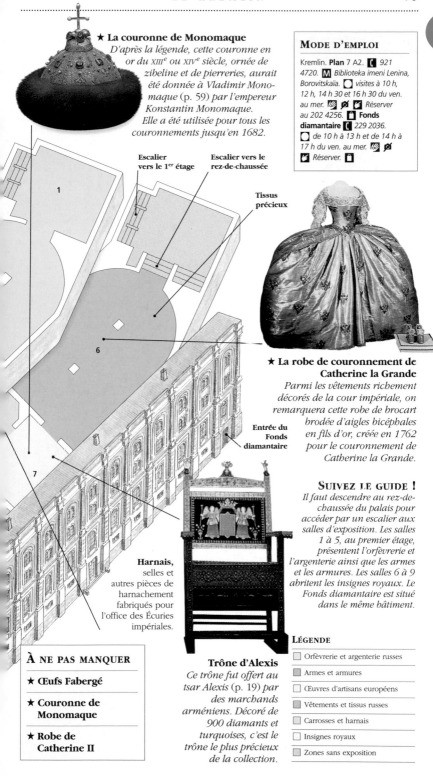

★ **La couronne de Monomaque**
*D'après la légende, cette couronne en or du XIIIe ou XIVe siècle, ornée de zibeline et de pierreries, aurait été donnée à Vladimir Monomaque (p. 59) par l'empereur Konstantin Monomaque.
Elle a été utilisée pour tous les couronnements jusqu'en 1682.*

MODE D'EMPLOI

Kremlin. **Plan** 7 A2. ☎ 921 4720. Ⓜ *Biblioteka imeni Lenina, Borovitskaïa.* ◯ *visites à 10 h, 12 h, 14 h 30 et 16 h 30 du ven. au mer.* 🚫 📷 🎫 *Réserver au* 202 4256. ☎ **Fonds diamantaire** ☎ 229 2036. ◯ *de 10 h à 13 h et de 14 h à 17 h du ven. au mer.* 🚫 📷 🎫 *Réserver.* ☎

Escalier vers le 1er étage

Escalier vers le rez-de-chaussée

Tissus précieux

Entrée du Fonds diamantaire

★ **La robe de couronnement de Catherine la Grande**
Parmi les vêtements richement décorés de la cour impériale, on remarquera cette robe de brocart brodée d'aigles bicéphales en fils d'or, créée en 1762 pour le couronnement de Catherine la Grande.

SUIVEZ LE GUIDE !
Il faut descendre au rez-de-chaussée du palais pour accéder par un escalier aux salles d'exposition. Les salles 1 à 5, au premier étage, présentent l'orfèvrerie et l'argenterie ainsi que les armes et les armures. Les salles 6 à 9 abritent les insignes royaux. Le Fonds diamantaire est situé dans le même bâtiment.

Harnais,
selles et autres pièces de harnachement fabriqués pour l'office des Écuries impériales.

À NE PAS MANQUER

★ **Œufs Fabergé**

★ **Couronne de Monomaque**

★ **Robe de Catherine II**

Trône d'Alexis
Ce trône fut offert au tsar Alexis (p. 19) par des marchands arméniens. Décoré de 900 diamants et turquoises, c'est le trône le plus précieux de la collection.

LÉGENDE

☐ Orfèvrerie et argenterie russes

☐ Armes et armures

☐ Œuvres d'artisans européens

☐ Vêtements et tissus russes

☐ Carrosses et harnais

☐ Insignes royaux

☐ Zones sans exposition

Tour du Sauveur ⑬
Спасская башня
Spasskaïa bachnia

Kremlin. **Plan** 7 B1.

Haute de 70 m, la tour du Sauveur, dont la silhouette majestueuse domine la place Rouge, doit son nom à une icône du Christ installée au-dessus de sa porte en 1648. La tour était autrefois l'entrée d'apparat du Kremlin. Toute

La tour du Sauveur, ancienne entrée principale du Kremlin

personne passant par cette porte, y compris le tsar, devait se découvrir par respect pour l'icône. Celle-ci fut enlevée après la révolution.

La construction de la tour se fit en deux étapes. La partie inférieure fut réalisée par l'architecte italien Solario en 1491. Ogourtsov et l'Anglais Holloway ajoutèrent la partie supérieure et le *chatior* en 1625. À l'origine, le carillon de l'horloge jouait l'hymne tsariste, qui fut remplacé, en 1917, par un hymne révolutionnaire. Aujourd'hui, l'horloge joue l'hymne national russe.

Praesidium ⑭
Президиум
Prezidium

Kremlin. **Plan** 7 A1. ◐ *au public.*

Le site était jadis occupé par deux sanctuaires importants, le monastère des Miracles et le couvent de l'Ascension, qui furent tous deux démolis pour faire place au Praesidium en 1929. Cet édifice jaune néo-classique fut construit en 1932 pour abriter une école d'officiers de l'Armée rouge. Il devint

ensuite le quartier général du Praesidium du Soviet suprême, bras exécutif du Parlement soviétique. Aujourd'hui, le Praesidium est occupé par divers départements de l'administration présidentielle russe.

Le Praesidium néo-classique

Sénat ⑮
Сенат
Senat

Kremlin. **Plan** 7 A1. ◐ *au public.*

Achevé en 1790, ce bâtiment néo-classique fut construit pour abriter divers départements du Sénat. Conçu par Matveï Kazakov *(p. 44-45)*, il est triangulaire, avec une rotonde centrale surmontée d'un dôme où flotte le drapeau russe. De 1918 à 1991, le Sénat

---

LES TOURS DU KREMLIN
L'enceinte du Kremlin est flanquée de 19 tours, auxquelles il faut ajouter la tour Koutafia, reliée par un pont à la tour de la Trinité. En 1935, les aigles bicéphales impériaux furent enlevés des cinq plus grandes tours et remplacés deux ans plus tard par des étoiles en verre rouge pesant chacune entre 1 et 1,5 tonne.

Tour angulaire de l'Arsenal

Tour Borovitskaïa

Tour de l'Annonciation

Tour des Armures

Tour du Commandant

Tour de la Trinité (p. 56)

Tour médiane de l'Arsenal (cachée)

La tour de Nicolas est celle par laquelle Minine et Pojarski *(p. 108)* pénétrèrent dans le Kremlin.

Tour du Sénat

Tour de l'Eau

La tour du Secret a un passage souterrain menant à la rivière qui permettait de s'approvisionner en eau durant les sièges.

Tour du Sauveur

Tour du Tsar

Tour du Tocsin

Première tour sans nom

Seconde tour sans nom

Tour de Pierre

Tour de Constantin-et-Hélène

Tour Beklemichevskaïa

0   100 m

La rotonde et le dôme du Sénat, derrière la tour du Sénat et le mausolée de Lénine

était occupé par le gouvernement soviétique. Lénine y avait son bureau et sa famille vivait dans un appartement au dernier étage. Durant la Seconde Guerre mondiale, le commandement suprême de l'Armée rouge, dirigé par Staline, y était basé. Aujourd'hui, le Sénat est le siège officiel du président de la Fédération de Russie.

Tour angulaire de l'Arsenal et la tour de Nicolas

Arsenal ⓰
Арсенал
Arsenal

Kremlin. **Plan** 7 A1. ◗ *au public.*

Pierre le Grand ordonna la construction de l'Arsenal en 1701, mais un incendie en 1711 en retarda l'achèvement jusqu'en 1736. En 1812, le bâtiment ayant été partiellement détruit par l'armée de Napoléon *(p. 23-25),* les

architectes Alexandre Bakarev, Ivan Tamanski, Ivan Mironovski et Evgraf Tiurin furent chargés de concevoir un nouvel Arsenal. Le beau bâtiment jaune et blanc de style néoclassique fut achevé en 1828.

L'Arsenal servait à entreposer armes et munitions. Environ 750 canons sont alignés dehors, dont quelques-uns pris aux troupes napoléoniennes. Aujourd'hui, le poste de commande de la garde du Kremlin, l'intérieur et une grande partie de l'extérieur de l'Arsenal sont inaccessibles aux visiteurs.

Jardins Alexandre ⓱
Александровский сад
Aleksandrovski sad

Kremlin. **Plan** 7 A1.

Dessinés par l'architecte Ossip Bove *(p. 45)* en 1821, ces jardins portent le nom du tsar Alexandre Iᵉʳ, qui présida à la restauration de la ville, notamment du Kremlin, après les guerres napoléoniennes. Avant la construction des jardins, la rivière Néglinnaïa, qui occupait une partie des fossés du Kremlin, fut recouverte. Le seul rappel de sa présence est le pont en pierre reliant la tour Koutafia à la tour de la Trinité.

En face de la tour médiane de l'Arsenal, dans la partie nord des jardins, se dresse un obélisque érigé en 1913 pour

commémorer les 300 ans de la dynastie Romanov. L'aigle impérial fut enlevé après la révolution et l'inscription remplacée par les noms de penseurs révolutionnaires comme Karl Marx et Friedrich Engels.

La tombe du Soldat inconnu fut inaugurée en 1967. La flamme éternelle brûle au centre de la dalle pour tous les Russes morts au cours de la Seconde Guerre mondiale. Le corps d'un soldat est enterré sous ce monument où est gravée cette inscription : « Ton nom est inconnu, tes actes sont immortels. »

En 1996, un immense centre commercial a été construit sous la Manejnaïa plochtchad, vaste place située au nord des jardins Alexandre.

Allée des jardins Alexandre, devant la tour de la Trinité

ARBATSKAÏA

Le mot « Arbat » vient probablement d'un terme mongol signifiant « faubourg ». Au XVe siècle, il désignait toute la zone à l'ouest du Kremlin, alors habitée par les artisans et écuyers du tsar. Bien que les noms des rues évoquent encore leur présence, les artisans quittèrent le quartier au XVIIIe siècle pour faire place à l'aristocratie puis aux intellectuels et artistes, attirés par le charme de ses ruelles, de

Portrait du Fayoum, musée Pouchkine

ses vieilles demeures et de ses cours. En flânant dans le Vieil Arbat, traversé par une rue piétonne, on peut encore découvrir quelques églises historiques, des maisons en bois et des demeures du XIXe siècle autour de Sivtsev Vrajek pereoulok. Mais à quelques pas de là, on retrouve les kiosques, les cafés, les grands buildings soviétiques et les boutiques de l'avenue Novy Arbat.

LE QUARTIER D'UN COUP D'ŒIL

Musées et galeries
Maison-musée Bely 5
Maison-musée Lermontov 13
Musée des Collections privées 8
Maison-musée Pouchkine 4
*Musée des Beaux-Arts
Pouchkine p. 78-81* 9
Maison-musée Chaliapine 14
Musée d'Architecture Chtchoussev 11
Maison-musée Skriabine 1

Cathédrale
Cathédrale
du Christ-Sauveur 7

Bâtiments historiques
Maison Melnikov 3
Maison Pachkov 10

Rues et places
Place de l'Arbat 12
Spassopeskovski
pereoulok 2
Oulitsa Pretchistenka 6

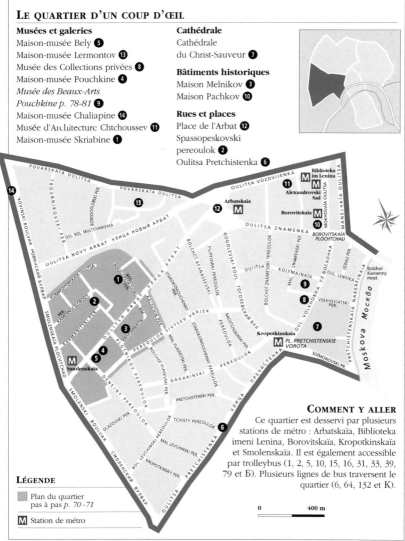

COMMENT Y ALLER
Ce quartier est desservi par plusieurs stations de métro : Arbatskaïa, Biblioteka imeni Lenina, Borovitskaïa, Kropotkinskaïa et Smolenskaïa. Il est également accessible par trolleybus (1, 2, 5, 10, 15, 16, 31, 33, 39, 79 et Б). Plusieurs lignes de bus traversent le quartier (6, 64, 132 et K).

LÉGENDE
Plan du quartier
pas à pas p. 70-71
M Station de métro

0   400 m

◁ **Oulitsa Arbat, une rue au cœur du Vieil Arbat, dominée par le gratte-ciel du ministère des Affaires étrangères**

Le Vieil Arbat pas à pas

Au cœur du vieux quartier de l'Arbat, la rue piétonne oulitsa Arbat est une artère très animée, bordée de magasins d'antiquités, de boutiques de mode et de souvenirs, de cafés et de restaurants variés, sans oublier les bistrots russes traditionnels *(traktir)*. Au XIXᵉ siècle, le quartier était le rendez-vous des artistes, musiciens, poètes, écrivains et intellectuels. Certaines de leurs maisons ont été conservées et, transformées en musées, font partie des nombreux bâtiments de cette époque qui ont été soigneusement rénovés et repeints dans des tons pastel. Aujourd'hui, avec les artistes, musiciens et poètes des rues, l'Arbat a retrouvé une atmosphère bohème.

La maison Spasso est la résidence de l'ambassadeur des États-Unis depuis 1933.

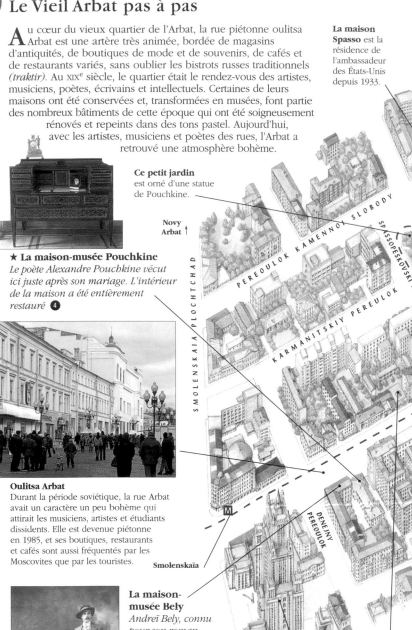

Ce petit jardin est orné d'une statue de Pouchkine.

Novy Arbat ↑

★ La maison-musée Pouchkine
Le poète Alexandre Pouchkine vécut ici juste après son mariage. L'intérieur de la maison a été entièrement restauré ❹

Oulitsa Arbat
Durant la période soviétique, la rue Arbat avait un caractère un peu bohème qui attirait les musiciens, artistes et étudiants dissidents. Elle est devenue piétonne en 1985, et ses boutiques, restaurants et cafés sont aussi fréquentés par les Moscovites que par les touristes.

Smolenskaïa

La maison-musée Bely
Andreï Bely, connu pour son roman Pétersbourg *et pour ses* Mémoires, *vécut dans cet appartement pendant les 26 premières années de sa vie. C'est un musée où sont exposées notamment cette photo de Bely avec sa femme et une illustration intitulée* Ligne de vie *(p. 73)* ❺

Le ministère des Affaires étrangères est l'un des sept gratte-ciel gothiques-staliniens *(p. 45)*.

Centre géorgien

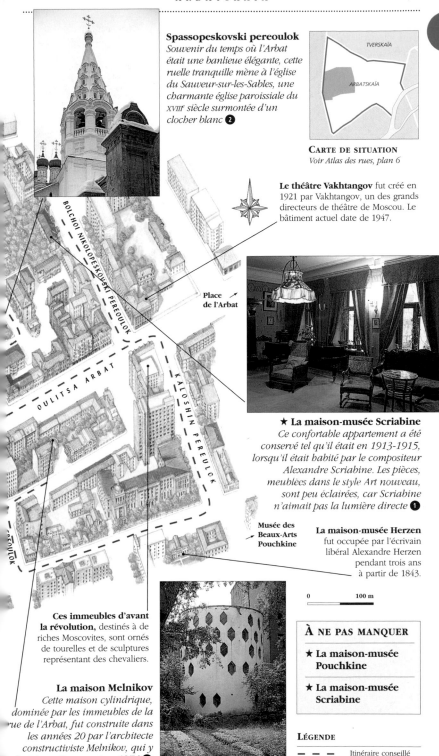

Spassopeskovski pereoulok
*Souvenir du temps où l'Arbat
était une banlieue élégante, cette
ruelle tranquille mène à l'église
du Sauveur-sur-les-Sables, une
charmante église paroissiale du
XVIIIe siècle surmontée d'un
clocher blanc* ❷

TVERSKAÏA

ARBATSKAÏA

CARTE DE SITUATION
Voir Atlas des rues, plan 6

Le théâtre Vakhtangov fut créé en
1921 par Vakhtangov, un des grands
directeurs de théâtre de Moscou. Le
bâtiment actuel date de 1947.

BOLCHOI NIKOLOPESKOVSKI PEREOULOK

**Place
de l'Arbat**

OULITSA ARBAT

KALOSHIN PEREOULOK

★ **La maison-musée Scriabine**
*Ce confortable appartement a été
conservé tel qu'il était en 1913-1915,
lorsqu'il était habité par le compositeur
Alexandre Scriabine. Les pièces,
meublées dans le style Art nouveau,
sont peu éclairées, car Scriabine
n'aimait pas la lumière directe* ❶

**Musée des
Beaux-Arts
Pouchkine**

La maison-musée Herzen
fut occupée par l'écrivain
libéral Alexandre Herzen
pendant trois ans
à partir de 1843.

0   100 m

**Ces immeubles d'avant
la révolution,** destinés à de
riches Moscovites, sont ornés
de tourelles et de sculptures
représentant des chevaliers.

La maison Melnikov
*Cette maison cylindrique,
dominée par les immeubles de la
rue de l'Arbat, fut construite dans
les années 20 par l'architecte
constructiviste Melnikov, qui y
vécut jusqu'à sa mort en 1974* ❸

À NE PAS MANQUER

★ **La maison-musée
Pouchkine**

★ **La maison-musée
Scriabine**

LÉGENDE

– – – Itinéraire conseillé

Maison-musée Scriabine ❶

Дом-музей АН Скрябина

Dom-mouzeï AN Skryabina

Bolchoï Nikolopeskovski pereoulok 11.
Plan 6 D1. **☏** 241 1901. **Ⓜ** Smolenskaïa, Arbatskaïa. ◯ de 12 h à 18 h mer., ven., de 10 h à 16 h 30 jeu., sam.-dim. ▓ ☑ Réserver.

La maison Spasso néo-classique sur Spassopeskovskaïa plochtchad

L'appartement du pianiste et compositeur Alexandre Scriabine (1872-1915) est resté tel qu'il était de son vivant. Élève puis professeur au conservatoire de Moscou (*p. 94*), le musicien acquit une réputation internationale comme pianiste de concert, et également comme compositeur et théoricien de la musique. Connu surtout pour ses œuvres orchestrales (*Prométhée* et *Poème de l'extase*), il recevait souvent chez lui Rachmaninov (1873-1943) et eut une profonde influence sur le jeune Stravinsky (1882-1971).

Scriabine s'intéressait de près à la décoration de son appartement, comme en témoignent les belles pièces à hauts plafonds où sont exposés ses pianos, ses manuscrits et ses meubles modern style. On découvre aussi un curieux appareil construit par le compositeur pour créer des effets de lumière afin d'« illuminer » avec sa musique.

Une pièce de l'appartement d'Alexandre Scriabine

Spassopeskovski pereoulok ❷

Спасопесковский переулок

Spassopieskovski pereoulok

Plan 6 D1. **Ⓜ** Smolenskaïa.

Cette ruelle forme, avec la Spassopeskovskaïa plochtchad, un îlot de tranquillité, à l'écart des grands axes, qui a conservé le charme du vieux quartier de l'Arbat. On peut voir à la galerie Tretiakov (*p. 118-121*) un tableau de Vassili Polenov peint en 1878, intitulé *Une cour à Moscou*, qui représente une vue bucolique de ce site, avec, au centre, le clocher blanc de l'église du Sauveur-sur-les-Sables, à laquelle la rue doit son nom. Cette église du XVIIIᵉ siècle domine toujours la place, occupée aujourd'hui par un petit jardin dédié au poète Alexandre Pouchkine.

Atelier de Victor Melnikov dans sa maison

À l'extrémité du square se dresse la maison Spasso, belle demeure privée de style néo-classique construite en 1913, devenue résidence de l'ambassadeur des États-Unis en 1933.

Maison Melnikov ❸

Дом Мельникова

Dom Melnikova

Krivoarbatski pereoulok 10.
Plan 6 D1. **Ⓜ** Smolenskaïa. ◐ au public.

Cachée derrière des immeubles de bureaux, cette maison extrêmement originale fut construite en 1927 par Konstantin Melnikov (1890-1974), l'un des plus grands architectes constructivistes russes (*p. 45*).

C'est un bâtiment en brique recouvert de stuc blanc, formé de deux cylindres, avec des rangées de fenêtres hexagonales produisant un curieux effet de nid d'abeilles. Au centre, là où se recoupent les deux cylindres, un escalier en colimaçon relie entre elles les pièces claires et aérées. Cette maison, que l'architecte avait conçue pour sa famille, devait également servir de prototype pour la construction de futurs immeubles. Mais c'était sans compter avec le développement du nouveau style monumentaliste que Staline encourageait les architectes à privilégier (*p. 45*). Bien qu'elle ait été récompensée par une médaille d'or à l'Exposition universelle de Paris en 1925, l'œuvre de Konstantin Melnikov fut cependant ridiculisée ou ignorée, et sa carrière fut alors définitivement compromise. L'architecte vécut néanmoins dans sa maison jusqu'à la fin de ses jours et fut l'un des rares résidents du centre de Moscou encore autorisés à habiter ainsi dans un bâtiment privé.

C'est son fils, l'artiste Victor Melnikov, qui occupe maintenant un studio, situé au dernier étage de la maison.

ALEXANDRE POUCHKINE

Né en 1799 dans une famille d'aristocrates, Pouchkine est le poète le plus célèbre de Russie. Déjà connu à 20 ans pour ses œuvres poétiques, il attira l'attention du régime tsariste par ses idées libérales, ce qui lui valut l'exil en 1820. Il revint en Russie un peu plus tard. Ses premières œuvres comprennent des poèmes narratifs comme *Les Frères Brigands* (1821) et un roman en vers, *Eugène Oneguine* (1823-1830), son chef-d'œuvre. À partir de 1830, il écrivit surtout de la prose, et se distingua par des nouvelles comme *La Dame de pique* (1834). Il est considéré comme le fondateur de la littérature moderne russe.

Maison-musée Pouchkine ❹

Музей-квартира АС Пушкина

Mouzeï-kvartira AS Pouchkina

Oulitsa Arbat 55. **Plan** 6 D2.
🄲 *241 4212.* 🄼 *Smolenskaïa.*
🄾 *de 11 h à 18 h du mer. au dim.*
🆑 🚫 ✅ *Réserver.*

Alexandre Pouchkine occupa cette élégante maison bleue et blanche de style Empire pendant les trois premiers mois de son mariage. Il avait épousé la belle Natalia Gontcharova, âgée de 18 ans, en février 1831, à l'église de l'Ascension, sur Bolchaïa Nikitskaïa *(p. 93)*.

Malgré son bonheur conjugal, Alexandre Pouchkine se lassa assez rapidement de la vie à Moscou et, en mai, les époux partirent pour Saint-Pétersbourg, où un destin tragique les attendait. Au bout de quelque temps, en effet, le bruit court que le beau-frère de Pouchkine, un officier français nommé d'Anthès, faisait des avances à Natalia. À la suite d'une lettre anonyme le nommant « grand maître de l'ordre des cocus », l'écrivain provoqua son beau-frère en duel, et, mortellement blessé, succomba deux jours plus tard.

L'exposition présentée dans les pièces du rez-de-chaussée donne une idée de ce que pouvait être la ville avant le grand incendie de 1812, lorsque Pouchkine était enfant. On peut y voir des gravures, des lithographies et des aquarelles, ainsi que de curieuses figurines en cire représentant un orchestre de serfs appartenant à la famille Gontcharova.

Excepté le bureau du poète et des portraits de famille, le premier étage, où vivaient Alexandre Pouchkine et Natalia, contient peu d'objets personnels, et il y règne une atmosphère de sanctuaire plutôt que de musée.

Portrait de la femme de Pouchkine, Natalia

Maison-musée Bely ❺

Музей-квартира Андрея Белого

Mouzeï-kvartira Andreïa Belovo

Oulitsa Arbat 55. **Plan** 6 D2.
🄲 *241 7702.* 🄼 *Smolenskaïa.*
🄾 *de 11 h à 18 h du mer. au dim.*
🆑 🚫 ✅

Juste à côté de la maison-musée de Pouchkine se trouve celle de l'écrivain symboliste Andreï Bely, pseudonyme de Boris Bougaïev. Né en 1880, il passa ici son enfance avant d'aller étudier à l'université de Moscou *(p. 94)*, où il commença à écrire des poèmes. Mais il est surtout connu pour son roman *Pétersbourg,* achevé en 1916, et pour ses Mémoires. Seules deux pièces de l'appartement familial des Bougaïev ont été conservées. L'une d'elles est réservée à une exposition de photographies consacrées à la vie et aux travaux de l'écrivain. L'objet le plus intéressant du musée est une illustration réalisée par l'auteur et intitulée *Ligne de vie,* montrant comment son œuvre résultait directement de la combinaison de ses mouvements d'humeur et d'influences culturelles.

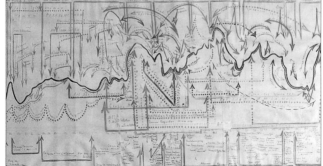

La *Ligne de vie*, illustration dessinée par l'écrivain symboliste Andreï Bely

La façade richement décorée du n° 20 oulitsa Pretchistenka

Oulitsa Pretchistenka ⑥

Улица Пречистенка

Oulitsa Pretchistenka

Plan 6 D3-E2. **Ⓜ** *Kropotkinskaïa.*

Les élégantes demeures bordant cette rue appartenaient autrefois à des familles de l'aristocratie moscovite qui s'y établirent à la fin du XVIIIᵉ siècle. À l'époque soviétique, la rue s'appelait Kropotinskaïa oulitsa, en souvenir du célèbre anarchiste, le prince Piotr Kropotkine.

Lion du n° 16 oulitsa Pretchistenka

La maison de style Empire au n° 12 est aujourd'hui le musée littéraire Pouchkine (à ne pas confondre avec la maison-musée Pouchkine, *p. 73*). Elle fut conçue à l'origine pour la famille Khrouchtchev par l'architecte Grigoriev *(p. 45)*. Les murs en sont habilement dissimulés par des colonnes de style classique et des revêtements en stuc.

De l'autre côté de la rue, le n° 11 abrite un musée consacré à Tolstoï. Contrairement à la maison-musée Tolstoï *(p. 134)*, il est plutôt centré sur le travail de l'artiste que sur sa vie. Le bâtiment lui-même n'a aucun lien avec Tolstoï. Il fut construit en 1822, également par Grigoriev, pour la riche famille Lopoukhine.

Au n° 20 se trouve une élégante demeure décorée d'aigles, d'urnes, de symboles héraldiques et de coquilles, qui fut habitée jusqu'en 1861 par le général Alexeï Ermolov, commandant en chef de l'armée russe. Après la révolution, la danseuse américaine Isadora Duncan et le poète Sergueï Essenine y vécurent le temps de leur mariage bref et orageux. Ils ne parlaient pas la même langue et Essenine déclara ses sentiments en écrivant sur le miroir de leur chambre les mots « Je t'aime » en russe avec du rouge à lèvres. La maison la plus remarquable de la rue Pretchistenka est située au n° 19. Reconstruite après l'incendie de 1812 *(p. 24)* pour la famille Dolgorouki, elle se distingue par sa façade ornée d'un portique central à colonnes encadré de loggias. Juste à côté, au n° 21, se trouve une demeure du début du XIXᵉ siècle occupée aujourd'hui par l'Académie des beaux-arts, où ont lieu des expositions temporaires.

Cathédrale du Christ-Sauveur ⑦

Храм Христа Спасителя

Khram Khrista Spassitelia

Oulitsa Volkhonka 15. **Plan** 6 F2. **Ⓜ** *Kropotkinskaïa.*

La reconstruction de cette cathédrale, rasée sur ordre de Staline en 1931, aura été l'un des projets de reconstruction les plus ambitieux de l'entreprenant maire de Moscou, Iouri Loujkov. La structure de base de la nouvelle cathédrale a été construite entre 1994 et 1997, mais les travaux continuent à l'intérieur. Avant d'entreprendre la construction de l'édifice, il a fallu combler l'immense piscine découverte Moskva, qui occupait le site depuis les années 60.

Ce projet a suscité des controverses dès le début, à la fois pour des questions de goût et d'argent. En 1995, un décret présidentiel stipulait que l'État n'y consacrerait pas un kopek. Les fonds devaient provenir du public, de l'Église russe et de donateurs étrangers parmi les grandes multinationales installées en Russie. Mais en réalité, la plus grosse partie de la note, qui s'élevait à plus de 200 millions de dollars, a été payée sur le budget de l'État et, compte tenu de la pauvreté de la population, cela ne s'est pas fait sans vives protestations.

La construction de la cathédrale originelle avait été décidée par Alexandre Iᵉʳ pour remercier Dieu d'avoir délivré Moscou de la Grande Armée de Napoléon *(p. 23-24)*. Commencée en 1839, elle ne fut achevée qu'en 1883 par Konstantin Thon *(p. 45)*. Surmontée d'un dôme doré de 103 m, la cathédrale était à l'époque le plus haut édifice de la ville, et ses 9 000 m² permettaient d'accueillir plus de 10 000 fidèles.

En 1998, un petit musée et une église au rez-de-chaussée ont été ouverts au public. Des ascenseurs sont également prévus pour accéder au dôme et découvrir un point de vue exceptionnel sur l'ensemble de la ville.

Cathédrale du Christ-Sauveur, reconstruite dans les années 1990

Le palais des Soviets de Staline

La première cathédrale du Christ-Sauveur devait être remplacée par un palais des Soviets : une gigantesque tour de 315 m de haut, surmontée d'une statue de Lénine de 100 m, et destinée à être l'un des fleurons de la reconstruction de Moscou prévue par Staline, au même titre que les grands boulevards, les gratte-ciel et le métro *(p. 38 à 41)*. Mais cette reconstruction devait entraîner aussi la destruction de nombreux bâtiments jugés inutiles. Le projet pour le palais des Soviets fut finalement abandonné. Ses fondations furent utilisées pour créer la piscine Moskva, fermée dans les années 90, pour laisser la place à la cathédrale reconstruite sur le site.

Gravure représentant l'impressionnant palais des Soviets de Staline

Ancien hôtel abritant le musée des Collections privées

Musée des Collections privées ❽

Музей личных коллекции
Mouzeï litchnykh kollektsi

Oulitsa Volkhonka 14. **Plan** 6 F2.
☎ 203 1546. ◻ de 10 h à 17 h du mer. au dim. Ⓜ Kropotkinskaïa. ◱ ▨

Avant la révolution, ce bâtiment était occupé par l'hôtel Knïaji Dvor, qui comptait parmi ses clients Maxime Gorki et l'artiste Ilya Répine.

Le musée est ouvert depuis 1994 et abrite des collections privées. La plus grande est celle d'Ilya Silberstein, qui comprend des œuvres d'artistes russes comme Chichkine, Répine et Somov. Il y a également des œuvres de Rodchenko et des salles consacrées à des expositions temporaires.

Le musée des Beaux-Arts Pouchkine ❾

Voir p. 78 à 81.

Maison Pachkov ❿

Дом Пашкова
Dom Pachkova

Oulitsa Znamenka 6. **Plan** 6 F1.
◼ au public. Ⓜ Borovitskaïa, Biblioteka imeni Lenina.

Cette magnifique résidence, située sur une colline en face du Kremlin, était jadis l'une des plus belles maisons privées de Moscou. De style néo-classique, elle fut construite entre 1784 et 1788 pour le capitaine du régiment de la garde impériale Piotr Pachkov. Cet homme fabuleusement riche encouragea son architecte, probablement Vassili Bajenov *(p. 44)*, non seulement à se surpasser lui-même mais aussi à surpasser toutes les autres résidences de Moscou par la splendeur de ce projet. Pour lui donner plus de hauteur, l'édifice fut construit sur un énorme soubassement en pierre, et surmonté d'une rotonde aux belles proportions. La façade arrière, qui donnait autrefois sur un jardin au bord de la rivière, est la plus impressionnante. L'entrée principale se faisait alors par un portail en pierre ouvragé sur Starovagankovski pereoulok.

En 1839, un parent du capitaine Pachkov vendit la maison à un institut pour nobles qui occupa le bâtiment jusqu'en 1861, pour faire place ensuite au musée Roumiantsev, transféré de Saint-Pétersbourg à Moscou, avec sa collection d'œuvres d'art et sa bibliothèque de plus d'un million de volumes.

Après la révolution, la bibliothèque fut nationalisée et rebaptisée bibliothèque Lénine, et comme la collection de livres augmentait rapidement, on y ajouta en 1928 une aile qui fut achevée dans les années 50. Devenue Bibliothèque nationale russe, elle contient quelque 40 millions d'objets : livres, périodiques, manuscrits, enregistrements, microfilms et tableaux.

L'imposante maison Pachkov dominant le Kremlin

Le musée des Beaux-Arts Pouchkine ❾

Музей изобразительных искусств имени АС Пушкина

Mouzeï izobrazitelnykh iskoustv imeni Pouchkina

F ondé en 1898, le musée Pouchkine abrite une superbe collection de tableaux impressionnistes et post-impressionnistes français, et de remarquables tableaux de maîtres anciens. Après la chute de l'Union soviétique *(p. 30-31)*, les conservateurs ont admis qu'ils possédaient d'innombrables œuvres d'art cachées pour des raisons idéologiques. Certaines sont exposées, notamment des peintures des artistes d'origine russe Vassili Kandinsky et Marc Chagall. Le bâtiment du musée avait d'abord été conçu pour abriter les copies de sculptures classiques destinées des étudiants des beaux-arts de l'université de Moscou.

La salle 23 présente des peintures françaises du XIXᵉ siècle.

★ **Femme nue** *(1876)*
La beauté naturelle du corps féminin vue à travers le regard de Renoir.
La galerie possède plusieurs tableaux de ce peintre, notamment Baignade au bord de la Seine.

Escalier vers le rez-de-chaussée

Premier étage

La salle 5 abrite des peintures italiennes, allemandes et hollandaises des XVᵉ et XVIᵉ siècles.

SUIVEZ LE GUIDE !

Le musée occupe deux niveaux et les salles sont numérotées, mais pas toujours dans l'ordre chronologique. Les peintures des XVIIᵉ et XVIIIᵉ siècles se trouvent au rez-de-chaussée, tandis que les œuvres des XIXᵉ et XXᵉ siècles sont exposées au niveau supérieur. Les collections d'œuvres d'art antérieures au XVIIᵉ siècle sont réparties sur les deux niveaux.

★ **Annonciation**
Peinte vers 1490 par l'Italien Botticelli, cette œuvre faisait à l'origine partie d'un grand retable. Elle représente l'ange Gabriel annonçant à la Vierge Marie qu'elle va donner naissance au Fils de Dieu.

À NE PAS MANQUER

★ **Annonciation de Botticelli**

★ **Femme nue de Renoir**

★ **La Montagne Ste-Victoire de Cézanne**

Triptyque
Les panneaux de ce retable du XIVᵉ siècle sont de Pietro Giovanni Lianori L'image de la Vierge à l'Enfant au centre est surmontée d'une scène de la Crucifixion. Les saints sont représentés sur les volets du triptyque.

★ **La Montagne Sainte-Victoire**
(1905) Cette œuvre est une des vues que Cézanne a peintes de cette montagne à l'est d'Aix-en-Provence, après s'être installé dans la région.

La salle 17 présente des œuvres de Picasso.

Poissons rouges (1911-1912)
Henri Matisse peignit cette remarquable nature morte aux couleurs claires et vives dans son atelier d'Issy-les-Moulineaux. Son ami, le collectionneur russe Sergueï Chtchoukine, l'acheta l'année suivante.

Le trésor de Troie
est une exposition d'objets provenant des fouilles effectuées dans la cité antique par Schliemann, notamment de nombreuses pièces précieuses telles que des coupes en or et des bijoux.

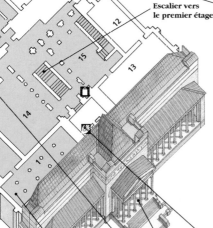

Escalier vers le premier étage

Assuerus, Aman et Esther
Dans cette scène biblique de Rembrandt (1660), le roi perse Assuerus est entouré de sa femme juive et de son ministre, Aman. Esther accuse Aman de comploter la destruction des Juifs.

Caisse et information

Entrée

Rez-de-chaussée

LÉGENDE

- ⬜ Art antique
- ⬜ Art européen XIIIᵉ-XVIᵉ siècle
- ⬜ Art européen XVIIᵉ-XVIIIᵉ siècle
- ⬜ Art européen du XIXᵉ siècle
- ⬜ Post-impressionnisme et art européen du XXᵉ siècle
- ⬜ Expositions temporaires

Portrait du Fayoum
Peint au Iᵉʳ siècle avant J.-C., c'est l'un des portraits découverts dans un cimetière de l'oasis du Fayoum en Égypte dans les années 1870. Ils étaient exécutés du vivant des modèles pour être utilisés comme masques funéraires sur leurs momies après leur mort.

À la découverte du musée Pouchkine

Icône religieuse (XIVe-XVe siècle)

Les trésors réunis au musée des Beaux-Arts Pouchkine reflètent les goûts de collectionneurs privés dont les biens furent nationalisés après la révolution. La plus importante de ces collections appartenait à deux amateurs d'art éclairés, Sergueï Chtchoukine et Ivan Morozov. En 1914, Chtchoukine avait acquis plus de 220 tableaux d'artistes français, notamment de nombreux Cézanne. Mais il acquit surtout des Matisse et des Picasso alors qu'ils étaient encore peu connus. Morozov collectionna, lui aussi, des toiles de ces deux peintres ainsi que des tableaux de Renoir, Van Gogh et Gauguin.

Sarcophage grec en marbre, datant d'environ 210 av. J.-C.

ART ANTIQUE

Les collections archéologiques du musée proviennent de l'ancienne Mésopotamie ou de l'Empire maya. Une fascinante collection, donnée par l'égyptologue Vladimir Golenichtchev en 1913, comprend notamment des portraits des tombes du Fayoum et deux exquises figurines en ébène représentant le grand prêtre Amenhotep et sa femme, la prêtresse Re-nai.

Les Antiquités grecque et romaine sont bien représentées, par des objets variés (originaux ou copies en plâtre).

Mais l'exposition la plus intéressante est celle du trésor de Troie. Ces fabuleux objets en or découverts au cours des fouilles des années 1870 furent rapportés à Moscou en tant que butin de guerre en 1945.

ART EUROPÉEN XIIIe-XVIe SIÈCLE

Le musée Pouchkine abrite une petite, mais remarquable, collection d'œuvres du Moyen Âge et de la Renaissance, notamment une série de retables exécutés dans la tradition byzantine par des artistes italiens. Sienne était un important centre artistique au XIVe siècle, et Simone Martini un des chef de file de l'école siennoise. Ses peintures naturalistes de saint Augustin et Marie-Madeleine, datant des années 1320, font partie des pièces exposées.

On peut y voir également un certain nombre d'œuvres religieuses plus tardives, notamment un triptyque de Pietro di Giovanni Lianori, avec deux pièces majeures : la magnifique *Annonciation* de Botticelli et la *Madonne à l'Enfant* du Pérugin.

Le musée est moins riche en art allemand et flamand de cette période. On remarquera cependant deux notables exceptions : *Paysage d'hiver* de Pieter Brueghel le Jeune et *La Vierge à l'Enfant* de Cranach l'Ancien, peinture sur bois qui représente la Vierge et l'Enfant dans un paysage typiquement allemand.

ART EUROPÉEN DES XVIIe ET XVIIIe SIÈCLES

Le musée Pouchkine possède une admirable collection de tableaux de maîtres du XVIIe siècle hollandais et flamands, notamment des portraits de riches bourgeois, peints par Van Dyck en 1629, et des paysages évocateurs de Jan Van Goyen et Jacob Van Ruysdael. La collection comprend également des natures mortes par Frans Snyders, quelques délicieuses scènes de genre par Jan Steen, Pieter de Hooch et Gabriel Metsu, et plusieurs œuvres de Rubens, notamment *Bacchanale* (v. 1615) caractéristique de son style flamboyant et sensuel.

Six toiles magistrales de Rembrandt sont exposées, en même temps que des dessins et gravures. Parmi les toiles, on remarquera des scènes bibliques, *Assuerus, Aman et Esther* (1660), l'*Expulsion des marchands du temple* (1626) et le *Portrait d'une vieille femme*, tableau d'une grande sensibilité représentant la mère de l'artiste (1654).

Le musée a une modeste collection de peintures espagnoles et italiennes des XVIIe et XVIIIe siècles. Parmi les artistes espagnols, Murillo, connu pour ses scènes religieuses et ses portraits, est sans doute le plus célèbre. Parmi les œuvres d'artistes italiens, on peut voir *Les Fiançailles du doge avec la*

Détail de la *Vierge à l'Enfant*, peint par Lucas Cranach l'Ancien vers 1525

mer (1729-1730) par Canaletto, généralement considéré comme le maître du paysage urbain.

Le musée Pouchkine est aussi réputé à juste titre pour sa collection de tableaux français, qui comprend des œuvres d'artistes traitant de sujets classiques ou épiques. On verra notamment de grandes compositions comme *La Bataille des Israélites et des Amorrites* de Nicolas Poussin (v. 1625) et *Hercule et Omphale* de François Boucher (v. 1730), illustrant le mythe d'Hercule vendu comme esclave à la reine Omphale.

Hercule et Omphale, peint dans les années 1730 par François Boucher

ART EUROPÉEN DU XIXᵉ SIÈCLE

Au début du XIXᵉ siècle, le classicisme céda peu à peu le pas au romantisme. Eugène Delacroix se situe à la charnière de ces deux mouvements avec *Naufrage* (1847), qui montre la mer comme une force de la nature, imprévisible et hostile à l'homme.

Le musée possède une belle collection de tableaux de l'école française de Barbizon, en particulier des paysages de Camille Corot, de Jean-François Millet et de Gustave Courbet.

Les tableaux de la très riche collection d'œuvres impressionnistes sont exposés par roulement dans le musée. Le visiteur aura le plaisir de découvrir une sélection de toiles d'artistes tels que Manet, Degas, Renoir et Monet. Le musée Pouchkine possède onze sélections de ce peintre, dont *Lilas dans le soleil* (1873) et deux des 20 tableaux de la

série représentant la cathédrale de Rouen. Il rassemble également de superbes toiles de Renoir comme *Femme nue* et le lumineux *Portrait de l'actrice Jeanne Samary* (1877). Enfin, à côté des paysages et scènes de rue d'Alfred Sisley et Camille Pissarro, on peut voir deux des nombreuses scènes de ballet d'Edgar Degas : *Les Danseuses bleues* (v. 1899) et *Danseuses à la répétition* (1875-1877).

Le musée présente également des sculptures d'Auguste Rodin, entre autres un buste de Victor Hugo, une ébauche du célèbre *Baiser* (1886) et une étude pour *Les Bourgeois de Calais* (1884-1886).

Improvisation n° 20 par le futuriste Vassili Kandinsky

La cathédrale de Rouen au coucher du soleil, de Monet, peint en 1894

·POST-IMPRESSIONNISME ET ART EUROPÉEN DU XXᵉ SIÈCLE

Le terme post-impressionnisme désigne généralement le style de peinture développé par la génération d'artistes qui a succédé aux impressionnistes

et dont font partie Van Gogh, Cézanne et Gauguin.

Le musée présente un ensemble exceptionnel de toiles de Cézanne dont un *Autoportrait* (début des années 1880), *Pierrot et Arlequin* (1888) et une version tardive de *La Montagne Sainte-Victoire* (1905).

En 1888, Gauguin séjourna à Arles pendant deux mois avec Van Gogh. De ce séjour datent le *Café à Arles* de Gauguin et *Vignes rouges à Arles* de Van Gogh, tous deux exposés au musée Pouchkine.

On peut voir également quelques œuvres plus tardives de Van Gogh, notamment *La Ronde des prisonniers* (1890) et *Paysage d'Auvers après la pluie* (1890).

En 1891, Gauguin partit pour Tahiti, et un certain nombre de tableaux de cette période sont exposés, comme *Eh quoi, tu es jalouse ?* (1892) et *Le Grand Bouddha* (1899).

Le musée Pouchkine possède quelques-uns des plus grands chefs-d'œuvre de Henri Matisse, parmi lesquels *L'Atelier de l'artiste* (1911) et *Poissons rouges* (1911). Il y a également plus de 50 tableaux de Pablo Picasso, notamment l'*Acrobate à la boule,* peint en 1905 *(p. 48),* et *Arlequin et sa compagne,* de 1901.

D'autres artistes du XXᵉ siècle sont présents. Parmi les œuvres les plus importantes, on remarquera *L'Artiste et son épouse* (1980) de Chagall et la peinture abstraite *Improvisation n° 20* de Kandinsky.

La vaste place de l'Arbat, située entre le Vieil et le Nouvel Arbat

Musée d'Architecture Chtchoussev ⓫

Музей архитектуры имени АВ Щусева

Mouzeï arkhitektoury imeni Chtchousseva

Oulitsa Vozdvijenka 5. **Plan** 6 F1.
C 290 4855. **M** *Biblioteka imeni Lenina, Borovitskaïa, Arbatskaïa.* **Bâtiment principal** ☐ *de 10h à 18h du mar. au dim.* **Palais des Apothicaires** ☐ *de 10 h à 18h du mar. au dim.*

U n immense édifice du
XVIIIᵉ siècle abrite ce musée consacré à l'architecture russe à travers les âges. Il doit son nom à l'architecte soviétique Alexeï Chtchoussev *(p. 45),* qui fut chargé par Staline d'une partie de la reconstruction de Moscou durant les années 30 et conçut également le mausolée de Lénine *(p. 107).*
   Les objets exposés, dont beaucoup sont considérés comme des œuvres d'art à part entière, retracent l'histoire de l'architecture depuis l'époque médiévale

Modèle réduit du mausolée de Lénine de la place Rouge, au musée d'Architecture Chtchoussev

jusqu'à nos jours. Des maquettes, des plans, des coupes, des dessins, des lithographies et des aquarelles, fournissent de précieux renseignements sur les innnombrables palais, églises, monastères et monuments oubliés, détruits durant la période soviétique sur l'ordre de Staline *(p. 75).*
   Des expositions sont organisées dans l'ancien palais des Apothicaires du XVIIᵉ siècle.

Place de l'Arbat ⓬

Арбатская площадь

Arbatskaïa plochtchad

Plan 6 E1. **M** *Arbatskaïa.*

L a vaste place de l'Arbat,
aux nombreux kiosques et encombrée par la circulation, est un lien entre les quartiers très contrastés du Vieil Arbat et du Nouvel Arbat. Les passages souterrains aménagés pour les voitures et les piétons abritent un monde hétéroclite où l'on croise aussi bien des rockers que des vendeurs de chatons et de chiots, et, à la fin de l'été, des enfants qui proposent de gros champignons frais cueillis (mieux vaut peut-être éviter d'en acheter).
   À l'angle de la rue Arbat se dresse le bâtiment jaune du restaurant Praga *(p. 181),* antérieur à la révolution. Reconstruit en 1954, il était devenu à la fin de l'époque soviétique un snack-bar sans charme, malgré l'élégance de ses salles à manger. Entièrement restauré, c'est aujourd'hui un

établissement très chic qui sert une cuisine de qualité et toute une variété de plats nationaux.
   Le petit édifice blanc à l'autre bout du passage souterrain date de 1909, mais fut remanié trois ans plus tard par Fiodor Chekhtel *(p. 45)* pour le patron du premier studio de cinéma russe, Alexandre Khanjonkov. C'est là que fut ouverte l'une des premières salles de cinéma de Moscou. Elle porte aujourd'hui le nom de Cinéma d'Art *(p. 193).*

Maison-musée Lermontov ⓭

Дом-музей МЮ Лермонтова

Dom-mouzeï Miou Lermontova

Oulitsa Malaïa Moltchnovka 2. **Plan** 6 D1. **C** 291 5298. **M** *Arbatskaïa.* ☐ *de 14 h à 16 h du mer. au ven., de 11 h à 16 h jeu., sam.-dim.*

Portrait du poète et romancier Lermontov (1814-1841) enfant

D errière les buildings de
l'avenue Novy Arbat se cache la modeste maison en bois qui fut autrefois celle de Mikhaïl Lermontov. Le grand poète et romancier romantique y vécut avec sa grand-mère, de 1829 à 1832, alors qu'il était étudiant à l'université de Moscou. Il y rédigea une première version de son poème narratif *Le Démon* (1839).
   Plus préoccupé par la poésie que par ses études, Lermontov quitta l'université sans diplôme. Après s'être engagé comme soldat de la garde impériale, il fut envoyé en exil dans le Caucase pendant un an à cause de son poème *Mort d'un poète* (1837), où il exprimait

Le bureau de l'écrivain dans la maison-musée Lermontov

de sévères critiques contre le régime. Ce poème sur la mort de Pouchkine *(p. 73)*, généralement considéré comme sa première grande œuvre, marqua un tournant dans sa carrière d'écrivain. Son ouvrage le plus célèbre, le roman intitulé *Un héros de notre temps*, fut écrit en 1840. Lermontov mourut l'année suivante, âgé seulement de 26 ans. Comme Pouchkine, il fut tué au cours d'un duel.

Chacune des pièces du musée témoigne des éblouissants talents intellectuels de l'auteur et de son appétit de vivre. Le bureau de la mezzanine était sa pièce favorite. Il y jouait de la guitare, du piano et du violon, et composait même de la musique. Le salon, dont le mobilier est en grande partie d'origine, servait souvent à des soirées de danse, de chant et de mascarades.

Un grand nombre de manuscrits de Lermontov sont exposés en bas, ainsi que des dessins et des aquarelles, certains de sa propre main.

Maison-musée Chaliapine ⓮
Дом-музей ФИ Шаляпина
Dom-mouzeï FI Chaliapina

Novinski boulvar 25. **Plan** 1 C5.
📞 *205 6236.* Ⓜ *Smolenskaïa, Barrikadnaïa.* ⏰ *de 11 h 30 à 19 h le mer. et jeu., de 10 h à 18 h le mar. et sam., de 10 h à 16 h le dim.* 🖼 🚫 📷

S ur la façade jaune de cette belle demeure de style Empire, un buste en pierre avec une inscription rappelle que l'un des plus grands

chanteurs d'opéra du XXe siècle vécut autrefois ici. La célèbre basse russe Fiodor Chaliapine occupa cette spacieuse maison à partir de 1910 avant de quitter la Russie soviétique en 1922.

Né à Kazan en 1873, il vécut difficilement en travaillant comme débardeur jusqu'à ce que son exceptionnel talent fût découvert. Il commença sa carrière internationale à la Scala de Milan, en 1901, et interpréta par la suite plusieurs grands rôles de basse dans des opéras comme *Don Quichotte, Ivan le Terrible* et *Boris Godounov*.

Chaliapine mourut à Paris en 1938, mais sa dépouille

Buste du chanteur d'opéra Chaliapine

mortelle a été ramenée à Moscou et enterrée au cimetière de Novodevitchi *(p. 131)*.

Sa maison est une des maisons-musées les plus récentes de Moscou, et l'une des plus intéressantes. Le salon tapissé de vert est orné d'amusants dessins de Chaliapine réalisés par ses enfants. Dans le bureau bleu sont exposés divers souvenirs, notamment des portraits du chanteur dans ses différents rôles à l'opéra.

La chaise sculptée devant le poêle de la salle à manger est un cadeau de l'écrivain Maxime Gorki *(p. 95)*. Les tableaux sur les murs sont de Konstantin Korovine.

Entreposées dans le débarras, les malles couvertes d'étiquettes rappellent les nombreuses tournées de Chaliapine à l'étranger. Parmi les autres objets exposés dans la maison, on peut voir sa table de maquillage et ses perruques. Dans la salle de concert, les visiteurs peuvent écouter des enregistrements du chanteur en répétition. Après avoir chanté pour ses amis, il les emmenait souvent dans la pièce voisine pour jouer au billard. Comme il n'aimait pas perdre, sa femme invitait seulement ceux qui avaient la bonne grâce de le laisser gagner.

Dessins des enfants de Chaliapine exposés dans le salon

TVERSKAÏA

ncienne route de Saint-Péters-bourg empruntée par les cor-tèges impériaux, l'artère principale de ce quartier est la rue Tverskaïa, une des plus animées de Moscou. Dans les années 30, lors des gigantesques travaux de reconstruction entrepris par Staline *(p. 75),* l'élargissement de la chaussée entraîna la disparition d'un grand nombre d'édifices qui firent place à d'énormes

Détail décoratif de la maison de l'Amitié

blocs d'immeubles pour loger les travailleurs. Ces austères bâtiments gris sont très représentatifs du style monumental *(p. 45)* de l'épo-que stalinienne. Le quartier a gardé néanmoins quelques ruelles étonnamment tran-quilles, où ont vécu beaucoup d'artistes, d'écrivains et d'acteurs célèbres, et malgré les transfor-mations on peut y voir encore aujourd'hui d'intéressantes maisons de l'époque pré-révolutionnaire.

LE QUARTIER D'UN COUP D'ŒIL

Musées
Maison-musée Tchekhov **16**
Maison-musée Gorki **15**
Musée de la Révolution **19**
Maison-musée Stanislavski **9**

Bâtiments historiques
Hôtel Metropol **1**
Hôtel National **5**
Maison de l'Amitié **14**
Maison des Syndicats **4**
Manège **13**
Hôtel Morozov **17**
Conservatoire de Moscou **11**
Ancienne université de Moscou **12**

Monastère
Monastère Saint-Pierre d'en-Haut **21**

Rues et places
Bolchaïa Nikitskaïa oulitsa **10**
Brioussov pereoulok **8**
Étang des Patriarches **18**
Place Pouchkine **20**
Place des Théâtres **2**
Tverskaïa oulitsa **6**

Théâtres
Théâtre Bolchoï p. 90-91 **3**
Théâtre d'art de Moscou **7**

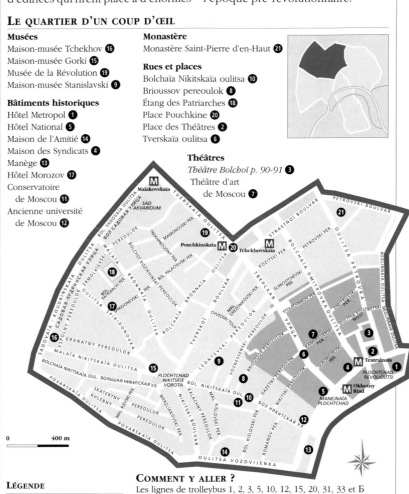

```
0        400 m
```

COMMENT Y ALLER ?

Les lignes de trolleybus 1, 2, 3, 5, 10, 12, 15, 20, 31, 33 et Б convergent toutes vers ce quartier. Les bus 6 et K desservent plusieurs sites intéressants. Okhotny Riad, Teatralnaïa, Tchekhovskaïa, Tverskaïa, Pouchkinskaïa, Maïakovskaïa et Biblioteka imeni Lenina sont les stations de métro du quartier.

◁ **Le superbe décor intérieur du magasin d'alimentation Elisseev, datant du XIXe siècle *(p. 89)*, sur Tverskaïa oulitsa**

Autour de la place des Théâtres pas à pas

Au cœur du quartier des théâtres moscovites, le théâtre Bolchoï (Grand Théâtre), l'une des plus célèbres scènes d'opéra et de ballet du monde, domine la place des Théâtres. Celle-ci est encadrée, à l'est, par le théâtre Maly (Petit Théâtre) et, à l'ouest, par le Théâtre des Enfants. Aux abords de Tverskaïa oulitsa, la grande rue commerçante de la ville, on trouve deux autres théâtres : le théâtre Maria Ermolova et le Théâtre d'art de Moscou (MKhAT). De nombreux restaurants et bars, notamment le Club MKhAT du Théâtre d'art, animent le quartier.

Cette statue de Iouri Dolgorouki, fondateur de Moscou *(p. 17),* a été inaugurée en 1954, sept ans après le 800ᵉ anniversaire de la ville.

Place Pouchkine

STOLECHNIKOV PEREOULO

TVERSKAÏA PLOCHTCHAD

BOLCHAÏA DMITROV

Brioussov pereoulok
Sur la rue Tverskaïa, un porche en granit mène à cette ruelle tranquille où vécut jadis le metteur en scène Vsevolod Meyerhold. On aperçoit l'église de la Résurrection, du XVIIᵉ siècle ❽

KAMMERGUERSKI PEREOULOK

Tverskaïa oulitsa
Les immeubles staliniens de cette artère commerçante datent pour la plupart des années 30, mais il reste encore quelques bâtiments plus anciens ❻

TVERSKAÏA OULITSA

Bolchaïa Nikitskaïa oulitsa

Central télégraphique de Moscou

Théâtre Ermolova

Conseil des ministres (Gosplan)

Okhotny Riad

Théâtre d'art
Ce célèbre théâtre restera toujours associé au nom de l'écrivain Anton Tchekhov (p. 93), dont plusieurs pièces, notamment La Cerisaie, furent jouées ici pour la première fois ❼

Hôtel National
Conçu par Alexandre Ivanov, l'hôtel National (p. 169) associe les styles classique et modern style. Récemment restauré, il a retrouvé aujourd'hui son élégant décor d'avant la révolution ❺

À NE PAS MANQUER

★ Théâtre Bolchoï

★ Maison des Syndicats

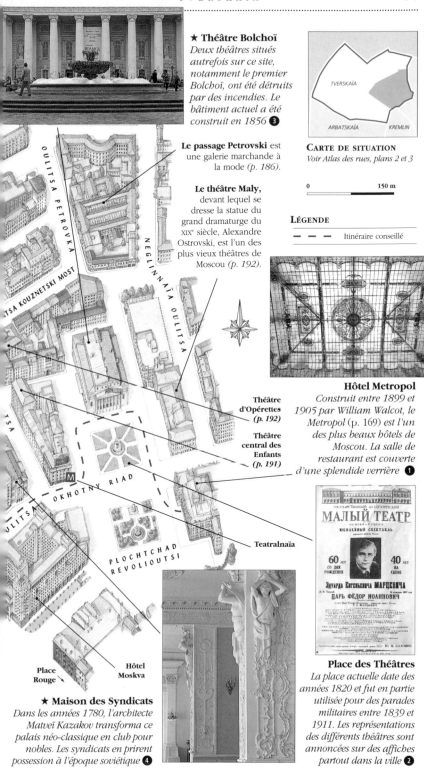

★ **Théâtre Bolchoï**
Deux théâtres situés autrefois sur ce site, notamment le premier Bolchoï, ont été détruits par des incendies. Le bâtiment actuel a été construit en 1856 ❸

Le passage Petrovski est une galerie marchande à la mode *(p. 186)*.

Le théâtre Maly, devant lequel se dresse la statue du grand dramaturge du XIXe siècle, Alexandre Ostrovski, est l'un des plus vieux théâtres de Moscou *(p. 192)*.

OULITSA PETROVKA

NEGLINNAÏA OULITSA

TSA KOUZNETSKI MOST

TSA

M

ULITSA OKHOTNY RIAD

PLOCHTCHAD REVOLIOUTSI

Théâtre d'Opérettes *(p. 192)*

Théâtre central des Enfants *(p. 191)*

Teatralnaïa

Hôtel Moskva

Place Rouge

★ **Maison des Syndicats**
Dans les années 1780, l'architecte Matveï Kazakov transforma ce palais néo-classique en club pour nobles. Les syndicats en prirent possession à l'époque soviétique ❹

TVERSKAÏA

ARBATSKAÏA   KREMLIN

CARTE DE SITUATION
Voir Atlas des rues, plans 2 et 3

0   150 m

LÉGENDE

– – –   Itinéraire conseillé

Hôtel Metropol
Construit entre 1899 et 1905 par William Walcot, le Metropol (p. 169) est l'un des plus beaux hôtels de Moscou. La salle de restaurant est couverte d'une splendide verrière ❶

МАЛЫЙ ТЕАТР

Place des Théâtres
La place actuelle date des années 1820 et fut en partie utilisée pour des parades militaires entre 1839 et 1911. Les représentations des différents théâtres sont annoncées sur des affiches partout dans la ville ❷

La statue d'Alexandre Ostrovski
devant le théâtre Maly

Hôtel Metropol ❶

Гостиница Метрополь

Gostinitsa Metropol

Teatralny prospekt 1/4. **Plan** 3 A5.
C *927 6000.* **M** *Teatralnaïa. Voir*
Hébergement *p. 169.*

L'hôtel Metropol, construit par William Walcot et Lev Kekouchev entre 1899 et 1905, est un bel exemple d'architecture modern style *(p. 45)*. Les murs extérieurs sont recouverts de panneaux de céramique. La décoration du fronton a été réalisée d'après un dessin de Mikhaïl Vroubel inspiré de *La Princesse lointaine*, pièce écrite en 1895 par Edmond Rostand. L'extérieur est également orné de balcons en fer forgé très ouvragés. À l'intérieur, une splendide verrière couvre la vaste salle du restaurant.

Parmi ses hôtes prestigieux, le Metropol a accueilli les personnalités les plus diverses comme le dramaturge irlandais George Bernard Shaw et le chanteur de rock américain Michael Jackson.

Place des Théâtres ❷

Театральная площадь

Teatralnaïa plochtchad

Plan 3 A5. **M** *Teatralnaïa, Plochtchad Revolioutsi, Okhotny Riad.*

C ette élégante place doit son nom aux théâtres qui l'encadrent sur trois côtés. Le site était à l'origine une zone marécageuse, régulièrement inondée par la Néglinnaïa. Dans les années 1820, l'endroit fut recouvert de pavés, et la place fut aménagée selon les plans d'Ossip Bove *(p. 192)*. De 1839 à 1911, un terrain de parade militaire occupait une partie de la place, aujourd'hui dominée par le théâtre Bolchoï.

À l'est de la place s'élève une ancienne demeure transformée en théâtre : le théâtre Maly (Petit Théâtre) *(p. 192)*, associé au nom du dramaturge Alexandre Ostrovski (1823-1886), dont les pièces satiriques étaient jouées sur cette scène. Une statue de l'auteur, réalisée en 1929 par Nikolaï Andreev, se dresse devant le théâtre.

À l'ouest, le Théâtre des Enfants *(p. 191)*, conçu à l'origine par Ossip Bove *(p. 45)*, fut presque entièrement reconstruit par Boris Freidenberg en 1882. Le théâtre est installé dans ce bâtiment depuis 1936.

Le théâtre d'Opérettes *(p. 192)* est situé au nord-ouest de la place des Théâtres. Dans les années 1890, la compagnie privée du riche industriel et

mécène S. Mamontov (1842-1914) y donnait des représentations. Le chanteur d'opéra Fiodor Chaliapine *(p. 83)*, le compositeur Sergueï Rachmaninov et l'artiste Vassili Pokenov, qui dessinait les décors et les costumes, commencèrent tous leur carrière dans ce théâtre.

Au centre de la place se dresse une statue en granit de Karl Marx sculptée par Leonid Kerbel en 1961.

Théâtre Bolchoï ❸

Voir p. 90-91.

La majestueuse salle des Colonnes de la
Maison des Syndicats, du XVIIIe siècle

Maison des Syndicats ❹

Дом Союзов

Dom Soiouzov

Bolchaïa Dmitrovka oulitsa 1.
Plan 3 A5. ⬤ *au public.*
M *Teatralnaïa, Okhotny Riad.*

C onstruit dans la première moitié du XVIIIe siècle, ce palais vert néo-classique fut acheté au début des années 1780 par des nobles moscovites qui chargèrent Matveï Kazakov *(p. 44-45)* d'en faire leur club. L'architecte ajouta de nouvelles pièces au bâtiment existant, notamment la magnifique salle de bal appelée la salle des Colonnes. C'est là que le tsar Alexandre II prononça en 1856, devant une assemblée de nobles, son discours sur la nécessité d'émanciper les serfs.

Après la révolution, les syndicats investirent le bâtiment. En 1924, plus d'un million de personnes y défilèrent devant le cercueil ouvert de

La façade de l'hôtel Metropol, conçue par William Walcot

Lénine. Un grand nombre de ses proches collaborateurs, qui ce jour-là faisaient partie de la garde d'honneur, comparurent ici, lors des grands procès de 1936-1938 (p. 27). Staline reçut, lui aussi à cet endroit, les adieux du peuple en 1953.

Aujourd'hui, la maison des Syndicats est utilisée pour des concerts et des réunions publiques.

Hôtel National ❺
Гостиница Националь
Gostinitsa Natsional

Mokhovaïa oulitsa 15/1. **Plan** 2 F5.
📞 258 7000. Ⓜ *Okhotny Riad.*
♿ 🅿 *Voir* **Hébergement** *p. 169.*

Conçu en 1903 par l'architecte Alexandre Ivanov, l'hôtel National est un mélange éclectique de modern style et classique (p. 44-45). La façade est ornée de nymphes et d'entrelacs sculptés dans la pierre, mais surmontée d'une mosaïque de l'époque soviétique qui représente des cheminées d'usines crachant de la fumée, des puits de pétrole, des pylônes électriques, des locomotives et des tracteurs.

Lénine séjourna dans la chambre 107 pendant une semaine, en mars 1918, avant de s'installer au Kremlin.

Hall de l'hôtel National, avec ses fenêtres modern style et ses statues classiques

Tverskaïa oulitsa, une des rues commerçantes les plus populaires

L'hôtel a été entièrement restauré au début des années 1990, et l'intérieur modern style a retrouvé sa splendeur d'origine.

Tverskaïa oulitsa ❻
Тверская улица
Tverskaïa oulitsa

Plan 2 F5, F4, E3. Ⓜ *Okhotny Riad, Tverskaïa, Pouchkinskaïa.*

Au XIXᵉ siècle, la rue Tverskaïa était la plus belle artère de Moscou. Elle était célèbre par ses restaurants, ses théâtres, ses hôtels et ses boutiques de mode française. À l'époque de la reconstruction de la ville décidée par Staline dans les années 30, l'avenue fut élargie de 42 m et changea de nom. Elle fut baptisée oulitsa Gorkovo en hommage à l'écrivain Maxime Gorki. De nombreux bâtiments furent démolis pour faire place à de gigantesques immeubles destinés aux travailleurs, comme ceux des nᵒˢ 9 à 11. D'autres édifices furent reconstruits le long de la nouvelle voie. Elle a aujourd'hui retrouvé son ancien nom. La circulation y est intense, mais elle reste néanmoins un des endroits les plus populaires pour aller au restaurant ou faire du shopping.

Le nᵒ 7, que l'on repère à son globe lumineux à l'extérieur, est celui du bâtiment gris et austère du central télégraphique de Moscou, construit en 1927 par Rerberg. De l'autre côté de l'avenue, derrière un porche, se dresse un bâtiment flanqué de tourelles à *chatior*, revêtu de mosaïques vertes et ornées de frises à motifs floraux. Construit en 1905, pour la procure moscovite du monastère Savinski, il abrite maintenant des appartements et bureaux de luxe.

En remontant la rue, on arrive à la place Tverskaïa, un lieu sans âme, dominé par une statue équestre du fondateur de Moscou, le prince Iouri Dolgorouki (p. 86). Le côté ouest de la place est occupé par le bâtiment rouge et blanc de l'hôtel de ville. Construit en 1782 par Matveï Kazakov (p. 44-45), ce fut d'abord la résidence du gouverneur général avant d'être le siège du comité militaire révolutionnaire, puis la résidence du Soviet de Moscou.

Plus loin, au nᵒ 14, se trouve le magasin d'alimentation le plus célèbre de Moscou, la grande épicerie Elisseev (p. 186), qui, à l'époque soviétique, portait le nom de Gastronom nᵒ 1. Dans les années 1820, cet ancien hôtel particulier appartenait à la princesse Zinaïda Volkonskaïa, dont le salon littéraire était fréquenté notamment par Pouchkine (p. 73). Vers 1898, Grigori Elisseev acheta l'édifice et le transforma en magasin de luxe, en y aménageant un décor exubérant de vitraux, de lustres en cristal, de piliers sculptés, de comptoirs en bois poli et de grands miroirs.

Le théâtre Bolchoï ❸

Большой театр

Bolchoï teatr

L e théâtre Bolchoï (ou Grand Théâtre), foyer d'une des plus anciennes et plus célèbres troupes de ballet du monde, est également l'un des monuments les plus prestigieux de Moscou. Le premier théâtre, inauguré en 1780, présentait des mascarades, comédies et opéras comiques. Détruit par un incendie en 1805, il fut remplacé en 1825 par un nouveau théâtre conçu par Ossip Bove *(p. 45)* et Andreï Mikhaïlov. Mais l'édifice fut à son tour ravagé par un incendie en 1853. L'admirable décor qui sert aujourd'hui de cadre aux représentations de ballet et d'opéra de la troupe du Bolchoï est dû à Albert Kavos, qui reconstruisit le théâtre en 1856, en restant fidèle pour l'essentiel aux plans de ses prédécesseurs.

★ Loge impériale

Située au centre du balcon, la loge impériale, tendue de velours rouge fait partie des 120 loges du théâtre. La couronne impériale du fronton, supprimée durant la période soviétique, a aujourd'hui retrouvé sa place d'origine.

Fronton néo-classique

Le relief du fronton néo-classique fut ajouté par Albert Kavos lors de la reconstruction du théâtre. Il représente deux anges portant la lyre d'Apollon, dieu grec de la Musique et de la Lumière.

★ Quadrige d'Apollon

L'impressionnante sculpture de Klodt qui ornait l'ancien édifice de 1825 a été conservée par Albert Kavos. Elle représente Apollon conduisant le char du soleil à travers le ciel.

Entrée

Hall d'entrée

En arrivant au théâtre, les spectateurs pénètrent dans ce majestueux hall carrelé de noir et blanc. De chaque côté, de magnifiques escaliers bordés de marbre blanc mènent au vaste foyer du théâtre.

Portique à colonnes

Salle Beethoven
Cette salle richement décorée était jadis le foyer impérial. On y donne aujourd'hui des concerts de musique de chambre et des conférences. La décoration en stuc du plafond comprend quelque 3 000 rosaces et les murs sont recouverts de panneaux en soie rouge foncé, ornés de fines broderies.

Scène

Les coulisses sont le lieu de travail de plus de 700 ouvriers, dont des artisans qui fabriquent des chaussons de danse, des costumes et des accessoires de théâtre.

MODE D'EMPLOI

Teatralnaïa plochtchad 1.
Plan 3 A4. ☎ 927 6982. Ⓜ
Teatralnaïa. 🚏 3. ⬤ du mar. au dim., pour les représentations. ⬤
Juillet-août. ♿ ⊘ dans la salle.
🎫 🍴 buffet à l'entracte.

Apollon et les Muses
Les dix panneaux peints du plafond de la salle sont de Piotr Titov. Ils représentent Apollon dansant avec les neuf Muses de la mythologie grecque, chacune symbolisant une branche des sciences ou des arts.

À NE PAS MANQUER

★ **Quadrige d'Apollon**

★ **Loge impériale**

Vestiaire des artistes

La salle a 6 étages de balcons et 2 500 places. Lors de sa reconstruction, Kavos en modifia la forme pour améliorer l'acoustique.

Le foyer occupe toute la largeur du bâtiment au 1er étage. Son plafond voûté est orné de peintures et de décorations en stuc.

LE BALLET DU BOLCHOÏ À L'ÉPOQUE SOVIÉTIQUE

Dans les années 1920-1930 de nouveaux spectacles conformes aux idéaux révolutionnaires furent créés pour le Bolchoï, mais la troupe fut à son apogée dans les années 1950-1960. Les danseurs partirent en tournée à l'étranger et connurent un vif succès. C'est aussi à cette époque que certains décidèrent d'émigrer à l'Ouest, pour fuir une direction intraitable et le manque de liberté artistique.

Une représentation de *Spartacus* (1954), de Khatchatourian, au Bolchoï

Portique à l'entrée de Brioussov pereoulok, où vécurent des artistes et musiciens dans les années 20

Théâtre d'art de Moscou ❼

МХАТ имени АП Чехова
MKhAT imeni AP Tchekhova

Kamerguerski pereoulok 3. **Plan** 2 F5.
☎ 229 8760. **Ⓜ** Teatralnaïa,
Okhotny Riad. **◯** Spectacles seul.
Voir Se distraire à Moscou p.192.

Ce théâtre, dont la toute première représentation eut lieu en 1898, fut fondé par un groupe de jeunes enthousiastes sous la direction des metteurs en scène Konstantin Stanislavski et Vladimir Nemirovitch-Dantchenko. Dès ses débuts, la compagnie du Théâtre d'art de Moscou (MKhAT) remporta un vif succès avec la pièce

L'entrée du Théâtre d'art de Moscou surmontée du bas-relief *La Vague*

d'Anton Tchekhov *La Mouette*. Trois ans plus tôt, à Saint-Pétersbourg, la pièce avait été un échec complet, mais retravaillée avec la nouvelle technique d'art dramatique de Stanislavski, elle fut très bien accueillie à Moscou.

En 1902, l'architecte Fiodor Chekhtel *(p. 45)* modernisa entièrement l'intérieur du théâtre, en y ajoutant une cabine d'éclairage centrale et une scène tournante. Très sobre, la décoration de la salle était conçue pour obliger les spectateurs à se concentrer sur la représentation.

Le Théâtre d'art continua à prospérer après la révolution, mais avec un répertoire limité par la censure. La plupart des pièces produites étaient

Mouette stylisée sur la façade du Théâtre d'art de Moscou

alors écrites par Maxime Gorki, qui avait la faveur du régime. Dans les années 30, l'écrivain Mikhaïl Boulgakov, qui travailla comme assistant metteur en scène dans ce théâtre, fit une brillante satire des frustrations et compromis de cette période dans son roman *Teatralny Roman*. Une partie de la troupe fut toutefois contrainte de quitter la scène du Théâtre d'art dans les années 80 pour rejoindre le théâtre d'art Gorki.

Aujourd'hui, le Théâtre d'art de Moscou propose notamment de nombreuses pièces de Tchekhov.

Brioussov pereoulok ❽

Брюсов переулок
Brioussov pereoulok

Plan 2 F5. **Ⓜ** Okhotny Riad,
Arbatskaïa.

Un portique en granit sur Tverskaïa oulitsa marque l'entrée de cette ruelle tranquille, qui doit son nom à la famille Bruce, une famille écossaise liée à la cour de Russie.

Dans les années 20, de nouveaux appartements de ce quartier furent attribués au personnel des théâtres nationaux de Moscou. Au n° 7 habitaient deux acteurs du Théâtre d'art de Moscou, Katchalov et Moskvine. Au n° 12 vivait le metteur en scène d'avant-garde Meyerhold, qui créa les premières mises en scène des satires de Maïakovski. Il vécut ici à partir de 1928 jusqu'à son arrestation en 1939 au plus fort des purges staliniennes *(p. 27)*.

L'Union des compositeurs était installée aux n°s 8-10. C'est là que Prokofiev et Chostakovitch durent faire acte de contrition pour des œuvres qui s'écartaient du réalisme socialiste *(p. 135)*.

Au milieu de la ruelle se dresse l'église de la Résurrection du XVIIe siècle, une des rares qui soient restées ouvertes à l'ère soviétique.

Maison-musée Stanislavski ❾

Дом-музей КС
Станиславского
*Dom-mouzeï KS
Stanislavskovo*

Leontevski pereoulok 6. **Plan** 2 E5.
🄲 *229 2855.* Ⓜ *Arbatskaïa,
Tverskaïa.* ⏰ *de 11 h à 18 h le jeu.,
sam. et dim., de 14 h à 20 h le mer. et
le ven.* ⬤ *jours fériés.* 📷 Ⓟ 🄲

C et hôtel particulier du
XVIIIe siècle était la maison
du grand metteur en scène et
acteur Konstantin Stanislavski.
Il vécut au premier étage de
1920 jusqu'à sa mort en 1938.
Stanislavski avait commencé
par s'inscrire à l'École de théâtre
de Moscou, mais déçu par son
conservatisme, il ne tarda pas
à la quitter. Pour mettre en
pratique ses idées novatrices,
il fonda le Théâtre d'art de
Moscou (MKhAT) en 1898.
Après avoir emménagé dans
cet appartement, il transforma
la salle de bal en théâtre de
fortune où il faisait répéter sa
troupe expérimentale. Plus tard,
lorsqu'il fut trop malade pour
sortir, il reprit les répétitions du
MKhAt également ici.
Le salon et le bureau de
Stanislavski sont ouverts au
public, ainsi que la salle à manger et la chambre de sa femme,
Maria Lilina. On peut y voir un
des premiers modèles de phono-
graphe Edison. En bas sont
exposés des accessoires et
costumes des spectacles montés
par Stanislavski.

Bolchaïa Nikitskaïa oulitsa ❿

Большая Никитская улица
Bolchaïa Nikitskaïa oulitsa

Plan 2 F5, E5. Ⓜ *Arbatskaïa, Okhotny
Riad, Biblioteka imeni Lenina.*

C ette rue historique, qui était
autrefois la route de Novgorod, doit son nom au couvent
Nikitski fondé au XVIe siècle
et démoli par Staline dans les
années 30.
Au XVIIIe siècle, de grandes
familles aristocratiques, comme
les Menchikov et les Orlov, y
firent bâtir leurs palais. La plus
belle de ces demeures est
l'ancienne résidence du prince
Sergueï Menchikov, que l'on

STANISLAVSKI ET TCHEKHOV

**Konstantin Stanislavski dans la
pièce Oncle Vania de Tchekhov**

La représentation par Konstantin Stanislavski de *La Mouette*
de Tchekhov fut un véritable
événement dans le monde du
théâtre grâce à la nouvelle
méthode de Stanislavski, qui
encourageait les acteurs à
rechercher les motivations
intérieures de leur person-
nage. Stanislavski et Tchekhov
montèrent d'autres pièces, et
le succès de ces spectacles fut
tel que les noms des deux
hommes sont liés à jamais.

peut atteindre par Gazetny
pereoulok. La façade bleu pâle
fut reconstruite après le grand
incendie de 1812 (*p. 24-25*). La
façade arrière néo-classique, qui
a subsisté, date de 1775 environ.
Juste en face du conservatoire
de Moscou (*p. 94*) se dresse la
jolie église blanche de
la Petite-Ascension.
Construite vers la fin
du XVIe siècle, elle
fut restaurée en
1739 après un in-
cendie. Derrière, on
aperçoit le clocher
gothique de l'église
anglicane St An-
drew's, construite
pour la commu-
nauté anglaise de
Moscou en 1882,
par l'architecte britannique
Freeman.
Aux nos 19-20, le bâtiment en
brique rouge à la décoration
chargée est l'ancien théâtre
Paradis, qui fut rebaptisé théâtre
Maïakovski, en hommage au
poète Vladimir Maïakovski
(*p. 111*). Ses pièces *Les Bains*
et *La Punaise* furent jouées ici

**Relief de l'église
de la Grande-Ascension**

pour la première fois en 1928
et 1929, sous la direction du
metteur en scène Meyerhold,
l'un des plus grands novateurs
de son temps, qui fut exécuté
par le régime en 1940, parce
que son œuvre ne cadrait pas
avec les canons du réalisme
socialiste (*p. 135*).
En remontant la rue,
on arrive à Nikitskie
Vorota plochtchad,
qui doit son nom à
la porte médiévale
située autrefois à cet
endroit. Le bâtiment
moderne blanc,
arborant sous son
porche une impo-
sante enseigne en
forme de globe, est
l'agence ITAR-TASS,
porte-parole du parti communiste à l'époque soviétique,
aujourd'hui principale agence
de presse russe.
En face se dresse l'église de la
Grande-Ascension, commencée
en 1798 et reconstruite après
l'incendie de 1812, où fut
célébré, en 1831, le mariage
d'Alexandre Pouchkine (*p. 73*).

Enseigne en forme de globe au-dessus de l'agence de presse ITAR-TASS

La Bolchoï Zal (Grande Salle) du conservatoire de Moscou

Conservatoire de Moscou ⑪

Московская Консерватория
Moskovskaïa Konservatoria

Bolchaïa Nikitskaïa oulitsa 13. **Plan** 2 F5. **☎** 229 7412. **M** *Arbatskaïa, Pouchkinaïa.* ○ *spectacles seulement.*

Fondé en 1866 par Nikolaï Rubinstein, frère du compositeur et pianiste Anton Rubinstein, le conservatoire de Moscou est la plus grande école de musique de Russie.

Piotr Tchaïkovski y enseigna jusqu'en 1878. Devant le bâtiment, on peut voir sa statue réalisée par Vera Moukhina en 1954 : Tchaïkovski, qui pourtant détestait diriger, y est représenté avec une baguette de chef d'orchestre à la main. La grille d'entrée reproduit les premières portées de certaines de ses œuvres.

Plusieurs portraits du compositeur ornent les murs de la Bolchoï Zal. Cette grande salle, utilisée pour des concerts depuis 1898, sert également de cadre au prestigieux concours international Tchaïkovski *(p. 192).* Durant les représentations, un petit musée est ouvert au public.

Le conservatoire de Moscou a toujours été un endroit réputé pour la formation des jeunes compositeurs et interprètes russes. Les pianistes-compositeurs Serge Rachmaninov et Alexandre Scriabine *(p 72)* furent parmi les plus célèbres. Dimitri Chostakovitch vivait non loin de là, à la maison des Compositeurs, dans Brioussov pereoulok *(p. 92).* Il enseigna au conservatoire à partir de 1942, mais, victime des purges staliniennes *(p. 27),* il fut renvoyé six ans plus tard pour « incompétence professionnelle ».

Ancienne université de Moscou ⑫

Московский Университет
Moskovski Ouniversitet

Mokhovaïa oulitsa 9. **Plan** 2 F5. **M** *Okhotny Riad, Biblioteka imeni Lenina.*

Fondée en 1755 par le savant Mikhaïl Lomonossov, l'université de Moscou est la plus ancienne de Russie. Elle s'installa dans cet imposant édifice (appelé aujourd'hui ancienne université) en 1793. Conçu par M. Kazakov *(p. 44-45),* le bâtiment fut reconstruit en grande partie par Gilardi après l'incendie de 1812 *(p. 24-25)* et constitue un bel exemple d'architecture néo-classique *(p. 44-45).* En 1836, l'université acquit un nouveau bâtiment situé

de l'autre côté de Bolchaïa Nikitskaïa oulitsa, près de la chapelle de Sainte-Tatiana, dont la fête est célébrée par les étudiants. En face de cette nouvelle université se dresse la statue de Lomonossov.

Statue de Mikhaïl Lomonossov

Manège ⑬

Манеж
Manej

Manejnaïa plochtchad 1. **Plan** 6 F1. **☎** 202 8976. **M** *Biblioteka imeni Lenina, Okhotny Riad.* ○ *expositions seul.* ♿

Le Manège fut construit en 1817 d'après des plans du général Augustin de Béthencourt. Le toit, d'une largeur de 45 m, n'avait pas de piliers de support, ce qui laissait un vaste espace libre au sol pour les exercices militaires. Mais dans les années 30, le toit commença à fléchir et dut être renforcé par des piliers intérieurs.

Entre 1823 et 1825, Ossip Bove *(p. 45)* ajouta une colonnade et une frise décorative à l'extérieur.

Le Manège devint le Hall central des expositions en 1957, et en 1962, c'est ici que Khrouchtchev *(p. 30)* lança sa célèbre diatribe contre l'art abstrait. Le sculpteur Ernst Neizviestni en prit pour son grade, mais, curieusement, dans son testament, Khrouchtchev désigna ce sculpteur pour réaliser sa pierre tombale *(p. 131).*

Aujourd'hui, le Manège continue à être utilisé pour des expositions.

Le Manège, conçu par Augustin de Béthencourt en 1817

L'extravagant intérieur de la maison de l'Amitié, du XIXᵉ siècle

Maison de l'Amitié ⓮
Дом Дружбы
Dom Droujbi

Vozdvijenka oulitsa 16. **Plan** 6 E1. 📞
290 2069. Ⓜ *Arbatskaïa, Biblioteka imeni Lenina.* ⭕ *spectacles seul.*

Cet étonnant hôtel, doté de tours ornées de coquilles et de lacis en pierre, fut conçu par Vladimir Mazyrine à la fin du XIXᵉ siècle pour le riche marchand Morozov *(p. 96).* L'intérieur, aussi extravagant que la façade, comprend notamment un atrium grec et une salle de chasse remplie de têtes d'animaux sculptées. La seule façon de voir l'intérieur est d'assister à un concert ou une conférence. À l'époque soviétique, cette maison était le siège de l'Organisation pour le développement de l'amitié entre les peuples, d'où son nom.

Maison-musée Gorki ⓯
Дом-музей АМ Горького
Dom-mouzeï AM Gorkovo

Malaïa Nikitskaïa oulitsa 6/2. **Plan** 2 E5. 📞 *290 0535.* Ⓜ *Pouchkinskaïa.* ⭕ *de 10 h à 17 h le jeu., sam. et dim., de 12 h à 19 h le mer. et ven.* ♿ 🚫 📷

Ce chef-d'œuvre de l'architecture modern style, construit en 1900 par Fiodor Chekhtel, se distingue par sa façade en brique jaune vernissée, ornée d'une frise d'iris sur fond bleu et violet.

C'était la propriété du mécène et riche banquier Riabouchinski, qui y vécut jusqu'à son départ pour l'Italie après la révolution. En 1931, Staline en fit don à l'écrivain Maxime Gorki, qui y mourut cinq ans plus tard.

Avec ses plafonds ornés de moulures, ses vitraux et ses cadres de fenêtres sculptés, l'intérieur de la maison est spectaculaire. Mais la partie la plus impressionnante est sans doute l'escalier en pierre calcaire polie, qui descend en un mouvement de vague et se termine par un pilier torsadé coiffé d'une lampe en bronze ressemblant à une méduse.

Lorsque Gorki emménagea dans cette maison, sa carrière de romancier et de dramaturge était sur le déclin. Il n'y écrivit qu'une seule pièce, *Igor Boulitchev et les autres* (1932), et une partie d'un roman, *La Vie de Klim Samghine,* resté inachevé. Sa renommée et son soutien apporté dès le début aux bolcheviks firent de lui un outil de propagande utile pour le gouvernement soviétique. Il remplit cette fonction en assumant la présidence de l'Union des écrivains, ce qui explique les nombreuses photos de l'auteur en compagnie d'aspirants dramaturges, de jeunes pionniers et de fonctionnaires ambitieux.

Parmi les objets exposés, on peut voir son chapeau, son manteau et sa canne, ainsi que sa remarquable collection de sculptures orientales, de nombreuses lettres et des livres, dont quelques premières éditions.

Peu après la mort de Gorki, en 1936, Henri Iagoda, l'ancien chef du NKVD (la police secrète), fut accusé de l'avoir assassiné. L'accusation était probablement fausse, mais Iagoda fut néanmoins condamné lors d'un des derniers grands procès *(p. 27).* Le bruit court toujours selon lequel Gorki aurait été exécuté sur ordre de Staline.

Le spectaculaire escalier modern style de la maison-musée Gorki

Maison-musée Tchekhov 🔟

Дом-музей АП Чехова
Dom-mouzeï AP Tchekhova

Sadovaïa-Koudrinskaïa oulitsa 6. **Plan** 2 D5. 🔳 *291 6154.* Ⓜ *Barrikadnaïa.* ⭕ *de 11 h à 14 h le mar., jeu. et sam., de 14 h à 17 h le mer. et le ven.* 🈺 🚫 🔳 *(Réservez à l'avance).*

Anton Tchekhov (1860-1904) vécut dans cette maison à deux étages entre 1886 et 1890. Restaurée avec l'autorisation de sa veuve, l'actrice Olga Knipper-Tchekhova, elle fut transformée en musée en 1954. L'exposition comprend toutefois peu de choses ayant appartenu à Tchekhov et ne restitue que partiellement l'atmosphère de l'époque.

Tchekhov était médecin et exerçait chez lui, comme l'atteste la plaque en cuivre apposée près de la porte d'entrée. Son rôle de soutien de famille ne lui permettait pas d'écrire à plein temps, mais c'est ici qu'il rédigea sa première grande pièce, *Ivanov,* ainsi que de nombreuses nouvelles et plusieurs pièces en un acte.

Dans son bureau, qui était aussi son cabinet de consultation, sont exposés sa mallette de médecin, des manuscrits et des photos, dont certaines avec Tolstoï *(p. 134).*

L'étage est occupé par le salon et par la chambre de sa sœur Maria, sans doute la plus jolie pièce de la maison, où on trouve une machine à coudre, des bibelots et des nappes brodées.

Une exposition consacrée à la carrière de l'auteur dramatique *(p. 93)* présente les affiches de ses pièces et les premières éditions de ses œuvres.

Le palais gothique Morozov, conçu par Fiodor Chekhtel

Hôtel Morozov 🔟

Дом ЗГ Морозовой
Dom ZG Morozovoï

Oulitsa Spiridonovka 17. **Plan** 2 D4. Ⓜ *Maïakovskaïa.* ⚫ *au public.*

Fiodor Chekhtel *(p. 45)* construisit cette maison entre 1893 et 1898 pour S. Morozov, mécène et fabricant de textiles, membre d'une des plus riches familles de marchands de Moscou.

L'architecte lui a donné l'allure d'un château gothique avec des tourelles, des gargouilles et des fenêtres en ogive. Certains vitraux sont l'œuvre de l'artiste symboliste Mikhaïl Vroubel.

L'édifice appartient aujourd'hui au ministère des Affaires étrangères.

Étang des Patriarches 🔟

Патриаршие пруды
Patriarchie proudy

Plan 2 D4. Ⓜ *Maïakovskaïa.*

À quelques minutes à pied du boulevard des Jardins, au centre d'un square planté d'arbres, se trouve le grand étang des Patriarches, qui doit son nom aux patriarches de l'Église orthodoxe *(p. 137)* qui possédaient autrefois ce terrain. Près des jeux d'enfants s'élève une statue en bronze de l'écrivain du XIXᵉ siècle Ivan Krylov, auteur de pièces de théâtre et de fables populaires. Des sculptures représentant ses personnages sont parsemées au milieu des arbres.

L'étang est surtout connu grâce à la première scène du roman de Mikhaïl Boulgakov *Le Maître et Marguerite,* où on voit le Diable semer la pagaille dans Moscou. L'écrivain vécut près de l'étang des Patriarches, entre 1921 et 1924. Commencé en 1928, ce roman ne fut terminé qu'en 1940, et publié seulement en 1966 pour des raisons politiques.

Graffiti d'admirateurs dans l'appartement de Boulgakov

MIKHAÏL BOULGAKOV

Bon nombre des pièces de Mikhaïl Boulgakov (1891-1940) furent interdites par le régime. En 1930, Boulgakov se sentait si frustré qu'il demanda à Staline l'autorisation d'émigrer. Loin d'obtenir satisfaction, il se vit confier un travail au Théâtre d'art de Moscou *(p. 92),* et, en 1932, Staline permit qu'on joue sa pièce *Les Jours des Tourbine.* Beaucoup d'œuvres, notamment *Le Maître et Marguerite,* ne furent publiée qu'après sa mort.

Photo de Tchekhov (à gauche) conversant avec Tolstoï, à la maison-musée Tchekhov

Fusil Maxim, au musée de la Révolution

Musée de la Révolution ⓳

Музей Революции

Mouzeï Revolioutsi

Tverskaïa oulitsa 21. **Plan** 2 F4.
🕿 299 6724. Ⓜ *Pouchkinskaïa, Tverskaïa*. ◻ *de 10 h à 18 h du mar. au sam., de 10 h à 17 h le dim.*
🖼 🚫 📷

Cet élégant palais rouge gardé par deux lions fut construit à la fin du XVIIIe siècle. Les ailes et la façade de style Empire *(p. 45)* furent ajoutées plus tard. En 1831, il devint le Club anglais, et jusqu'à la révolution, l'aristocratie moscovite s'y réunissait.

Le passé aristocratique du bâtiment n'empêcha pas les communistes d'y installer le musée de la Révolution. Depuis la fin de l'Union soviétique en 1991, on a réaménagé les salles d'exposition pour donner une vue plus objective de l'histoire russe du XXe siècle.

Présentés chronologiquement, les objets exposés couvrent la période 1900-1991. On y trouve des grenades de fabrication artisanale, un fusil Maxim utilisé pendant la guerre civile, des emballages de bonbons à l'effigie de Marx et Lénine, le chapeau de Khrouchtchev et l'appareil photo qu'il rapporta de son voyage aux États-Unis en 1959. La collection de vaisselle consacrée à la propagande et l'exposition des cadeaux offerts aux dirigeants soviétiques sont également intéressantes.

Place Pouchkine ⓴

Пушкинская площадь

Pouchkinskaïa plochtchad

Plan 2 F4. Ⓜ *Pouchkinskaïa, Tverskaïa, Tchekhovskaïa*.

Au centre de la place, la statue en bronze du poète Alexandre Pouchkine, réalisée par Alexandre Opekouchine, fut inaugurée en 1880, en présence de deux autres géants de la littérature russe, Dostoïevski et Tourgueniev.

Pouchkine a longtemps symbolisé l'esprit de liberté, et cette statue devint un point de ralliement pour les manifestations en faveur des droits de l'homme dans les années 60 et 70. Ces manifestations se terminaient souvent par des affrontements entre le KGB et les manifestants.

Avant la révolution, la place Pouchkine s'appelait Strastnaïa plochtchad (place de la Passion), du nom d'un

La statue de Pouchkine, sur la place Pouchkine

couvent du XVIIe siècle qui occupait autrefois le site. Le couvent fut détruit en 1935 pour faire place au monstrueux cinéma Rossia *(p. 193)*.

Derrière le cinéma, sur Malaïa Dmitrovka oulitsa, s'élève l'église de la Nativité-de-la-Vierge de Poutniki. Construite entre 1649 et 1652, cette église à *chatior,* est ornée de rangées de *kokochniki*

(p. 44) et surmontée de bulbes bleus. L'angle nord-est de la place est occupé par l'immeuble du journal *Izvestia,* ancien porte-parole du gouvernement soviétique, aujourd'hui un des quotidiens indépendants de russie.

Monastère Saint-Pierre-d'en-Haut ㉑

Высоко-Петровский монастырь

Vyssoko-Petrovski monastyr

Oulitsa Petrovka 28. **Plan** 3 A3. 🕿 923 7580. Ⓜ *Pouchkinskaïa, Tchekhovskaïa*. ◻ *t.l.j. de 10 h à 17 h.* 🎫

Fondé sous le règne d'Ivan Ier *(p. 18)*, ce monastère fut reconstruit à la fin du XVIIe siècle grâce aux dons des Narychkine, parents de Pierre le Grand. Il comprend six églises, notamment l'église de Pierre-le-Métropolite, dont le monastère porte le nom. Cet édifice à dôme unique fut construit en 1514-1517 d'après un plan de Novy. L'église de l'Icône-de-la-Vierge de Bogolioubovo célèbre le souvenir de trois oncles de Pierre le Grand, tués en 1682 au cours de la révolte des streltsy *(p. 22)*. L'église-réfectoire Saint-Serge est couronnée de cinq dômes et ornée de coquilles. Le monastère comprend également une tour-clocher à dôme vert et des cellules de moines.

Iconostase du clocher baroque du monastère Saint-Pierre-d'en-Haut

PLACE ROUGE ET KITAÏ GOROD

Saint Georges, porte de la Résurrection

Premier faubourg de Moscou, Kitaï Gorod fut, dès le XIIᵉ siècle, le quartier des marchands et des artisans qui travaillaient pour le tsar. Le mot *kitaï* fait peut-être référence au clayonnage utilisé pour la construction des remparts destinés à protéger les habitations. La place Rouge, créée à la fin du XVᵉ siècle à côté du Kremlin, était la place du marché. Les boutiques des marchands formaient des alignements de baraques en bois, regroupées selon leur spécialité : icônes, casseroles, chapeaux, etc. Au XVIᵉ siècle, de nombreux boyards (*p. 20*) s'établirent à proximité, notamment les Romanov, tandis que les marchands affluaient de partout, de Novgorod ou d'aussi loin que l'Angleterre. Au XIXᵉ siècle, Kitaï Gorod devint le quartier financier de Moscou, siège de la Bourse et des grandes banques.

LE QUARTIER D'UN COUP D'ŒIL

Cathédrales, églises, couvents et monastères
Église de la Sainte-Trinité-de-Nikitniki ❹
Couvent de la Nativité-de-la-Vierge ㉒
Cathédrale de Kazan ❽
Monastère de l'Épiphanie ❻
Cathédrale Basile-le-Bienheureux p. 108-109 ⓭

Rues et places
Tchistoproudny boulvar ⓳
Colline Ivanovskaïa ⓮
Place Loubianka ⓲
Nikolskaïa oulitsa ❼
Place Rouge ❿
Oulitsa Ilinka ❺
Oulitsa Varvarka ❶

Bâtiments historiques
Goum ⓬
Tour Menchikov ⓴
Ancien hôtel des Anglais ❷
Boutique Perlov ㉑
Porte de la Résurrection ❾
Bains Sandounovski ㉓

Musées et galeries
Musée d'Histoire de Moscou ⓰
Mausolée de Lénine ⓫
Musée Maïakovski ⓱
Palais des Boyards Romanov ❸
Musée polytechnique ⓯

Plan du quartier pas à pas p. 100-101

LÉGENDE

Plan du quartier pas à pas p. 100-101

Ⓜ Station de métro

Embarcadère

COMMENT Y ALLER

Ce quartier est bien desservi par les trolleybus (2, 9, 16, 25, 33, 45, 48, 63 et 83), les bus (25 et 158) et les trams (3, 39 et A). Vous pouvez aussi prendre le métro jusqu'aux stations Plochtchad Revolioutsi, Kitaï Gorod, Loubianka, Kouznetski Most ou Tourguenievskaïa.

◁ **La façade néo-russe du musée d'Histoire, à l'extrémité nord de la place Rouge**

Kitaï Gorod pas à pas

Dans ce vieux quartier de Moscou, commerce et religion se sont toujours côtoyés. Les rues situées autour de Birjevaïa plochtchad, cœur financier de la ville, sont depuis des siècles occupées par les marchands. Au milieu des banques et immeubles de bureaux, les commerces de luxe se sont multipliés, en particulier le long de Nikolskaïa oulitsa, et rivalisent aujourd'hui avec les boutiques du plus célèbre grand magasin de Russie : le Goum (p. 107). Plus de 40 églises et monastères se dressaient jadis un peu partout dans ce dédale de rues étroites. Il n'en reste plus qu'une douzaine aujourd'hui, et la plupart sont en cours de restauration.

Monastère de l'Épiphanie
Fondé en 1296, c'est l'un des deux plus vieux monastères de Moscou. Sa cathédrale, construite entre 1693 et 1696, est un bel exemple de baroque moscovite ⑥

Cour suprême

Plochtchad Revolioutsi

NIKOLSKAÏA OULITSA

BOGOÏAVLENSKI PEREOULOK

Place Rouge

VETOCHNY PEREOULOK

OULITSA ILINKA

BIRJEVAÏA PLOCHTCHA

KHROUSTALNY PEREOULOK

Nikolskaïa oulitsa
Une clientèle aisée fréquente aujourd'hui les bijouteries et les boutiques élégantes de cette rue. L'un de ses bâtiments les plus pittoresques est l'imprimerie du saint-synode, qui date du XIXᵉ siècle ❼

La vieille cour des Marchands
(Stary gostiny dvor), des XVIIIᵉ-XIXᵉ siècles, va sans doute être aménagée en galerie marchande.

À NE PAS MANQUER

★ **Église de la Ste-Trinité-de-Nikitniki**

★ **Palais des Boyards Romanov**

LÉGENDE

– – – Itinéraire conseillé

Oulitsa Ilinka
À mi-chemin de la rue Ilinka, on atteint la place Birjevaïa, où est située l'ancienne Bourse. Construit entre 1873 et 1875 par Alexandre Kamenski, ce beau bâtiment rose de style classique abrite maintenant la chambre de commerce et d'industrie ❺

Église Sainte-Barbara

Oulitsa Varvarka
Plusieurs églises historiques bordent cette ancienne voie de communication, notamment l'église Saint-Maxime-le-Bienheureux offerte par les marchands de Novgorod qui commerçaient à Kitaï Gorod, et consacrée en 1698 ❶

CARTE DE SITUATION
Voir Atlas des rues, plans 3 et 7

★ **Église de la Sainte-Trinité-de-Nikitniki**
Commandée par le riche marchand Grigori Nikitnikov et achevée en 1635, l'église de la Sainte-Trinité-de-Nikitniki est renommée pour son architecture exubérante et ses magnifiques fresques à l'intérieur ❹

Cette maison
appartenait à Simon Ouchakov, grand peintre d'icônes et de fresques du XVIIe siècle. Il travailla notamment pour l'église de la Sainte-Trinité-de-Nikitniki.

★ **Palais des Boyards Romanov**
Ce palais est l'ancienne demeure du puissant boyard moscovite (p. 20) Nikita Romanov. C'est aujourd'hui un musée très intéressant consacré à la vie quotidienne des familles nobles aux XVIe et XVIIe siècles ❸

Métro Kitaï Gorod

Église Saint-Georges

Monastère du Signe

Ancien hôtel des Anglais
Cet hôtel, récemment restauré, qui a retrouvé son aspect du XVIIe siècle, était la résidence de négociants anglais. Ivan le Terrible leur en avait fait don dans l'espoir d'obtenir d'eux des armes et autres marchandises ❷

ITSA ILINKA · NIKOLSKI PEREOULOK · IPATEVSKI PEREOULOK · PEREOULOK · OULITSA VARVARKA

0   100 m

Oulitsa Varvarka ❶
Улица Варварка
Oulitsa Varvarka

Plan 7 B1-C1. **M** *Kitaï Gorod.*

Située au cœur de l'ancien quartier commerçant de Zariade, oulitsa Varvarka est une des plus vieilles rues de Moscou. Elle doit son nom à la première église Sainte-Barbara (Varvara), qui fut démolie en 1796 pour faire place à une nouvelle église néo-classique rose et blanche du même nom, conçue par Kazakov.

Un peu plus loin se dresse l'église Saint-Maxime-le-Bienheureux, à dôme unique. Construite par les négociants de Novgorod pour abriter les restes de saint Maxime, elle fut consacrée en 1698. Entre les deux églises est situé l'ancien hôtel des Anglais.

De l'autre côté de la rue s'étend l'ancienne cour des Marchands (Stary gostiny dvor), dont la façade est ornée d'une rangée de colonnes corinthiennes. Quarenghi en conçut les plans en 1790, et les travaux furent dirigés par les architectes moscovites Karine et Selekhov. Les bâtiments sont actuellement en cours de restauration. En remontant la rue après l'église Saint-Maxime, on arrive à la collégiale du monastère Notre-Dame-du-Signe, construite à la fin du XVIIᵉ siècle, et au palais des Boyards Romanov.

Au bout de la rue Varvarka se dresse l'église Saint-Georges, à cinq dômes, construite en 1657-1658 par des marchands de

Les cinq dômes de l'église Saint-Georges

Pskov (p. 44). À droite, sur Kitaïgorodski proïezd, on peut voir un des rares vestiges de l'ancien rempart de Kitaï Gorod. Au bout de cette même rue s'élève la charmante église de la Conception-de-Sainte-Anne, datant du XVIᵉ siècle.

Ancien hôtel des Anglais ❷
Старый английский двор
Stary angliïski dvor

Oulitsa Varvarka 4a. **Plan** 7 B1. **C** *298 3952.* ○ *de 10 h à 18 h, le mar., jeu., sam. et dim., de 11 h à 19 h le mer. et ven.* **M** *Plochtchad Revolioutsi.* 🗺 🚫 📷 *Anglais.*

En 1553, le négociant anglais Richard Chancellor (p. 21) fit naufrage en explorant la côte nord de la Russie pour essayer de trouver un passage vers l'est. Emmené à Moscou, il fut reçu par Ivan le Terrible, qui, désireux de favoriser les

relations commerciales avec l'Angleterre, adressa par la suite une demande en mariage à la reine Élisabeth Iʳᵉ. Plus tard, lors d'un nouveau voyage à Moscou en 1556, Chancellor et sa mission commerciale reçurent cette grande propriété à Zariade. Elle devait servir de maison de commerce et de résidence pour les négociants anglais de passage.

Au milieu du XVIIᵉ siècle, elle fut reprise par des Russes et subit de nombreuses modifications, si bien qu'au début du XXᵉ siècle elle avait considérablement changé. Après la révolution (p. 26-29), la maison fut restaurée, puis rouverte comme musée à l'occasion de la visite officielle d'Élisabeth II en 1994.

L'exposition est consacrée à l'histoire de l'ancien hôtel des Anglais et à son rôle dans les relations anglo-russes. Un escalier en pierre descend vers les caves et vers la salle officielle utilisée pour les négociations et les réceptions.

L'intérieur dépouillé de la salle officielle de l'ancien hôtel des Anglais

Palais des Boyards Romanov ❸
Музей-палаты в Зарядье
Mouzeï-palaty v Zariade

Oulitsa Varvarka 10. **Plan** 7 B1. **C** *298 3706.* ○ *de 10 h à 17 h le dim. Groupes seulement : de 10 h à 17 h du jeu. au sam. et le lun., de 11 h à 18 h le mer.* **M** *Kitaï Gorod.* 🗺 🚫 📷

De la rue Varvarka, on n'aperçoit que les deux étages supérieurs de cet édifice, car il est bâti sur une forte pente qui descend vers la Moskova.

Construit au XVIᵉ siècle par le boyard (p. 20) Nikita Romanov, ce palais fut la résidence de sa lignée jusqu'en 1613. Puis le tsar Michel Romanov s'installa au Kremlin. Le palais fut restauré

La rue Varvarka et l'ancien hôtel des Anglais

en 1859 sous Alexandre II, qui s'était engagé à réhabiliter la demeure de ses ancêtres et le fit transformer en musée.

L'entrée principale donne sur une cour à laquelle on accède par un porche orné d'un aigle bicéphale, emblème des Romanov.

Le rez-de-chaussée et le premier étage datent probablement du XVIIe siècle. Dans le hall peint sont exposés des effets personnels des premiers Romanov, notamment des plats en or, d'anciens titres de propriété, des grands livres incrustés de pierres et des robes de cérémonie ayant appartenu au fils aîné de Nikita, le patriarche Fiodor Philarète. La décoration intérieure a été restaurée dans le style somptueux de l'époque, avec des murs tapissés de cuir frappé de motifs dorés, ou peints dans des tons lumineux rouges, verts et or.

Les portes du palais sont si basses qu'un homme de taille moyenne doit se baisser pour les franchir, et les fenêtres, dont les vitres sont en mica et non en verre, laissent passer peu de lumière.

L'étage supérieur en bois, clair et spacieux, a été ajouté au milieu du XIXe siècle. La pièce principale à ce niveau est ornée d'un beau plafond en bois sculpté. Des broderies sont exposées dans un vestibule.

Les caves voûtées, pièces les moins intéressantes du musée, contiennent un bizarre pêle-mêle de paniers, de malles et d'ustensiles de cuisine.

L'iconostase dorée de l'église de la Sainte-Trinité-de-Nikitniki

Église de la Sainte-Trinité-de-Nikitniki ❹

Церковь Троицы в Никитниках

Tserkov Troïtsy v Nikitnikakh

Nikitnikov pereoulok 3. **Plan** 7 C1.
Ⓜ *Kitaï Gorod.* ⬤ *au public.*

Comme les églises de la rue Varvarka, ce chef-d'œuvre d'architecture moscovite du XVIIe siècle est écrasé par la masse des immeubles construits après-guerre pour les bureaux du parti communiste. En 1635, à l'époque de sa fondation par le riche négociant Grigori Nikitnikov, l'église, couronnée de cinq

Détail du porche sculpté de l'église de la Sainte-Trinité-de-Nikitniki

dômes verts, dominait les alentours. Elle frappe encore aujourd'hui par la richesse exceptionnelle de sa décoration extérieure, avec ses carreaux de faïence de couleur et ses rangées de *kokochniki (p. 44).* Le clocher à *chatior*, ajouté peu après la fin de la construction,

et relié au bâtiment principal par une galerie couverte, est tout aussi ouvragé.

L'église de la Sainte-Trinité est actuellement fermée pour travaux de restauration, mais elle est réputée pour la beauté de ses fresques, achevées en 1656. Elles représentent des scènes très vivantes de l'Évangile, notamment La parabole du riche.

Simon Ouchakov, grand peintre de fresques et d'icônes, participa avec d'autres artistes à la décoration de l'église. On lui doit notamment un bon nombre de fresques et plusieurs panneaux de la splendide iconostase dorée, parmi lesquels *L'Annonciation de la Vierge,* située à gauche des portes royales *(p. 61).*

Sur les fresques de la chapelle de Saint-Nikita-le-Martyr figurent des membres de la famille Nikitnikov.

La maison de Simon Ouchakov est située juste à côté de l'église, sur Ipatevski pereoulok. C'est un bâtiment en brique rouge sans caractère particulier.

La salle à manger richement décorée du palais des Boyards Romanov

Beaux bâtiments commerciaux du XIXᵉ siècle, rue Ilinka

Oulitsa Ilinka ❺

Улица Ильинка

Oulitsa Ilinka

Plan 7 B1. Ⓜ *Kitaï Gorod.*

Au XIXᵉ siècle, cette rue étroite mais majestueuse était le centre des activités commerciales du quartier de Kitaï Gorod. De nombreuses banques et maisons de négoce s'y étaient établies. Leurs façades richement décorées constituent encore le principal attrait de cette rue. Oulitsa Ilinka, siège du ministère des Finances, est aujourd'hui le quartier d'élection de multiples institutions commerciales et financières.

Le nom Ilinka vient de l'ancien monastère Ilinski, dont il ne reste plus aucune trace, mais qui occupait jadis une partie du site de l'église Saint-Élie construite au XVIᵉ siècle et que l'on peut voir au nº 3. Plus loin, au nº 6, à l'angle de Birjevaïa plochtchad, s'élève un bâtiment ocre rosé, orné d'un portique néo-classique, qui abrite actuellement la chambre de commerce et d'industrie. C'était autrefois la Bourse (*Birja*) de Moscou. Ouverte en 1836, elle avait été reconstruite dans les années 1873-1875 par Alexandre Kamenski. À cette époque, les marchands de Moscou, qui portaient encore couramment la longue barbe patriarcale et le caftan traditionnel, étaient habitués à traiter leurs affaires dans la rue. Ils refusèrent de pénétrer dans la nouvelle Bourse et n'y entrèrent finalement que contraints par la police.

De l'autre côté de la rue, en face de cet édifice, est situé l'ancien hôtel de la Trinité-de-Saint-Serge, où se tenait la mission du monastère du même nom (*p. 156-159*) et qui fait partie aujourd'hui de la Cour suprême de Russie. Construit en 1876 par Pavel Skomorochenko, c'est un exemple simplifié de style néo-russe (*p. 45*).

À l'angle de la rue Ilinka et de Bolchoï Tcherkasski pereoulok se dresse un bâtiment, construit dans les années 1920 par Vladimir Maïat, qui abritait jadis des bureaux du gouvernement soviétique. Sa façade, d'une extrême sobriété, est ornée de carreaux vernissés.

Monastère de l'Épiphanie ❻

Богоявленский монастырь

Bogoïavlenski monastyr

Bogoïavlenski pereoulok 2, stroïenie 4. **Plan** 3 A5. 📞 *298 3771.* Ⓜ *Plochtchad Revolioutsi.* 🕐 *t.l.j. de 8 h à 20 h.* 🅿️

Le monastère de l'Épiphanie est le deuxième plus ancien monastère de Moscou après le monastère Danilovski (*p. 136-137*). Construit en 1296 aux abords de la ville, au-delà du quartier des marchands, il fut fondé par le prince Daniel, père du grand-prince Ivan Iᵉʳ (*p. 18*).

Ajoutée à l'ensemble médiéval entre 1693 et 1696, la cathédrale est le plus ancien bâtiment ayant subsisté. Ce chef-d'œuvre du baroque moscovite (*p. 44*) se distingue par une tour octogonale

massive mais d'une ornementation raffinée. On peut voir également un palais épiscopal et quelques cellules de moines datant du XVIIIᵉ siècle.

Nikolskaïa oulitsa ❼

Никольская улица

Nikolskaïa oulitsa

Plan 3 A5. Ⓜ *Loubianka, Plochtchad Revolioutsi.*

Vers la fin du XIIᵉ siècle, cette rue, qui doit son nom à la tour Nikolskaïa du Kremlin (*p. 66*), avait été investie par les marchands et négociants. Jusqu'à la révolution, on y trouvait surtout des éventaires et des boutiques. Après une période un peu terne sous le régime communiste, oulitsa Nikolskaïa est récemment devenue une rue chic, avec des bijouteries et d'élégants magasins de mode.

En entrant par un porche dans la cour du nº 7, on arrive à l'ancien monastère Zaïkonospasski, fondé au XVᵉ siècle. Son nom signifie le Sauveur-derrière-les-Images, souvenir d'une époque où le commerce des icônes y était florissant. L'église, avec sa tour en brique rouge délabrée surmontée d'une flèche, date du XVIIᵉ siècle. Elle est de nouveau ouverte au culte. De 1687 à 1814, le monastère abrita l'Académie des études slaves, grecques et latines, premier établissement d'enseignement

Façade gothique de l'imprimerie du saint-synode, Nikolskaïa oulitsa

Cathédrale de Kazan (1990), fidèle reconstitution de l'original

Cathédrale de Kazan ⑧

Казанский собор

Kazanski sobor

Nikolskaïa oulitsa 3. **Plan** 3 A5.
Ⓜ Okhotny Riad. ♿

Cette toute petite cathédrale est une réplique de la cathédrale d'origine. Détruite en 1936, elle avait été consacrée en 1637 et abritait l'icône de la Vierge de Kazan, objet d'une grande vénération car elle avait accompagné le prince Dimitri Pojarski durant sa campagne victorieuse contre les envahisseurs polonais, 25 ans auparavant *(p. 108)*.

Sa reconstruction a été achevée entre 1990 et 1993 *(p. 44)*, à l'aide de plans et photographies détaillés conservés par l'architecte Baranovski. L'église a été consacrée à nouveau par le patriarche Alexis II en présence de Boris Eltsine et du maire de Moscou, Iouri Loujkov. L'icône de la Vierge de Kazan est une copie, l'original ayant été transféré à Saint-Pétersbourg au début du XIXᵉ siècle.

Porte de la Résurrection ⑨

Воскресенские ворота

Voskressenskie vorota

Krasnaïa plochtchad.
Plan 3 A5. Ⓜ Okhotny Riad,
Plochtchad Revolioutsi.

Reconstruite en 1995 *(p. 44)*, cette porte, avec deux tours jumelles rouges surmontées de *chatior* verts, est une copie exacte de l'édifice original construit sur le même site en 1680 et démoli en 1931. Une des icônes en mosaïque représente saint Georges, patron de Moscou, terrassant le dragon.

L'intérieur du porche ouvre sur la chapelle polychrome de la Vierge d'Ibérie, construite à l'origine, au XVIIIᵉ siècle, pour abriter une icône. Lorsque le tsar venait à Moscou, il se rendait dans ce sanctuaire avant d'entrer au Kremlin *(p. 52-67)*. Le monument est magnifique la nuit, quand il est éclairé.

supérieur à Moscou, qui compta parmi ses élèves le célèbre savant Mikhaïl Lomonossov, futur fondateur de l'université de Moscou *(p. 94)*.

Au n° 15 se dressent les flèches gothiques de l'imprimerie du saint-synode. L'édifice bleu pâle, construit entre 1810 et 1814, est orné d'un lion et d'une licorne sculptés au-dessus de la fenêtre centrale, contrastant avec un marteau et une faucille. La cour est agrémentée par les couleurs du toit et de la façade à carreaux bleus et blancs. Le site était jadis occupé par les locaux d'Ivan Fiodorov, qui édita en 1564 les Actes des Apôtres, premier ouvrage imprimé en Russie.

Juste à côté, dans la cour du n° 17, se trouve le restaurant Slavianski Bazar, ouvert en 1870, qui comptait Anton Tchekhov *(p. 96)* parmi ses clients. C'est également ici que se réunissaient les metteurs en scène Konstantin Stanislavski et Vladimir Nemirovitch-Dantchenko, et que se décida la fondation du Théâtre d'art

de Moscou *(p. 92)*. À la suite d'un incendie, l'établissement fut fermé pour réparations en 1994, mais il est question de le rouvrir dès que les travaux seront terminés.

Le bâtiment situé de l'autre côté de la rue abritait autrefois l'auberge Tchijevskoïe, qui servait à la fois d'entrepôt et d'auberge pour les marchands de passage à Kitaï Gorod. À l'arrière se dresse l'église de l'Assomption, du XVIIᵉ siècle.

Porte de la Résurrection abritant la chapelle de la Vierge d'Ibérie

La vaste étendue de la place Rouge. Au fond, le musée d'Histoire

PLACE ROUGE

MUSÉE D'HISTOIRE

CATHÉDRALE DE KAZAN

PLACE ROUGE

GOUM

ENCEINTE DU KREMLIN

MAUSOLÉE DE LÉNINE

LOBNOÏE MESTO

PORTE DU SAUVEUR

CATHÉDRALE ST-BASILE

Place Rouge ⑩
Красная площадь
Krasnaïa plochtchad

Plan 7 B1. **M** *Plochtchad Revolioutsi Okhotny Riad.* **Musée d'Histoire** **☎** *292 4012.* **◯** *de 11 h à 19 h du ven. au lun.* 🚫 ♿ 📷

Vers la fin du XVe siècle, Ivan III *(p. 18)* fit raser les maisons installées en face du Kremlin pour dégager la place. Ce site était à l'origine un champ de foire appelé *torg*, mais les éventaires en bois furent si souvent détruits par des incendies qu'on finit par l'appeler la place du Feu. Le nom actuel remonte au XVIIe siècle et vient du mot russe *krasny* qui signifiait « belle » et avait ensuite le sens de « rouge ».

Longue d'environ 500 m, la place Rouge était à la fois le théâtre des exécutions et celui des grandes proclamations. À l'extrémité sud, en face de la cathédrale Basile-le-Bienheureux *(p. 108-109)*, s'élève une petite tribune circulaire, appelée Lobnoïe Mesto, où se tenaient le tsar et les patriarches pour s'adresser au peuple. En 1606, le premier « faux Dimitri » *(p. 19)*, un usurpateur du trône, fut mutilé et tué sur la place Rouge par une foule hostile. Son corps fut finalement abandonné sur le Lobnoïe Mesto.

Six ans plus tard, un second prétendant au trône qui, comme le premier, était soutenu par la Pologne prit le pouvoir. Il fut chassé du Kremlin par une armée conduite par les deux héros russes, Dimitri Pojarski et Kouzma Minine, qui, du Lobnoïe Mesto, proclamèrent la libéra-

tion de la Russie. En 1818, on érigea une statue en leur honneur *(p. 108)*. Celle-ci se trouve maintenant devant Saint-Basile-le-Bienheureux.

La place Rouge est depuis longtemps le lieu de toutes les processions et cérémonies officielles. Avant la révolution *(p. 26-29)*, chaque dimanche des Rameaux, le patriarche se rendait à Saint-Basile sur un cheval déguisé en âne, en passant par la porte de la tour du Sauveur *(p. 66)*, pour commémorer l'entrée du Christ à Jérusalem.

Lobnoïe Mesto, la tribune d'où parlait le tsar

Les processions religieuses furent abolies durant la période communiste, et remplacées par des parades militaires, notamment le 1er Mai et le jour de l'anniversaire de la révolution. Du haut du mausolée de Lénine, les dirigeants soviétiques suivaient ces défilés avec

la plus grande attention, tandis qu'ils étaient eux-mêmes attentivement observés par les kremlinologues essayant de comprendre l'ordre des préséances du moment.

Aujourd'hui, la place est utilisée pour toute sorte de manifestations culturelles.

Le bâtiment en brique rouge face à la cathédrale Basile-le-Bienheureux fut édifié en 1883 par Vladimir Sherwood dans le style néo-russe *(p. 45)*. Il abrite le musée d'Histoire, dont une partie seulement est actuellement ouverte au public. Le musée possède plus de quatre millions de pièces liées à l'histoire de la Russie.

Devant le musée, sur Manejnaïa plochtchad, se dresse la statue d'un héros de la Seconde Guerre mondiale *(p. 27)*, le maréchal Joukov, œuvre de Klykov, inaugurée en 1995, pour marquer le 50e anniversaire de la fin de la guerre.

Le mausolée de Lénine de Chtchoussev, devant le mur du Kremlin

Mausolée de Lénine ⓫
Мавзолей ВИ Ленина
Mavzoleï VI Lenina

Krasnaïa plochtchad. **Plan** 7 A1.
📞 *923 5527.* **Ⓜ** *Plochtchad
Revolioutsi, Okhotny Riad.* ⭘ *de 10 h
à 13 h, du mar. au jeu., sam. et dim.* 📷

A près la mort de Lénine en
1924, et contre les vœux
du défunt, on décida de
conserver le corps du leader
soviétique pour la postérité.
Celui-ci fut embaumé et placé
temporairement dans un
mausolée en bois sur la place
Rouge. Après s'être assuré
que le processus d'embaume-
ment avait réussi, on confia le
projet de l'actuel mausolée à
Chtchoussev *(p. 45),* qui conçut
cette pyramide de cubes en
granit rose et labradorite.
À une époque, les gens
faisaient la queue sur la place
Rouge pendant des heures
pour aller saluer la momie
de Lénine, avec une sorte de
sentiment religieux. Mais en
1993, la garde d'honneur qui
marchait au pas de l'oie
devant le monument fut remplacée par un seul milicien.
Le bruit court que Lénine sera
bientôt déplacé ou enterré.
Derrière le mausolée, au
pied des murs du Kremlin,
reposent d'autres commu-
nistes, notamment les succes-
seurs de Lénine : Joseph
Staline (qui reposa un temps
aux côtés de Lénine dans le
mausolée), Leonid Brejnev et
Iouri Andropov. La femme et
la sœur de Lénine sont également enterrées ici, de même
que Iouri Gagarine, l'écrivain
Maxime Gorki et l'Américain
John Reed. Ce dernier mérita
cet honneur grâce à son livre
intitulé *Dix jours qui ébran-
lèrent le monde,* où il raconte
la révolution d'Octobre.

L'intérieur et la verrière du Goum, le plus grand magasin de Russie

Goum ⓬
ГУМ
Gum

Krasnaïa plochtchad 3. **Plan** 7 B1.
📞 *921 5763.* **Ⓜ** *Plochtchad
Revolioutsi, Okhotny Riad.* ⭘ *de 8 h
à 20 h du lun. au sam., de 11 h à 19 h
le dim.* ♿

L e grand magasin Goum a
remplacé les anciennes
Galeries supérieures d'avant
la révolution, qui occupaient
le site d'un marché couvert.
En fait, il y avait des rangées
d'éventaires ininterrompues
jusqu'à la Moskova. Le nom
actuel Gossoudarstvenny
ouniversalny magazine (magasin universel d'État) date de sa
nationalisation en 1921.

L'édifice fut construit en
1889-1893 d'après un projet
d'Alexandre Pomerantsev,
dans le style néo-russe alors en
vogue. Ses voûtes, ses ferron-
neries et ses galeries intérieures
décorées de stuc constituent un
cadre particulièrement séduisant
lorsque le soleil perce à travers
la grande verrière du toit.
Autrefois, le magasin comptait
plus de 1 000 boutiques qui
vendaient un peu de tout :
depuis des manteaux de
fourrure jusqu'à des bougies.
Mais sous Staline *(p. 27),* les
boutiques du Goum furent
réquisitionnées. Aujourd'hui, ce
sont les boutiques de maisons
prestigieuses qui occupent le
rez-de-chaussée, à côté de
nombreux cafés et restaurants.

L'EMBAUMEMENT DE LÉNINE

« N'élevez ni monument ni palais à son nom,
n'organisez pas de pompeuses cérémonies en sa
mémoire », telles furent les paroles de la veuve de
Lénine, Kroupskaïa. Malgré cela, le corps de Lénine
fut embaumé puis exposé, quand on fut sûr que le
procédé avait réussi. Un laboratoire veille à la
conservation du corps, qui nécessite l'application
régulière de liquides spéciaux. Les rumeurs selon
lesquelles le corps, ou certaines parties, aurait été
remplacé par de la cire sont farouchement niées.

Cathédrale Basile-le-Bienheureux ⓭

Собор Василия Блаженного

Sobor Vassilia Blajennovo

Détail, chapelle de l'Entrée-du-Christ-à-Jérusalem

Construite sur ordre d'Ivan le Terrible pour commémorer la prise de la ville de Kazan, en 1552, le jour de la fête orthodoxe de l'Intercession de la Vierge, l'église fut achevée en 1561. Selon les sources, elle aurait été conçue par l'architecte Postnik Yakovlev. La légende dit qu'Ivan fut si émerveillé par la beauté de l'édifice qu'il fit crever les yeux de son auteur pour que l'artiste ne puisse plus jamais reproduire semblable chef-d'œuvre. L'église fut officiellement baptisée cathédrale de l'Intercession-de-la-Vierge, mais on la désigne généralement sous le nom de Saint-Basile en souvenir de Basile le Bienheureux, un ascète, simple d'esprit, dont les restes sont enterrés à l'intérieur. La cathédrale, inspirée de l'architecture russe traditionnelle en bois, se distingue par l'incomparable profusion de ses pignons, *chatior* et bulbes torsadés.

Clocher

Chapelle de la Trinité

★ Les dômes

À la suite d'un incendie en 1583, les dômes d'origine en forme de casque furent remplacés par des bulbes striés ou à facettes. Ce n'est qu'après 1670 que les dômes ont été peints de multiples couleurs ; auparavant, l'église était rouge et blanche avec des dômes dorés.

Chapelle Saint-Cyprien

C'est l'une des huit chapelles principales qui commémorent les campagnes d'Ivan le Terrible contre la ville de Kazan. Elle est dédiée à saint Cyprien, fêté le 2 octobre, le lendemain de l'assaut final.

MININE ET POJARSKI

Une statue en bronze d'Ivan Martos représente deux héros du Temps des troubles *(p. 19)*, le boucher Kouzma Minine et le prince Dimitri Pojarski, qui levèrent une armée de volontaires pour lutter contre les Polonais et réussirent, en 1612, à chasser les envahisseurs du Kremlin. Ce monument fut érigé en 1818, à la suite des récentes victoires sur Napoléon. D'abord située au centre de la place Rouge, face au Kremlin, elle fut transférée devant l'église Saint-Basile à l'époque soviétique.

Monument à Minine et Pojarski

La chapelle Saint-Basile, 9ᵉ chapelle ajoutée à la cathédrale, fut construite en 1588 pour abriter le tombeau de Basile le Bienheureux.

Chapelle des Trois-Patriarches

L'entrée de la cathédrale renferme une exposition consacrée à son histoire, ainsi qu'une armure et des armes datant de l'époque d'Ivan le Terrible.

Chatior
de la
chapelle
centrale

Chapelle
Saint-Nicolas

Chapelle
Saint-Barlaam-
de-Khoutyn

Kokochniki

Chapelle de
l'Évêque-Grégoire

MODE D'EMPLOI

Krasnaïa plochtchad 2. **Plan** 7 B1.
298 3304. ◯ mai à nov. : de
10 h à 17 h, du mer. au lun. (déc.
à avril : de 10 h à 16 h).
Ⓜ Okhotny Riad, Plochtchad
Revolioutsi. 🚌 25. 🚎 37.
∅ fêtes religieuses.

La chapelle centrale
de l'Intercession
La chapelle centrale est abon-
damment éclairée par les vitraux
du clocher coiffé d'un chatior,
qui mesure 61 m de haut.

★ **L'iconostase**
L'iconostase baroque
de la chapelle
centrale de l'Inter-
cession date du
XIXe siècle. Toutefois,
certaines des icônes
qu'elle contient sont
beaucoup plus
anciennes.

À NE PAS MANQUER

★ **Les dômes**

★ **La galerie**

★ **L'iconostase**

La chapelle de l'Entrée-
du-Christ-à-Jérusalem
était l'entrée de cérémonie
utilisée pour la procession
annuelle du dimanche des
Rameaux. Ce jour-là,
le patriarche se
rendait du Kremlin
à la cathédrale
Basile-le-Bienheureux
sur un cheval
déguisé en âne.

★ **La galerie**
La galerie
extérieure qui fait le
tour de la chapelle cen-
trale la relie aux huit autres
chapelles. Elle fut recouverte à
la fin du XVIIe siècle, et les murs
et les plafonds furent décorés de
carreaux à motifs floraux à la
fin du XVIIIe siècle.

Colline Ivanovskaïa

Ивановская горка
Ivanovskaïa gorka

Plan 3 C5. M *Kitaï Gorod.*

Ce quartier doit son nom au couvent Ivanovski (Saint-Jean) situé à l'angle de Zabelina oulitsa et de Maly Ivanovski pereoulok. Derrière un porche à deux tours, on peut voir les vestiges de ce monastère plus ou moins laissés à l'abandon et entourés d'une haute muraille.

La mère d'Ivan le Terrible *(p. 18)*, Elena Glinskaïa, fonda ce couvent en 1533 pour remercier Dieu de la naissance de son fils. Mais par la suite, il servit également de prison durant de nombreuses années. La plus célèbre de ses pensionnaires fut Augusta Tarakanova, fille illégitime de la tsarine Élisabeth *(p. 22)* et du comte Razoumovski. Envoyée à l'étranger pour son éducation, elle fut ramenée en Russie en 1785 avant d'être enfermée dans ce couvent sous un faux nom. Elle y passa le reste de sa vie comme religieuse, n'ayant le droit de recevoir d'autre visite que celle de la mère supérieure, et mourut en 1810.

De l'autre côté de la rue se dresse l'église de Saint-Vladimir-des-Vieux-Jardins, sur un site occupé jadis par les vergers du tsar. Construite en 1514 par l'architecte italien Novy, elle subit d'importants remanie-

ments à la fin du XVIIᵉ siècle. Ce quartier sillonné de petites rues en pente douce est un lieu de promenade particulièrement tranquille et agréable. En descendant Maly Ivanovski pereoulok, qui part du couvent Ivanovski, on arrive à Podkolokolny pereoulok (la ruelle des Cloches). Cette rue est dominée par l'église de Saint-Nicolas-le-Miraculeux, qui date du milieu du XVIIᵉ siècle et se distingue par son imposant clocher rouge. L'église la plus remarquable du quartier est sans doute Saint-Pierre-et-Saint-Paul sur Petropavlovski pereoulok. Construite en 1700, elle contient une icône de la Vierge de Bogolioubovskaïa.

Plus au nord, au nᵒ 10 Kolpatchi pereoulok, se trouve un hôtel particulier du XVIIᵉ siècle ayant appartenu, dit-on, au chef des cosaques ukrainiens, Ivan Mazepa. En 1709, il se réfugia en Moldavie, sous contrôle des Turcs, après avoir trahi Pierre le Grand *(p. 22)* en faveur des Suédois. Tchaïkovski transposa cette histoire en musique dans son opéra, *Mazepa*. Le nom d'une autre rue, Kokhlovski pereoulok, a peut-être également quelque rapport avec l'Ukraine : les Ukrainiens étaient, en effet, surnommés *khokhli* à cause de la touffe de cheveux qu'ils laissaient derrière leur tête rasée

(khokhol signifie « touffe » en russe). Le bâtiment le plus intéressant de la rue Marosseïka est l'hôtel du nᵒ 17, occupé par l'ambassade de Biélorussie.

Exposition du programme spatial russe au Musée polytechnique

Musée polytechnique

Политехнический музей
Politekhnitcheski mouzeï

Novaïa plochtchad 3/4. **Plan** 3 B5.
923 4287. de 10 h à 18 h du mar. au dim. M *Kitaï Gorod.* (réserver).

Conçue par l'architecte Monighetti, la partie centrale de ce musée, construite en 1877, est un superbe exemple de l'architecture néo-russe *(p. 45)*, très en vogue à la fin du XIXᵉ siècle. Les ailes nord et sud furent ajoutées respectivement en 1896 et 1907.

À l'origine, les objets exposés avaient été réunis pour une exposition organisée dans les jardins Alexandre *(p. 67)*, en 1872, à l'occasion du 200ᵉ anniversaire de la naissance de Pierre le Grand, qui était lui-même passionné par les sciences.

Le musée est aujourd'hui un but de sortie très populaire pour les groupes scolaires. La collection d'origine a été agrandie pour présenter les progrès de la science et de la technologie russes aux XIXᵉ et XXᵉ siècles. L'exposition comprend aussi bien d'anciens modèles d'horloges ou d'appareils photo que des voitures ou des capsules spatiales. Toutes les deux heures ont lieu des démonstrations de divers appareils.

Une ruelle tranquille de la colline Ivanovskaïa

Musée d'Histoire de Moscou

Музей истории города Москвы

Mouzeï istori goroda Moskvy

Novaïa plochtchad 12. **Plan** 3 B5.
■ 924 8490. ○ *de 10 h à 18 h, le mar., jeu., sam. et dim. ; de 11 h à 19 h mer. et ven.* **M** *Loubianka.*

Ce musée, fondé en 1896, occupe l'église Saint-Jean-l'Évangéliste-sous-l'Orme, du XIXᵉ siècle. Il est question de le transférer dans des locaux plus spacieux.

Une partie seulement du million de pièces de la collection peut être exposée en même temps. Celle-ci comprend des objets de l'âge du fer et de l'âge du bronze, d'énormes madriers d'une cabane en rondins du Moyen Âge, mise au jour lors de la construction du palais des Congrès *(p. 56)* au Kremlin, et une très belle collection de bijoux, jouets et poteries. Elle comprend également des cartes anciennes d'une valeur inestimable, des livres enluminés uniques, des peintures, verreries, céramiques et maquettes du Kremlin et autres bâtiments.

Maquette en bois du Kremlin au musée d'Histoire de Moscou

Musée Maïakovski

Музей-квартира ВВ Маяковского

Mouzeï-kvartira VV Maïakovskovo

Loubianski proïezd 3/6. **Plan** 3 B5.
■ 921 9387. ○ *de 10 h à 18 h, du ven. au mar. et de 13 h à 21 h le jeu.* **M** *Loubianka.*

Poète, iconoclaste, exhibitionniste, Vladimir Maïakovski était avant tout un révolutionnaire. Sa vie brève, mais mouvementée, fut tout entière dédiée à la révolution et à sa vision de la modernité : il y consacra sa poésie, ses pièces, ses scénarios et même les affiches, qui figurent en bonne place dans le musée. Celles qu'il réalisa avec Alexandre Rodtchenko sont l'expression même de son militantisme ardent et inflexible.

Maïakovski était à la fois un provocateur et un être hors du commun. Le musée, dans une apparente anarchie, offre un parfait reflet de cette personnalité. De gigantesques armatures métalliques, conçues dans le style constructiviste des années 20 et agencées de façon étonnante, servent de toile de fond aux autres pièces de l'exposition, mélange des effets personnels du poète et de ses œuvres d'art : chaises, vieilles bottes, machines à écrire, boulets de canon peints, grandes affiches et photomontages, miroirs fendus, machines à coudre et manuscrits.

Pièce conçue pour symboliser le monde poétique de Maïakovski

Maïakovski vécut dans cet immeuble de 1919 jusqu'à sa mort, en 1930. Une seule pièce, au quatrième étage, a été meublée comme elle devait l'être à l'époque. Les années qu'il passa ici furent marquées par sa longue liaison avec Lily Brik, la femme de son ami Ossip Brik.

C'est également au cours de cette période qu'il écrivit ses deux pièces satiriques les plus célèbres, *La Punaise* et *Le Bain*.

La dernière partie de l'exposition est consacrée au suicide du poète, à l'âge de 37 ans. Deux masques mortuaires sont présentés : un noir et un blanc. Après sa mort, Staline *(p. 27)* salua Maïakovski comme le plus talentueux des poètes soviétiques et continua à utiliser son œuvre à des fins de propagande.

VLADIMIR MAÏAKOVSKI

Né en Géorgie en 1893, Maïakovski grandit à Moscou et prit part au mouvement révolutionnaire dès l'âge de 14 ans. Il y gagna ses galons de révolutionnaire en étant arrêté trois fois en deux ans. Il s'intéressa également aux idées d'avant-garde et fut l'un des fondateurs du mouvement futuriste, dont il signa le manifeste, *La Gifle au goût public,* en 1912. Il s'engagea à fond dans la révolution *(p. 26-29)* et devint l'un de ses propagandistes les plus zélés, mais supporta fort mal les positions rigides et restrictives de la société soviétique dans les années 20, et l'amertume qu'il en éprouva n'est peut-être pas étrangère à son suicide, en 1930.

Place Loubianka
Лубянская площадь
Loubianskaïa plochtchad

Plan 3 B5. **M** *Loubianka.*

S ynonyme de terreur et de police secrète, le nom Loubianka a rempli d'effroi des générations de citoyens soviétiques. En 1918, la Tchéka (précurseur du KGB), dirigée par le redoutable Félix Dzerjinski, occupa les bureaux de la compagnie d'assurances Rossia, à l'extrémité nord de la place.

Dans les années 30, le bâtiment fut agrandi et une immense prison fut aménagée en sous-sol. Le KGB y interrogea, tortura, emprisonna et exécuta des centaines de milliers de gens. En 1947, il fallut construire une aile supplémentaire tant le nombre des accusés s'était multiplié sous le régime de Staline *(p. 27).* Alexeï Chtchoussev *(p. 45)* fut chargé d'en faire les plans. En dépit de nombreux changements de nom (et des déclarations concernant les changements de politique), les services secrets russes occupent toujours le bâtiment.

Le statue de Dzerjinski qui trônait au centre de la place Loubianka fut renversée sans cérémonie au lendemain du coup d'État manqué contre le président Gorbatchev, en 1991 *(p. 31).* On peut maintenant la voir dans le Cimetière des monuments déboulonnés *(p. 135).* Aussi surprenant que cela

**Félix Dzerjinski
(1877-1926)**

paraisse, les autorités soviétiques construisirent en 1957, juste en face du siège du KGB, le plus grand magasin de jouets de Russie, Dietski Mir (Le Monde des Enfants) *(p. 185).*

Tchistoproudny boulvar
Чистопрудный бульвар
Tchistoproudny boulvar

Plan 3 C4. **M** *Tchistye Proudy.*

T chistoproudny boulvar fait partie de la célèbre ceinture des Boulevards construite à l'emplacement des remparts de l'ancienne Bely Gorod (la « ville blanche »), après l'incendie de 1812 *(p. 24).*

Des belles demeures qui bordent le boulevard, on remarque, au n° 19a, l'élégant portique de style classique du théâtre Sovremennik, qui occupe le bâtiment du cinéma construit en 1914 par Roman Klein. Un peu plus loin se trouve l'immeuble où vécut, de 1920 à 1934, Sergueï Eisenstein, le réalisateur d'*Octobre* et du *Cuirassé Potemkine.*
Tchistoproudny boulvar traverse le quartier appelé autrefois Miasnitskaïa car des bouchers *(miasniki)* y travaillaient au XVII° siècle. Il existe toujours une rue Miasnitskaïa entre la place Loubianka et Tchistoproudny boulvar.

Le grand étang situé entre les chaussées était utilisé par les bouchers pour y jeter les abats et autres déchets, mais,

Détails de reliefs sculptés sur la tour Menchikov

en 1703, la puanteur et les risques de maladies étaient si gênants qu'il fut nettoyé et rebaptisé Tchistye proudy (« boulevard des Étangs purs »).

La belle demeure bleu pâle située juste à côté, au n° 22 oulitsa Pokrovka, fut construite en 1766. Dans les années 20, elle abritait une école industrielle, qui compta parmi ses élèves la femme de Staline, Nadejda, et le futur président Nikita Khrouchtchev *(p. 30).*

Tour Menchikov
Меньшикова башня
Menchikova bachnia

Arkhangelski pereoulok 15.
Plan 3 C4. **M** *Tourguenievskaïa, Tchistye Proudy.*

L 'église de l'Archange-Gabriel fut construite sur ordre du prince Alexandre Menchikov, conseiller et favori de Pierre le Grand. Ce modeste marchand de petits pâtés devint, grâce au soutien du tsar, l'un des hommes les plus puissants et les plus riches de Russie. Menchikov demanda à l'architecte Ivan Zaroudny, chargé de la construction de l'église en 1701, de prévoir un clocher un peu plus élevé que celui d'Ivan-le-Grand *(p. 57),* qui était jusqu'alors le monument le plus haut de Russie.

Des tailleurs de pierre venus spécialement de Iaroslav et de Kostroma, et plusieurs artistes italiens travaillèrent sur ce projet, réalisant de magnifiques sculptures en pierre. La flèche en bois, surmontée d'un ange doré, contenait une horloge anglaise de grand prix. Les pieux Moscovites ne furent cependant pas impressionnés par cet étalage de richesse, et,

L'ancien siège du KGB de sinistre mémoire, sur la place Loubianka

quand le clocher fut détruit par la foudre en 1723, beaucoup y virent un châtiment divin. Le clocher fut reconstruit sans la flèche entre 1773 et 1780. L'église fut l'une des rares à rester ouverte durant la période soviétique, et une grande partie de la décoration intérieure a subsisté.

À côté de la tour se dresse la petite église de Saint-Fiodor-Sratilate, qui était chauffée en hiver pour les paroissiens. Probablement construite par Ivan Egotov, elle date de 1806.

Boutique Perlov ㉑

Чай-кофе магазин
Tchaï-kofe magazine

Miasnitskaïa oulitsa 19. **Plan** 3 B4.
925 4656. de 8 h à 13 h, de 14 h à 20 h, du lun. au sam. M Tchistye Proudy, Tourguenievskaïa.

La salle d'attente du luxueux établissement de bains Sandounovski

Ce magasin fut construit par R. Klein en 1890 pour le marchand de thé Perlov. Cinq ans plus tard, apprenant la prochaine visite à Moscou du représentant officiel de l'empereur de Chine, Perlov voulut transformer la boutique pour le recevoir et demanda à Guippius de concevoir rapidement un nouveau projet. La façade, ornée de serpents, de dragons et de motifs décoratifs inspirés des pagodes, traduit une vision exotique de l'Orient. La décoration intérieure reprend le thème oriental. Finalement, le représentant chinois se rendit par erreur chez le neveu de Perlov, qui était, lui aussi, marchand de thé.

Couvent de la Nativité-de-la-Vierge ㉒

Рождественский монастырь
Rojdestvenski monastyr

Oulitsa Rojdestvenka 20. **Plan** 3 A4.
921 3986. t.l.j. de 8 h à 15 h et de 17 h à 20 h. M Kouznetski Most.

Transformé en logements à l'époque soviétique, cet ensemble de bâtiments conventuels, pratiquement laissé à l'abandon jusqu'en 1991, a été rendu à l'Église orthodoxe russe.

Fondé en 1386 par la princesse Maria Serpoukhovski, belle-fille d'Ivan Ier *(p. 18),* ce couvent, situé à la limite de Bely Gorod, était l'un des monastères fortifiés construits autour de Moscou.

La cathédrale, édifiée sur ordre d'Ivan III *(p. 18)* entre 1501 et 1505, possède une haute tour à *kokochniki (p. 44),* surmontée d'une coupole.

La petite église à cinq dômes de Saint-Jean-Chrysostome et une partie des anciens remparts en brique ont également subsisté. Le clocher jaune à étages fut bâti en 1835.

Le clocher du couvent de la Nativité-de-la-Vierge

Bains Sandounovski ㉓

Сандуновские бани
Sandounovskie bani

Neglinnaïa oulitsa 14, stroïenie 4-7.
Plan 3 A4. 925 4631. de 8 h à 22 h du mer. au lun. (dern. entrée 20 h). M Kouznetski Most.

Les premiers bains Sandounovski furent construits pour l'acteur Sandounov en 1808. Ils furent remplacés, en 1895, par cet édifice orné d'une splendide façade, conçu par Boris Freidenberg.

On entre par un grand porche richement décoré de sculptures qui représentent des nymphes à cheval sortant de la mer et soufflant dans des coquilles de triton. Mais l'établissement est surtout renommé pour sa somptueuse décoration intérieure, mélange flamboyant de styles baroque, gothique et mauresque, en partie inspiré de l'Alhambra de Grenade. Les bains peuvent accueillir jusqu'à 2 000 clients par jour. Les pièces les plus belles, et les plus chères, sont celles du premier étage qui donnent sur une succession d'étroits couloirs. Les clients peuvent y acheter des branches de bouleau pour se fouetter, conformément à la coutume des bains de vapeur russes.

Rayons de thé derrière le comptoir de l'élégante boutique Perlov

ZAMOSKVORIETCHIE

L e quartier de Zamoskvorietchie (littéralement « au-delà de la rivière de Moscou »), qui existe depuis le XIIIe siècle, servait d'avant-poste contre les Mongols. La rue principale, Bolchaïa Ordynka, était la route de l'*Orda*, la Horde d'Or, place forte des Mongols sur la Volga. Sous Ivan le Terrible, les streltsy (la garde impériale) s'y installèrent, de même que les artisans fournisseurs du Kremlin, regroupés par spécialités, et dont chaque corporation finança la construction d'une église. Grâce à ces

Icône au couvent Saintes-Marthe-et-Marie

églises historiques, aujourd'hui plus ou moins bien conservées, et parce que le quartier ne fut pas touché par les travaux de reconstruction des années 30, cette partie de la ville a gardé plus de caractère que le centre, dominé par la lourde architecture soviétique. Au XIXe siècle, de riches négociants s'y établirent, parmi lesquels de nombreux mécènes comme Alexeï Bakhrouchine et Pavel Tretiakov. La galerie Tretiakov, riche des acquisitions de son fondateur, abrite aujourd'hui la plus importante collection d'art russe du pays.

LE QUARTIER D'UN COUP D'ŒIL

Églises et monastères
Église Notre-Dame-Consolatrice-de-tous-les-Affligés ❹
Église de la Résurrection-de-Kadachi ❷
Église du Pape-Saint-Clément ❺
Église Saint-Nicolas-de-Pyji ❻
Couvent Saintes-Marthe-et-Marie ❼

Musées et galeries
Musée du Théâtre Bakhrouchine ❾
Galerie Tretiakov p. 118-121 ❶
Musée Tropinine ❽

Bâtiment historique
Confiserie ❸

Rue
Quai Sainte-Sophie ❿

COMMENT Y ALLER

Tretiakovskaïa, Novokouznetskaïa et Paveletskaïa sont les stations de métro du quartier. Les trolleybus 1, 4, 7, 8, 33, 37 et 62, les bus 6, 25 et к, et les trams 3, 39 et A desservent également Zamoskvorietchie.

LÉGENDE

Plan du quartier pas à pas
Voir p. 116-117

M Station de métro

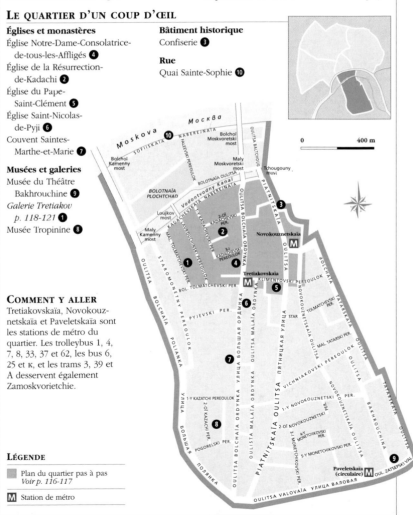

◁ **Zamoskvorietchie : le canal Vodootvodny sous la neige durant le rigoureux hiver moscovite**

Autour de Piatnitskaïa oulitsa pas à pas

A vec leurs rues bordées de belles églises et d'imposantes demeures néo-classiques du xixᵉ siècle, les alentours de Piatnitskaïa oulitsa ont conservé le charme des vieux quartiers. Le marché de Klimentovski pereoulok, qui commence à la sortie de la station de métro Tretiakovskaïa et se prolonge par les nombreux commerces de la rue Piatnitskaïa, en constitue la partie la plus animée. La célèbre galerie Tretiakov n'est qu'à quelques pas de là, en allant vers l'ouest. Au nord, le quartier est limité par le canal Vodootvodny, construit entre 1783 et 1786 pour empêcher les inondations qui se produisaient lors des crues printanières de la Moskova.

Canal Vodootvodny

★ Église de la Résurrection-de-Kadachi
Avec son clocher élancé surmonté d'une flèche et sa riche ornementation en pierre blanche, cette superbe église est un bel exemple du style baroque Narychkine (p. 44) ❷

★ Galerie Tretiakov
Elle abrite la plus importante collection d'art russe du monde. Devant la galerie se dresse la statue de Pavel Tretiakov (p. 120) qui a retrouvé sa place après avoir été enlevée à l'époque soviétique ❶

La maison Demidov fut construite en 1789-1791 par une célèbre famille d'industriels.

Église Notre-Dame-Consolatrice-de-tous-les-Affligés
Deux des plus célèbres architectes de Moscou participèrent à la construction de cette église très vénérée. Bajenov conçut le clocher et Bove (p. 45), la rotonde ❹

Un musée du Verre moderne occupe l'ancienne église du monastère Saint-Jean.

L'église des Saints-Michel-et-Fiodor, datant de la fin du XVIIe siècle, porte le nom de deux martyrs tués par les Mongols pour avoir refusé de renier le christianisme.

PLAN DE SITUATION
Voir Atlas des rues, plan 7

Kremlin

Église St-Jean-Baptiste

Centre culturel du panslavisme

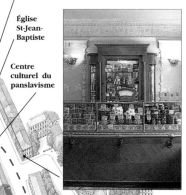

Confiserie
Cette appétissante boutique, au nº 9, n'a guère changé depuis le début du XXe siècle. Elle a gardé ses comptoirs en bouleau, ses installations en cuivre et sa décoration en stuc ❸

PIATNITSKAÏA OULITSA

Novokouznetskaïa

Église du Pape-Saint-Clément
La construction de cette splendide église baroque, à quatre dômes noirs parsemés d'étoiles et un dôme central doré, commença en 1720 et dura plusieurs décennies. Entre 1756 et 1758, on y ajouta un réfectoire et un beffroi ❺

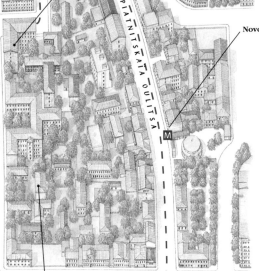

KLIMENTOVSKI PEREOULOK

Le marché de Klimentovski pereoulok regorge de fruits, légumes et autres produits de base.

etiakovskaïa

0   100 m

L'hôtel Dolgov
Cette belle demeure néoclassique, à la façade richement décorée, fut construite dans les années 1770 pour un marchand fortuné nommé Dolgov, sans doute par son gendre Vassili Bajenov *(p. 44).*

À NE PAS MANQUER

★ **La galerie Tretiakov**

★ **L'église de la Résurrection-de-Kadachi**

LÉGENDE

– – – Itinéraire conseillé

La galerie Tretiakov ❶

Третьяковская галерея
Tretiakovskaïa galereïa

Escalier
vers le
rez-de-
chaussée

En 1892, le riche marchand et fabricant de textiles Pavel Tretiakov fit don de son musée privé d'art russe à la Ville de Moscou. Son frère, Sergueï, légua également un certain nombre d'œuvres, et, depuis lors, les collections de la galerie Tretiakov n'ont cessé de croître. C'est actuellement la plus grande collection d'art russe du monde. L'étonnante façade, réalisée d'après les dessins de l'artiste Victor Vasnetsov, est ornée en son centre d'un bas-relief représentant saint Georges et le dragon. Une aile supplémentaire fut ajoutée à la galerie en 1930. Il est aujourd'hui question de transférer certaines œuvres du début du XXᵉ siècle dans la Nouvelle Galerie Tretiakov *(p. 135).*

Portraits par Ivan Kramskoï *(p. 120)*

1ᵉʳ étage

L'Apparition du Christ au peuple *par le peintre romantique du XIXᵉ siècle Alexandre Ivanov (p. 120).*

Les corneilles sont revenues *(1871)*
Ce sombre paysage d'hiver d'Alexeï Savrassov contient un message d'espoir : pour les Russes, les corneilles annoncent le retour du printemps.

Portrait d'Arsène Tropinine, fils de l'artiste *(v. 1818)*
Ce portrait est l'œuvre du célèbre artiste Vassili Tropinine. Il fut serf pendant 47 ans avant d'être émancipé et de pouvoir vendre sa peinture.

Escalier du sous-sol

Portraits par Ilia Repine *(p. 120)*

SUIVEZ LE GUIDE !
La galerie possède 62 salles aménagées sur deux niveaux. En entrant dans le musée, on descend d'abord au sous-sol, où se trouve la caisse, puis on monte directement au premier. Dans les salles 1 à 54, les tableaux sont présentés dans l'ordre chronologique. Après la salle 34, un escalier mène au rez-de-chaussée. Des bijoux russes sont exposés dans la salle 55, tandis que les salles 56 à 62 contiennent des icônes et d'autres bijoux.

★ **Le Démon assis** *(1890)* Ce tableau est un exemple du style étonnamment moderne, adopté par Mikhaïl Vroubel dans ses œuvres inspirées du poème symboliste de Mikhaïl Lermontov, Le Démon *(p. 82),* qui obsédait le peintre.

Au-dessus de la ville *(1924)*
Ce tableau de Chagall représente l'artiste et sa femme, Bella Rosenfeld, volant vers la liberté. Chagall pensait que l'amour et la liberté étaient étroitement liés.

Rez-de-chaussée

Le Matin de l'exécution des streltsy est de Sourikov. Le peintre utilisait l'histoire pour illustrer des problèmes de la société contemporaine.

MODE D'EMPLOI

Lavrouchinski pereoulok 10.
Plan 7 A3. ☎ *951 1362.*
Ⓜ *Tretiakovskaïa.* 🚌 *25.* 🚎
1, 4, 7, 8, 33, 62. ◯ *de 10 h à 19 h 30 du mar. au dim.* 🖼 ♿ 📷
🔌 📷 🍴 📷

★ La Trinité *(v. 1420)*
Cette superbe icône fut peinte par Roublev (p. 61) pour le monastère de la Trinité-Saint-Serge (p. 156-159), où il avait fait son noviciat. Il le dédia au fondateur du monastère, saint Serge de Radonèje (p. 159).

28
39
41
38
42
40
37
36
35
61
55
54
62
60
53
52
56
59
51
57
50
58

Escalier du 1ᵉʳ étage

Escalier vers le sous-sol

Sortie

Entrée principale, caisses, information, toilettes et vestiaires

Bijoux russes

Façade
Ornée d'une frise inspirée de manuscrits du Moyen Âge, la façade de la galerie, conçue en 1902 par Vasnetsov, est caractéristique du style néo-russe (p. 45).

À NE PAS MANQUER

★ La Trinité
de Roublev

★ Le Démon assis
de Vroubel

LÉGENDE

☐ XVIIIᵉ et début XIXᵉ siècle

☐ Seconde moitié du XIXᵉ siècle

☐ Fin XIXᵉ et début XXᵉ siècles

☐ Dessins et aquarelles du XVIIIᵉ-XXᵉ siècle

☐ Icônes et bijoux

☐ Espace sans expositions

À la découverte de la galerie Tretiakov

Constituées par les tableaux légués, après la révolution, par Pavel Tretiakov, les collections de la galerie furent complétées par les nombreuses collections privées nationalisées par le régime soviétique. Elles comprennent aujourd'hui plus de 100 000 œuvres russes. Les peintures postérieures à la révolution, principalement des œuvres marquées par le réalisme socialiste, sont exposées aujourd'hui à la Nouvelle Galerie Tretiakov *(p. 135),* tandis que la galerie principale présente des œuvres d'art russe allant des icônes médiévales aux peintures du début du XXe siècle.

Portrait d'Ursula Mnitchek,
par Dimitri Levitski

XVIIIe ET DÉBUT
XIXe SIÈCLE

Pendant plus de 600 ans, la peinture russe garda un caractère essentiellement religieux. Au XVIIIe siècle, une profonde transformation s'opéra toutefois sous l'influence de l'art profane des artistes européens, en particulier dans le domaine du portrait où l'on vit apparaître des toiles d'une grande maîtrise technique, comme celles du peintre Vladimir Borovikovski (1757-1825), de Fiodor Rokotov (v. 1736-1808) et de Dimitri Levitski (v. 1735-1822), à qui l'on doit l'exquis *Portrait d'Ursula Mnitchek.* Le mouvement romantique est représenté par des artistes tels que Vassili Tropinine, qui a peint un portrait de son fils sensible et raffiné, et Oreste Kiprenski, auteur d'un célèbre *Portrait d'Alexandre Pouchkine* (1827). Plusieurs scènes historiques d'Alexandre Ivanov (1806-1858) sont également exposées, notamment le remarquable tableau intitulé *Le Christ révélé au peuple,* commencé en 1837 et fini 20 ans plus tard.

SECONDE MOITIÉ
DU XIXe SIÈCLE

La peinture de cette période est dominée par le réalisme. En 1870, un groupe d'artistes fonde la Société des expositions ambulantes. Pour les membres de ce mouvement, qu'on appela bientôt les Ambulants *(peredvijniki),* l'art devait être « socialement utile » et dénoncer les injustices et inégalités. Un de leurs chefs de file était Vassili Perov (1834-1882), dont le *Thé à Mitichtchi* illustre l'hypocrisie du clergé. Un autre Ambulant, Vassili Sourikov, avec *Le Matin de l'exécution des streltsy* (1881), donne une interprétation réaliste d'un épisode dramatique de l'histoire russe. L'autre chef de file du groupe, Ivan Kramskoï, s'est attaché à faire apparaître dans ses tableaux le caractère intime de ses personnages, notamment dans le *Portrait d'une femme inconnue* et le *Portrait de Pavel Tretiakov.*

La galerie présente aussi de nombreux paysages peints par les Ambulants, dont *Une cour à*

PAVEL TRETIAKOV

Tretiakov commença à acheter des œuvres d'artistes russes en 1856 et s'intéressa aux Ambulants. Sa collection ayant pris de l'importance, il décida d'agrandir son hôtel particulier et d'en faire un musée. En 1892, il fit don de ses collections à la Ville de Moscou et dirigea la galerie pendant les six dernières années de sa vie.

Portrait de Pavel Tratiakov,
peint par Ivan Kramskoï en 1883

Moscou (1878), de Vassili Polenov et *Les corneilles sont revenues* (1871) d'Alexeï Savrassov.

Parmi les Ambulants, Ilia Repine (1844-1930) était sans doute l'artiste le plus éclectique. La galerie possède son immense toile intitulée *Procession religieuse dans la province de Koursk,* ainsi que *On ne l'attendait pas, Ivan le Terrible et son fils Ivan le 16 novembre 1581,* et aussi d'excellents portraits de contemporains du peintre.

Portrait d'une femme inconnue, peint par Ivan Kramskoï en 1883

La Baignade du cheval rouge, peint en 1912 par Petrov-Vodkine

FIN DU XIXᵉ ET DÉBUT DU XXᵉ SIÈCLE

Dans les années 1890, la nouvelle génération d'artistes se tourna vers « l'art pour l'art ».

Peintre novateur, Mikhaïl Vroubel (1856-1910) fut influencé par la poésie des symbolistes russes. Bon nombre de ses œuvres, comme *Le Démon assis,* trahissent un esprit sombre et tourmenté.

La peinture française eut une influence considérable sur cette génération d'artistes et sur les suivantes. Cela apparaît dans le tableau intitulé *Paris, boulevard des Capucines,* peint en 1911 par Konstantin Korovine. Le style des premières toiles de Valentin Serov (1865-1911) est également très proche de l'impressionnisme, comme en témoigne sa *Petite Fille aux pêches (p. 47),* portrait de la fille du mécène Mamontov.

Pendant les dix années qui précèdent la Première Guerre mondiale, Moscou devient le centre du mouvement d'avant-garde russe qui s'ouvre aux nouveaux courants venus de l'étranger tels que le cubisme et le futurisme, et puise des idées dans l'art populaire du pays, dont s'inspire le primitivisme. Caractérisée par des formes hardies et des couleurs éclatantes, la peinture primitiviste est représentée notamment par les œuvres de Vladimir Tatline (1885-1953), *Staro Basmannaïa - Planche nᵒ 1,* et de Natalia Gontcharova (1881-1962), *La Baignade des chevaux.*

Quant à Kouzma Petrov-Vodkine (1878-1939), auteur de *La Baignade du cheval rouge,* il s'intéresse surtout à la recherche technique.

À cette époque, la liberté d'expression n'était pas toujours possible pour les artistes, et certains, comme Marc Chagall (1887-1985) et Vassili Kandinsky (1866-1944), passèrent la plus grande partie de leur existence à l'étranger. Plusieurs de leurs tableaux sont exposés ici, entre autres *Au-dessus de la ville* (1924) de Chagall.

Certaines œuvres du début du XXᵉ siècle devraient être transférées à la Nouvelle Galerie Tretiakov, consacrée au réalisme socialiste.

La Transfiguration (v. 1403), par un disciple de Théophane le Grec

DESSINS ET AQUARELLES

La galerie possède une importante collection de croquis, lithographies et aquarelles d'artistes du XVIIIᵉ au XXᵉ siècle, mais pour éviter leur dégradation par la lumière, on n'en expose qu'une partie à la fois.

Parmi les aquarelles figurent notamment une exquise amazone de Karl Brioullov (1799-1852) et quelques esquisses de scènes bibliques par Ivanov. À côté des paysages d'Isaac Levitan (1861-1900) et de Konstantin Korovine, les portraits au crayon d'artistes comme Repine, Serov et Natalia Gontcharova frappent par la finesse du dessin.

ICÔNES ET BIJOUX

La galerie Tretiakov possède une belle collection d'icônes des XIIᵉ-XVIIᵉ siècles. La peinture d'icônes russe a hérité de l'art byzantin les couleurs sombres et les images de saints figées et idéalisées. Une des icônes les plus vénérées est la célèbre Vierge de Vladimir *(p. 61),* du XIIᵉ siècle, originaire de Byzance, mais apportée à Moscou après avoir transité par Kiev et Vladimir.

Les peintres d'icônes russes allégèrent leurs palettes en introduisant des teintes comme l'ocre jaune, le rouge vermillon et le blanc, technique illustrée notamment dans *La Transfiguration* (v. 1403), œuvre d'un disciple de Théophane le Grec *(p. 61).*

La merveilleuse icône d'Andreï Roublev intitulée *La Trinité* date des années 1420.

Elle est entourée d'icônes dues à d'autres maîtres de l'école de Moscou *(p. 61),* notamment à Dionysos (v. 1440-v. 1508).

Au rez-de-chaussée, on peut visiter une salle consacrée aux bijoux russes des XIIIᵉ-XXᵉ siècles.

La tour-clocher et les dômes de l'église de la Résurrection-de-Kadachi

Église de la Résurrection-de-Kadachi ❷

Церковь Воскресения в Кадашах

Tserkov Voskressenia v Kadachakh

2-oï Kadachevski pereoulok 7.
Plan 7 B3. M *Tretiakovskaïa.*
⬤ *au public.*

Cette église à cinq dômes est un des exemples les plus remarquables du baroque Narychkine *(p. 44)*. Elle est attribuée à Sergueï Tourtchaninov, architecte favori du patriarche Nikon *(p. 56-57)*. Le petit ensemble de bâtiments qui l'entoure comprend également un réfectoire et une tour-clocher à étages. Financée par une riche corporation de tisserands qui s'étaient installés dans le faubourg de Kadachi au XVIIe siècle, elle devait remplacer l'ancienne église en pierre du quartier de Kadechevo, auquel elle doit son nom.

Sa construction date probablement de 1687, mais l'élégant clocher, surmonté d'une flèche, fut ajouté dans les années 1690. En dehors des cinq bulbes verts, les éléments les plus frappants sont les rangées de petits frontons en pierre blanche finement sculptés qui couronnent l'édifice, en dessous des tourelles octogonales à bulbe. L'église est aujourd'hui un atelier de restauration d'art.

Confiserie ❸

Кондитерский магазин
Konditerski magazine

Piatnitskaïa oulitsa 9/28. **Plan** 7 B3.
M *Tretiakovskaïa.* ◷ *de 9 h à 13 h et de 14 h à 19 h, du lun. au ven. ; de 9 h à 13 h et de 14 h à 18 h le sam.*

Datant du début du XXe siècle, l'intérieur de cette boutique de confiserie a conservé presque intacte sa décoration d'origine. Désirant impressionner ses clients, le marchand Mikhaïl Babanine fit construire cet élégant magasin en prenant soin de ne laisser aucun détail au hasard. Les murs lavande et le plafond, soutenu par des piliers ronds, sont ornés de fines moulures en stuc. Des rampes en cuivre rutilantes et des lampes en bronze ajoutent au luxe du décor, ainsi que les comptoirs et les vitrines en précieux bois de bouleau poli. Les amateurs de sucreries seront certainement tentés par les étalages de chocolats et de bonbons multicolores empilés sur le comptoir et les étagères.

Église Notre-Dame-Consolatrice-de-tous-les-Affligés ❹

Церковь Богоматери Всех Скорбящих Радость
Tserkov Bogomateri Vsekh Skorbiachtchikh Radost

Oulitsa Bolchaïa Ordynka 20.
Plan 7 B3. M *Tretiakovskaïa.* ♿

L'église Notre-Dame-Consolatrice-de-tous-les-Affligés et la demeure néo-classique jaune située de l'autre côté de la rue appartenaient toutes deux aux Dolgov, une riche famille de marchands. Après la construction de sa maison, achevée dans les années 1770, Dolgov, beau-père de Vassili Bajenov *(p. 44)*, confia à son gendre la construction de l'église. Celui-ci commença par édifier un nouveau campanile et un réfectoire, qui font partie des rares bâtiments encore existants de cet architecte de talent, puis il remplaça l'ancienne église du XVe siècle entre 1783 et 1791. L'édifice fut achevé par les Koumanine, une autre famille de marchands.

Quelques années plus tard, l'église fut détruite par le grand

Bonbons multicolores alignés sur le comptoir de la confiserie

incendie de 1812 *(p. 24)*, puis rebâtie d'après les plans de l'architecte Ossip Bove *(p. 45)*. La rotonde et le dôme actuels de style Empire furent achevés en 1833.

La décoration de l'intérieur, avec sa colonnade circulaire, son imposante iconostase et ses anges sculptés exubérants, est inhabituelle pour une église orthodoxe. Dans l'aile gauche, autrefois dédiée à la Transfiguration, on peut voir l'icône de Notre-Dame-de-la-Consolation-de-tous-les-Affligés. On dit qu'elle aurait miraculeusement guéri au XVIIᵉ siècle la sœur du patriarche Joachim.

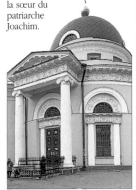

Notre-Dame-Consolatrice-de-tous-les-Affligés

Église du Pape-Saint-Clément **❺**
Церковь Святого Клементия
Tserkov Sviatovo Klementia

Klimentovski pereoulok 7. **Plan** 7 B3.
Ⓜ *Tretiakovskaïa*. 🔵 *au public*.

Cette imposante église rouge du XVIIIᵉ siècle, dont le nom commémore le pape Clément III (1187-1191), est aujourd'hui en fort mauvais état. En 1756-1758, le réfectoire et le beffroi actuels furent ajoutés à l'église qui datait des années 1720. Mais le sanctuaire fut démoli dans les années 1760 et remplacé par une nouvelle église commandée par le marchand Kouzma Matveev. Remarquable exemple du style baroque Narychkine tardif, l'édifice fut achevé en 1774 selon un projet attribué à l'architecte italien Pietro Antonio Trezzini, qui semble n'être jamais allé à Moscou et

Dômes de l'église baroque du Pape-Saint-Clément, achevée en 1774

envoya probablement ses plans de Saint-Pétersbourg.

La façade rouge et blanche est couronnée de quatre dômes noirs, ornés d'étoiles dorées, entourant une cinquième coupole dorée.

Fermée depuis de nombreuses années pour raison de sécurité, l'église ne sera vraisemblablement pas rouverte avant quelque temps.

Église Saint-Nicolas-de-Pyji **❻**
Церковь Николая в Пыжах
Tserkov Nikolaïa v Pyjakh

Oulitsa Bolchaïa Ordynka 27 a/8.
Plan 7 B3. Ⓜ *Tretiakovskaïa*.

Cette splendide église à cinq dômes argentés, ornés de petites couronnes et de croix traditionnelles, fut construite entre 1670 et 1672, grâce aux dons des streltsy, les gardes royaux qui habitaient autrefois ce quartier. Certains d'entre eux furent massacrés par Pierre le Grand pour avoir participé, en 1682, à la révolte des streltsy *(p. 22)*. Des sommes importantes furent consacrées à la décoration extérieure, qui présente de superbes corniches chantournées et des encadrements de fenêtre très ouvragés. L'élégant clocher à étages est le plus beau de toute la ville.

L'iconostase contient quelques icônes anciennes ainsi que des copies d'icônes plus célèbres.

Saint-Nicolas-de-Pyji, église du XVIIᵉ siècle magnifiquement décorée

Le couvent de Saintes-Marthe-et-Marie, fondé en 1908 et conçu par Chtchoussev

Couvent de Saintes-Marthe-et-Marie ❼

Марфо-Мариинская обитель

Marfo-Marinskaïa obitel

Oulitsa Bolchaïa Ordynka 34. **Plan** 7 B4.
[C] *951 8446.* [M] *Tretiakovskaïa, Polianka.* [O] *tous les jours.* [&] [✶]

Un peu en retrait de la rue, par un porche voûté, on aperçoit un ensemble de bâtiments de style médiéval, dont la construction date en réalité des années 1908-1912.

Ce couvent, réalisé d'après un projet de Chtchoussev *(p. 45)*, était conçu pour abriter un dispensaire, une clinique, un petit hôpital de femmes et une école. Il était dirigé par l'ordre des Sœurs de la Charité, fondé par la grande-duchesse Élisabeth Fiodorovna, belle-sœur du tsar Nicolas II. Cette femme s'était consacrée aux œuvres chari-

tables après l'assassinat de son mari par une bombe terroriste durant la terrible année 1905 *(p. 26)*. Elle-même connut plus tard une mort violente : le lendemain de l'exécution du tsar Nicolas II et de sa famille, en 1918, les bolcheviks la jetèrent dans un puits de mine avec plusieurs autres membres de la famille impériale. Pour la construction de l'église de l'Intercession-de-la-Vierge, principal bâtiment du couvent, Chtchoussev entreprit des recherches approfondies sur l'architecture religieuse russe, en particulier celle des écoles de Pskov et Novgorod *(p. 44)*. Finalement, c'est l'église du Sauveur-dans-la-Forêt (une des églises du Kremlin détruites par Staline en 1930) qui semble lui avoir servi de modèle. Dans son ingénieux projet, Chtchoussev s'inspirait des styles russes traditionnels tout en y ajoutant quelques éléments modern style, comme les pignons pointus, et les reliefs sculptés dans la pierre blanche des murs extérieurs, où des caractères d'écriture slave voisinent avec des créatures mythiques.

L'artiste Mikhaïl Nesterov fut chargé de la réalisation des fresques de l'intérieur. Il dessina également l'habit des religieuses.

Après la révolution, la communauté religieuse fut supprimée, et l'église servit d'atelier de restauration d'icônes pendant plusieurs années. Les religieuses ont aujourd'hui repris leurs activités dans la clinique.

Musée Tropinine ❽

Музей ВА Тропинина

Mouzeï VA Tropinina

Chtchetininski pereoulok 10. **Plan** 7 B4.
[C] *953 9750.* [M] *Dobryninskaïa, Polianka.* [O] *de midi à 18 h 30, le lun., jeu. et ven. ; de 10 h à 16 h 30, le sam. et dim.* [✎] [∅] [✶]

Portraitiste prolifique et de grand talent, Vassili Tropinine peignit quelque 3 000 toiles. Spécialisé dans les portraits de personnages de la haute société, il est également connu pour avoir été l'un des premiers artistes russes qui ait peint des travailleurs. Les œuvres exposées au musée, un élégant bâtiment néo-classique bleu et blanc, permettent de suivre l'ensemble de sa carrière. Le mobilier et les objets décoratifs, de style Empire pour la plupart, sont contemporains de l'artiste.

La collection est constituée pour l'essentiel du fonds réuni par Vichnevski (1902-1978), qui, en tant que partisan de la révolution, eut la possibilité d'acquérir des tableaux pendant

***Jeune Fille en costume ukrainien* par Vassili Tropinine**

VASSILI TROPININE (1776-1857)

Originaire de Karpovo, près de Novgorod, Vassili Tropinine était né serf, mais son prodigieux talent fut découvert dès sa jeunesse. Envoyé à l'Académie des arts de Saint-Pétersbourg en 1798, il en fut retiré par son maître, qui l'employa dans sa propriété à la fois comme décorateur d'intérieur, pâtissier et valet. Émancipé en 1823, Tropinine s'installa à Moscou, où il devint portraitiste professionnel. Contrairement à beaucoup de portraitistes de son époque, il ne se limita pas à la peinture des membres de l'aristocratie mais choisit ses modèles dans toutes les couches de la société, peignant des paysans aussi bien que des nobles.

Meubles de style Empire du musée Tropinine

l'ère soviétique. À côté des toiles de Tropinine sont exposées des œuvres de certains de ses contemporains, notamment Kiprenski et Levitski, qui étaient, comme lui, élèves de l'Académie des arts de Saint-Pétersbourg. D'autres œuvres de ces artistes sont présentées à la Galerie Tretiakov *(p. 118-121)*.

Musée du Théâtre Bakhrouchine ❾
Театральный музей имени АА Бахрушина
Teatralny mouzeï imeni AA Bakhrouchina

Oulitsa Bakhrouchina 31/12. **Plan** 7 C5.
🄲 953 4470. 🄼 *Paveletskaïa.*
🄾 *de midi à 19 h du mer. au lun.* 🖾
🚫 🄲 *(Réserver).*

Fondé en 1894 par Alexeï Bakhrouchine, marchand et mécène, ce musée abrite sans doute la plus importante collection d'objets se rapportant à l'histoire du théâtre en Russie. Répartis sur deux étages, les objets exposés comprennent aussi bien des décors et des costumes que des billets, programmes, affiches et photos dédicacées.

Le sous-sol est consacré à la carrière du célèbre chanteur d'opéra Fiodor Chaliapine *(p. 83)*. Une des pièces maîtresses de cette collection est le somptueux costume de brocart porté par l'artiste dans *Boris Godounov*, l'opéra de Moussorgski.

Une autre exposition, consacrée aux débuts du théâtre russe, présente des marionnettes, des maquettes de théâtre, avec des décors, des peintures et gravures de divers spectacles.

Le théâtre du XIXᵉ siècle est illustré à travers les costumes et décors des Ballets russes. Certains décors sont de Michel Fokine, le chorégraphe de la célèbre troupe, fondée par Diaghilev. On

peut voir également une paire de chaussons ayant appartenu au danseur Nijinski.

La salle consacrée au théâtre d'avant-garde du XXᵉ siècle présente des maquettes de décors créés pour les deux grands metteurs en scène Stanislavski *(p. 93)* et Meyerhold *(p. 92)*.

Vue du Kremlin du quai Sainte-Sophie

Quai Sainte-Sophie ❿
Софийская набережная
Sofiskaïa nuberejnaïa

Plan 7 A2. 🄼 *Kropotkinskaïa, Borovitskaïa, Novokouznetskaïa.*

Situé en face du Kremlin, sur la rive sud de la Moskova, le quai Sainte-Sophie s'étend du Bolchoï Kamenny most (Grand Pont de pierre) au Bolchoï Moskvoretski most (Grand Pont de la Moskova).

Le quai fut construit à sa hauteur actuelle à la fin du XVIIIᵉ siècle et remanié en 1836. Il offre des points de vue spectaculaires sur le Kremlin et la ville.

Au XIVᵉ siècle, des habitants de Novgorod s'établirent sur cette rive de la Moskova et bâtirent la première église Sainte-Sophie. L'actuelle église date du milieu du XVIIᵉ siècle. Alexandre Kaminski y ajouta le clocher en 1862.

Le bel édifice néo-classique situé au nᵒ 14, construit en 1893 d'après un projet de Vassili Zalesski pour un riche industriel du sucre, abrite aujourd'hui l'ambassade britannique. L'intérieur a été conçu par Fiodor Chekhtel *(p. 45)*.

Projet de décor par Michel Fokine, au musée du Théâtre Bakhrouchine

EN DEHORS DU CENTRE

Si les abords de Moscou peuvent sembler un peu austères, ils recèlent pourtant nombre de sites intéressants à visiter, tous accessibles en métro. Au sud se trouvent plusieurs monastères fortifiés, construits pour défendre la ville contre les Mongols et les Polonais. Paisible sanctuaire du XVIᵉ siècle, le monastère Novodevitchi est doté d'une magnifique cathédrale. La beauté des espaces verts du monastère Danilovsti, un des plus anciens de Moqcou, vous surprendront. Les parcs Gorki, Izmaïlovo et de la Victoire sont également des lieux de détente très agréables, tandis que les monts des Moineaux offrent de superbes points de vue. En s'éloignant un peu plus du centre de la ville, on pourra découvrir de splendides domaines cachés dans ce qui était jadis la campagne, notamment Kouskovo et Ostankino, deux élégantes résidences d'été de style néo-classique, construites par la famille Cheremetev. Entourés de magnifiques jardins, leurs palais recèlent d'intéressants tableaux et meubles anciens.

Fresque, couvent Novodevitchi

LES SITES D'UN COUP D'ŒIL

Églises, couvents et monastères
Église de l'Intercession-de-la-Vierge dc Fili ❶
Église Saint-Jean-le-Guerrier ❿
Église Saint-Nicolas-des Tisscrands ❽

Monastère Danilovski ⓬
Monastère Donskoï ⓫
Kroutitskoïe podvorie ⓯
Monastère Saint-Andronic ⓱
Monastère Novodevitchi p. 130-131 ❻

Palais
Kouskovo p. 142-143 ⓰
Palais d'Ostankino ㉑

Musées et galeries
Kolomenskoïe p. 138-139 ⓭
Nouvelle Galerie Tretiakov ❾
Maison-musée Tolstoï ❼
Maison-musée Vasnetsov ⓴

Bâtiments historiques
Tsaritsyno ⓮
Maison-Blanche ❷

Parcs et jardins
Centre panusse des expositions (VVTs) ㉒
Parc Gorki ❺
Parc d'Izmaïlovo ⓲
Komsomolskaïa plochtchad ⓳
Monts des Moineaux ❹
Parc de la Victoire ❸

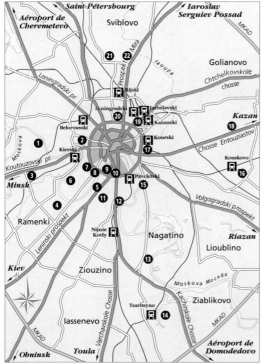

LÉGENDE

▪ Centre de Moscou

☐ Agglomération moscovite

🚉 Gare ferroviaire

═ Autoroute

▬ Route principale

═ Route secondaire

— Voie ferrée

◁ **Le magnifique pavillon italien d'Ostankino, réalisé par l'architecte italien Vincenzo Brenna**

Église de l'Intercession-de-la-Vierge de Fili ❶

Церковь Покрова в Филях

Tserkov Pokrova v Filiakh

Oulitsa Novozavodskaïa 6. **M** *Fili.*
⬤ *de 11 h à 18 h du jeu. au lun (mai-oct. :
uniquement l'église haute).*

Cette magnifique église de style baroque Narychkine *(p. 44)* fut construite sur ordre du prince Narychkine, oncle de Pierre le Grand, entre 1690 et 1693. Œuvre d'un architecte inconnu, l'édifice en brique rouge présente une extraordinaire structure à plusieurs étages, ornée de pilastres et de décorations en pierre blanche dentelée.

Les églises russes sont souvent composées de deux églises : une grande pour l'été, sans chauffage, et une plus petite et moins haute, avec peu d'ouvertures, ou quelquefois sans fenêtres, qui peut se chauffer facilement en hiver.

Ici, l'église d'hiver, située au rez-de-chaussée, abrite des expositions temporaires d'art religieux. En face, un escalier à double volée, autrefois emprunté par les processions, monte vers une terrasse entourant l'église d'été. Cette église abrite une iconostase due en partie à Karp Zolotarev.

L'élégante église de l'Intercession-de-la-Vierge de Fili, le plus bel exemple de baroque Narychkine

Armoiries dorées sur le clocher de la Maison-Blanche

Maison-Blanche ❷

Белый дом

Bely dom

Krasnopresnenskaïa naberejnaïa 2.
Plan 1 B5. **M** *Krasnopresnenskaïa.*
⬤ *au public.*

La Maison-Blanche, qui fut auparavant le siège du Parlement de la Fédération de Russie, attira l'attention du monde entier en août 1991, en devenant le foyer de résistance au coup d'État monté par les communistes conservateurs contre Mikhaïl Gorbatchev, alors président de l'URSS. Tandis que les rebelles retenaient Gorbatchev dans sa villa au bord de la mer Noire, où il était en vacances, Boris Eltsine, président de la république de Russie, prit la tête de l'opposition aux séditieux. Le monde entier le regarda franchir les lignes de tanks qui encerclaient la Maison-Blanche, personne n'osant l'arrêter. On le vit ensuite monter sur un tank et déclarer : « On peut construire un trône avec des baïonnettes, on ne peut longtemps y rester assis. » La victoire de Eltsine et de ses partisans fut bientôt suivie de l'éclatement de l'Union soviétique et de la fin du régime communiste. Mais en septembre 1993, on assista à un renversement des rôles. Eltsine étant devenu l'assiégeant, des centaines de députés s'enfermèrent dans la Maison-Blanche

pour protester contre la suspension du Parlement décidée par celui-ci, en réponse à l'opposition croissante des députés au nouveau projet de constitution. Le siège prit fin au bout de deux semaines lorsque Eltsine fit bombarder la Maison-Blanche, obligeant les députés à se rendre.

Le bâtiment noirci fut rapidement remis en état, mais ne retrouva pas sa fonction première. Aujourd'hui, le Parlement russe occupe un immeuble sur oulitsa Okhotny riad *(p. 86)*, et les bureaux du président se trouvent au Kremlin *(p. 52-67)*.

L'arc de triomphe célébrant la défaite de Napoléon en 1812

Parc de la Victoire ❸

Парк победы

Park pobedy

Koutouzovski prospekt. **M** *Koutouzovskaïa.* **Musée de la Grande Guerre patriotique** 📞 *148 5550.*
⬤ *de 10 h à 17 h du mar. au dim.*
♿ **Panorama de Borodino** 📞
148 1967. ⬤ *de 10 h à 18 h du sam.
au jeu.*

Ce parc était destiné à commémorer la victoire de la Seconde Guerre mondiale, que les Russes appellent la Grande Guerre patriotique *(p. 27)*, et on devait y construire un grand monument à la Mère Russie. Après la fin du régime communiste, le projet fut modifié, et le parc fut finalement achevé en 1995, pour le 50e anniversaire de la fin de la guerre.

C'est un parc sans fantaisie, avec des pelouses plantées de quelques arbres et entrecoupées d'allées tracées au cordeau.

Le gratte-ciel de style gothique-stalinien de l'université Lomonossov

L'allée principale, bordée de fontaines, conduit de la Koutouzovski prospekt jusqu'à un obélisque de 142 m de haut conçu par Zourab Tsereteli en l'honneur de Nikê, la déesse grecque de la Victoire.

Derrière ce monument se trouve le musée de la Grande Guerre patriotique, un bâtiment en demi-cercle où sont exposés des dioramas, des maquettes, des cartes et des armes.

Au bord de l'allée centrale, à côté d'un monument aux victimes de guerre, se dresse l'église Saint-Georges-le-Victorieux, bâtie en 1995, sans doute la première église construite en Russie depuis la révolution.

À l'est, deux grands mémoriaux ont été érigés le long de Koutouzovski prospekt en souvenir de la guerre de 1812 *(p. 23-25)*. L'imposant arc de triomphe d'Ossip Bove *(p. 45)* célèbre la victoire finale de Moscou sur les troupes napoléoniennes. Il est orné de sculptures de Vitali et Timofeev représentant des guerriers. Construit à l'origine sur Tverskaïa oulitsa en 1834, il fut démonté dans les années 30, au moment de l'élargissement de la rue, puis rétabli en 1968 à son emplacement actuel avec les sculptures d'origine.

Plus loin sur l'avenue, au n° 38, se trouve le musée de Borodino, qui abrite le panorama de Borodino, vaste peinture de 115 m de long sur 14 m de haut. Ce musée fut créé en 1912 par F. Roubaud pour marquer le centenaire de la bataille qui opposa les forces russes et l'armée de Napoléon.

Monts des Moineaux ❹
Воробьёвы горы
Vorobevy gory

Ⓜ *Ouniversitet.*

Du haut de ces hauteurs boisées, des vues exceptionnelles s'offrent sur l'ensemble de la ville. Sur oulitsa Kossyguina, une aire de point de vue est le rendez-vous des marchands de souvenirs, et aussi l'endroit où les jeunes mariés viennent se faire photographier.

L'université d'État de Moscou (MGU) domine ces collines du haut de ses 36 étages. C'est le plus élevé des sept gratte-ciel gothiques staliniens *(p.45)*. Réalisés d'après un projet de Lev Roudnev, ces gigantesques bâtiments ont été achevés en 1953.

À gauche de l'aire panoramique s'élève la petite église de la Trinité à dôme vert, datant de 1811. On trouve également deux longs tremplins de saut à ski, aujourd'hui un peu branlants.

Sur le versant sud-est des collines, le long du prospekt Vernadskovo, se dresse le palais des Pionniers, immeuble construit pour l'Union des jeunesses communistes. C'est

aussi sur cette avenue que se trouvent le Nouveau Cirque de Moscou, au toit argenté *(p. 190),* construit en 1971, et le Théâtre musical des Enfants de Natalia Sats *(p. 191).*

Parc Gorki ❺
Парк культуры и отдыха имени М. Горького
Park Koultoury I otdykha imeni M. Gorkovo

Krimski val 9. **Plan** 6 E4. Ⓜ *Park Koultoury, Oktiabrskaïa.* 📞 *237 0707.* ⏰ *t.l.j. de 10 h à 22 h.*

Le parc le plus célèbre de Moscou, dont le nom est un hommage à l'écrivain Maxime Gorki, s'étend sur plus de 120 ha le long des rives de la Moskova. Inauguré en 1928 sous le nom de Parc de Culture et Repos, il a intégré les jardins Golitsyne, dessinés par Matveï Kazakov *(p. 44)* à la fin du XVIIIe siècle, et le parc des Divertissements du XIXe siècle. Durant la période soviétique,

Plaque à l'entrée
du parc Gorki

on y installa des haut-parleurs qui diffusaient les discours des dirigeants communistes dans tout le parc. Aujourd'hui, on y trouve toute sorte d'attractions : manèges, chemins forestiers, lacs pour canoter, et un théâtre de verdure de 10 000 places ainsi qu'une patinoire, en hiver.

Le parc a été immortalisé dans les premières scènes du film de Michael Apted, *Gorky Park*. En réalité, le film fut tourné en Finlande à cause du climat politique tendu de 1983.

Le patinage au parc Gorki, une activité très populaire pendant les mois d'hiver

Monastère Novodevitchi ❻

Новодевичий монастырь
Novodevitchi monastyr

L e plus beau des monastères fortifiés, parmi ceux répartis en demi-cercle au sud de Moscou, est sans doute celui de Novodevitchi, fondé par le grand-prince Basile III en 1524 pour commémorer la prise de Smolensk, alors occupée par les Lituaniens. Seule la cathédrale de la Vierge-de-Smolensk date de cette époque. La plupart des autres bâtiments furent ajoutés à la fin du XVIIᵉ siècle par la régente Sophie. Après l'avoir détrônée pour prendre sa place en 1689 *(p. 22)*, le tsar l'enferma dans ce couvent pour le reste de ses jours. En 1812, les troupes de Napoléon essayèrent de faire sauter le monastère, mais on raconte qu'il fut sauvé par les religieuses qui éteignirent les mèches des bombes.

L'église de l'Assomption et le réfectoire attenant furent construits dans les années 1680, sur ordre de Sophie.

Tour du Sauveur

Tour à Facettes

Cellules des religieuses

Réfectoire

Tour Setouns Kraïa

Le palais d'Irène Godounov était occupé par la veuve du tsar Fiodor Iᵉʳ.

Cimetière de Novodevitchi

Église-porche de l'Intercession
L'architecte de cette église est inconnu, mais on suppose que sa construction date de la seconde moitié du XVIIᵉ siècle.

Église Saint-Ambroise

Le palais de Marie était utilisé par Marie, fille du tsar Alexis Mikhaïlovitch.

À NE PAS MANQUER

★ **La cathédrale de-la-Vierge-de-Smolensk**

★ **Le clocher**

★ **L'église de la Transfiguration**

Tour Vorobeva

Tour du Cordonnier

★ **La cathédrale de la Vierge-de-Smolensk**
Le plus ancien bâtiment du couvent est la cathédrale, construite en 1524. L'iconostase à cinq rangs, les magnifiques fresques et les coupoles datent toutes du XVIIᵉ siècle.

0   25 m

CIMETIÈRE DE NOVODEVITCHI

Beaucoup de Russes célèbres sont enterrés dans ce cimetière. Le monde de la culture y est représenté notamment par Anton Tchekhov, l'écrivain Nicolas Gogol, et les compositeurs Serge Prokofiev, Alexandre Scriabine *(p. 72)* et Fiodor Chaloapine *(p. 83)*. De nombreuses personnalités militaires et politiques de l'époque soviétique y reposent également, entre autres l'ancien président Nikita Khrouchtchev *(p.30)*.

La tombe de Nikita Khrouchtchev

MODE D'EMPLOI

Novodievitchi proïezd 1. 📞 *246 8526.* Ⓜ *Sportivnaïa.* 🚌 *69, 132 (p. 219).* ○ *de 10 h à 17 h du mer. au lun.* ● *oct.-avr. et certains jours fériés.* 🎫 ♿ *uniquement dans le parc.* 📷 *réservez à l'avance.* 🏛 ✝ *de 8 h à 17 h du lun. au sam., de 7 h à 10 h le dim.* **Cimetière** ○ *t.l.j. de 10 h à 18 h.*

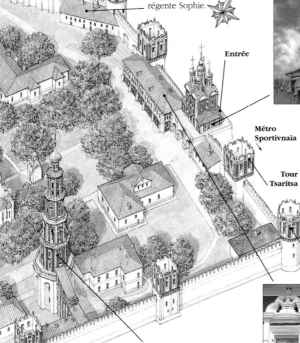

Tour Naproudnaïa

Ce corps de garde servit de prison à la régente Sophie.

Entrée

Métro Sportivnaïa

Tour Tsaritsa

Tour Saint-Nicolas

Tour du Tailleur

Hôpital

★ Église-porche de la Transfiguration
Cette splendide église baroque, achevée en 1688, est couronnée d'une rangée de kokochniki *ornés de coquilles et de cinq dômes dorés surmontés par des croix.*

★ Le clocher
Achevée en 1690, cette tour octogonale à six étages, de 72 m de haut, est l'un des exemples les plus exubérants de l'architecture baroque Narychkine à Moscou. L'église de Saint-Jean-le-Divin en occupe le deuxième étage.

Palais Lopoukhine
Après la mort de Pierre le Grand en 1725, sa première femme, Eudoxie Lopoukhine, quitta le couvent de Souzdal, où le tsar, lassé d'elle, l'avait envoyée, et elle s'installa dans ce palais.

Les superbes tours et églises à dômes de Novodevitchi, vues du nord ▷

Maison-musée Tolstoï ❼

Музей-усадьба ЛН Толстого

Mouzeï-oussadba LN Tolstovo

Oulitsa Lva Tolstovo 21. **Plan** 6 D4.
█ *246 9444.* Ⓜ *Park Koultoury.*
◯ *avril à sept. : de 10 h à 17 h, du mar. au dim. ; oct. à mars : de 10 h à 15 h 30 , du mar. au dim.*
▨ ⌀ ☝ *(réserver).*

Chaque recoin de cette maison en bois est imprégné de la présence du grand romancier russe, Léon Tolstoï (1828-1910). C'est ici que l'écrivain passa la plupart des hivers entre 1882 et 1901, en compagnie de son épouse, Sophia Andreevna, et de leurs neuf enfants survivants (ils en avaient eu 13). L'été, la famille habitait la grande propriété familiale de Iasnaïa Poliana *(p. 161)*, à 200 km de là.

La maison de Moscou, transformée en musée en 1921 sur ordre de Lénine, a été conservée à peu près dans l'état où elle devait être du vivant des Tolstoï.

Au rez-de-chaussée, le couvert est mis sur la grande table de la salle à manger. Sur le mur, la pendule à coucou rappelle que, chez les Tolstoï, le repas du soir était toujours servi à six heures précises. À côté de la salle à manger se trouve la « pièce du coin » où se retiraient les fils aînés, Sergueï, Ilia et Lev, pour jouer au billard chinois. La maison donne une impression de vie familiale bien réglée et

LÉON TOLSTOÏ

Vers 50 ans, Tolstoï était un écrivain de renommée internationale et avait déjà publié deux chefs-d'œuvre : *Guerre et Paix* (1865-1869) et *Anna Karénine* (1875-1877). Il continua à écrire des romans, mais désavoua ses premiers livres et le monde qu'ils dépeignaient, pour défendre une conception tout à fait personnelle d'« humanisme chrétien » fondé sur la non-violence, le végétarisme et une totale abstinence sexuelle. C'est au cours de cette période qu'il écrivit *La Mort d'Ivan Ilitch* et *La Sonate à Kreutzer* ainsi que son dernier grand roman, *Résurrection,* qui s'éloignait si ouvertement de l'orthodoxie que le saint-synode décida de l'excommunier en 1901. La même année, Tolstoï quitta Moscou pour se retirer à Iasnaïa Poliana, où il se consacra entièrement au mysticisme et à l'éducation des paysans vivant sur ses terres.

La salle à manger avec un tableau de Maria, la fille préférée de Tolstoï

confortable, mais des querelles violentes éclataient fréquemment entre Tolstoï et sa femme. La vie simple et retirée du monde dont rêvait l'écrivain était le principal sujet de discorde. Le couple se réconcilia pendant une courte période après la mort de leur plus jeune fils, Vania, emporté par la scarlatine à l'âge de sept ans. On peut encore voir la chambre de l'enfant, près de l'arrière-cuisine, avec sa chaise haute, son cheval à bascule et ses livres.

La chambre de la seconde fille de Tolstoï, Tatiana, est encombrée de bibelots et de souvenirs. C'était une artiste de talent, comme l'attestent ses peintures et croquis accrochés aux murs.

L'escalier qui monte au premier étage débouche sur le grand salon : une vaste pièce où l'on recevait à dîner les nombreux amis de

la famille. Parmi les familiers, on trouvait Serge Rachmaninov, qui accompagnait au piano (toujours là) le chanteur Fiodor Chaliapine *(p. 83),* l'artiste Ilia Repine, auteur d'un portrait de Tatiana suspendu dans la « pièce du coin », le critique musical Vladimir Stasov, et l'écrivain Maxime Gorki *(p. 95),* avec qui Tolstoï jouait aux échecs. Le petit salon attenant a été décoré par Sophia Andreevna elle-même.

La chambre de la fille préférée de l'écrivain, Maria, est plutôt sobre, et témoigne de sa sympathie pour les idées et la manière de vivre de son père.

À l'étage, au bout du couloir, se trouve le bureau de Tolstoï, une pièce spacieuse donnant sur le jardin, meublée avec un parti pris d'austérité et de simplicité : des sièges recouverts de cuir noir et un bureau sobre, éclairé par des chandelles. C'est là qu'il écrivit son roman *Résurrection*. Refusant d'admettre qu'il était myope, Tolstoï avait scié les pieds de sa chaise pour être plus près de ses papiers. Il tenait aussi à garder une bonne forme physique, comme le prouvent les haltères et une bicyclette dans le cabinet de toilette attenant. On peut également voir les outils qu'il utilisait pour ses activités de cordonnerie. Le jardin n'est accessible qu'aux visiteurs ayant choisi la visite guidée.

Le bureau de Léon Tolstoï, sur lequel il écrivit son dernier roman *Résurrection*

Le sompteux intérieur de l'église Saint-Nicolas-des-Tisserands

Église Saint-Nicolas-des-Tisserands ❽

Церковь Николая в Хамовниках

Tserkov Nikolaïa v Khamovnikakh

Oulitsa Lva Tolstovo 2. **Plan** 6 D4.
Ⓜ *Park Koultoury.* 🕐 *de 11 h à 17 h 30 du jeu. au mar.* ♿ 📷

D édiée au patron des tisserands, marins et fermiers, cette splendide église fut fondée au XVIIᵉ siècle par les tisserands du quartier *(khamovniki)*, qui voulaient surpasser l'église de la Résurrection-de-Kadachi *(p. 122)*, bâtie quelques années plus tôt par des tisserands concurrents, de l'autre côté de la rivière.

Lorsque Tolstoï occupait sa résidence d'hiver, située non loin de là, il assistait avec sa famille aux offices jusqu'à sa rupture avec les autorités religieuses. L'église resta ouverte au culte pendant toute la période communiste.

L'édifice frappe par une décoration extérieure aux couleurs vives, notamment les *kokochniki* orange et vert étagés, surmontés de cinq dômes dorés, et les murs ornés de carreaux à motifs imitant le tissage.

À l'intérieur, l'iconostase contient une icône de saint Nicolas, du XVIIᵉ siècle. On peut voir également une icône supposée miraculeuse de la Vierge.

Nouvelle Galerie Tretiakov ❾

Третьяковская галерея

Tretiakovskaïa galereïa

Krymski val 10. **Plan** 6 F3.
📞 *238 1378.* Ⓜ *Park Koultoury, Oktiabrskaïa.* 🕐 *de 10 h à 20 h, du mar. au dim.* 📷 ♿ 📷

C ette énorme bâtisse blanche, annexe de la galerie Tretiakov *(p. 118-121)*, est consacrée à l'art russe depuis la révolution jusqu'à nos jours. La plupart des toiles appartiennent au mouvement du réalisme socialiste, doctrine officielle imposée particulièrement par Staline aux artistes dans les années 30 *(p. 27)*. Ce mouvement s'inspirait de celui des Ambulants des années 1860, pour qui l'art devait avant tout jouer un rôle social, mais qui laissaient néanmoins une place importante au lyrisme et à la beauté *(p. 120)*. L'art prôné par le régime communiste s'attachait essentiellement à mettre en valeur les buts et les réalisations du socialisme et servait surtout les intérêts de l'État. Il suffit de citer quelques titres donnés aux tableaux pour en comprendre l'esprit : *La vie s'améliore, Construction de nouvelles usines, Rencontre inoubliable* (entre Staline et une jeune femme qui semble fascinée). Les réalisations technologiques étaient célébrées dans des toiles comme *Le Premier Dirigeable russe.*

Au début de l'exposition, les peintures modernistes sont certainement plus esthétiques. On découvre des tableaux d'artistes auparavant interdits, comme *Le Carré noir* de Kazimir Malevitch, et des œuvres des constructivistes comme Alexandre Rodtchenko et les frères Georgui et Vladimir Stenberg.

Des jardins de la galerie, on aperçoit une gigantesque statue de Pierre le Grand due à Zourab Tsereteli, érigée en 1997. À côté de la galerie, sur la rive de la Moskova, s'étend le Cimetière des statues déboulonnées, où sont regroupées quelques-unes des sculptures de l'époque soviétique retirées de leur socle. La place d'honneur revient à l'énorme statue de Félix Dzerjinski, ancien chef de la police secrète, qui fut arrachée de sa place devant la Loubianka, siège du KGB *(p. 112)*, en 1991.

Saint-Nicolas-des-Tisserands coiffé de dômes dorés

La gigantesque statue de Pierre le Grand, érigée en 1997, vue du Cimetière des statues

L'église polychrome Saint-Jean-le-Guerrier

Église Saint-Jean-le-Guerrier ❿

Церковь Иоанна Воина
Tserkov Ioanna Voïna

Oulitsa Bolchaïa Iakimanka 46.
Plan 6 F4. 238 2056.
Oktiabrskaïa.

Les plans de cette église, attribués à l'architecte Zaroudni, auraient été approuvés par Pierre le Grand *(p. 22)* lui-même. Construit entre 1709 et 1713, l'édifice est un très bel exemple de l'architecture baroque qui avait commencé à se développer sous le règne du tsar dans sa nouvelle capitale de Saint-Pétersbourg. L'église possède une tour octogonale étagée, entourée d'une élégante balustrade, et surmontée d'un toit en tuiles colorées dessinant des motifs géométriques.

Saint-Jean-le-Guerrier est un des rares sanctuaires qui soient restés ouverts après la révolution, et plusieurs œuvres d'art religieux y avaient été mises à l'abri. On peut encore les voir aujourd'hui, notamment l'icône du Sauveur, du XVIIᵉ siècle, qui se trouvait sur la tour du Sauveur *(p. 66)*, à l'époque entrée principale au Kremlin.

La maison Igoumnov, située de l'autre côté de la rue, est une étonnante bâtisse construite en 1893 par Nikolaï Pozdeev pour un riche marchand. Cet exemple typique d'architecture néo-russe flamboyante *(p. 45)* est occupé par l'ambassade de France.

Monastère Donskoï ⓫

Донской монастырь
Donskoï monastyr

Donskaïa plochtchad 1. 952 1646.
Chabolovskaïa. t.l.j. de 7 h à 19 h. uniquement le parc.

Le monastère Donskoï fut fondé par Boris Godounov en 1593, en l'honneur de l'icône de la Vierge du Don qui, selon une légende, avait sauvé Moscou des Mongols à deux reprises : une première fois en 1380 à Koulikovo, alors que l'icône accompagnait le prince Dimitri Donskoï au combat *(p. 155)*, et une seconde fois, en 1591, quand Boris Godounov s'en servit pour rallier ses troupes contre l'armée du khan Kazy Guireï, qui bâtit en retraite.

Les croissants de lune surmontés des croix dorées qui dominent le monastère symbolisent la défaite de l'Islam.

Le monastère d'origine n'était pas très grand, comme l'attestent les modestes dimensions de la Vieille Cathédrale

La Vieille Cathédrale du monastère Donskoï

(Stary sobor), bel édifice orné d'un dôme bleu vif et de *kokochniki (p. 44)*, où sont enterrés deux prélats orthodoxes : l'archevêque Amvrosi, tué par la foule durant des émeutes, au temps de la peste, en 1771, et le patriarche Tikhon, emprisonné par les bolcheviks.

À la fin du XVIIᵉ siècle, le monastère acquit un nouveau prestige sous le patronage de la régente Sophie et de son amant Golitsyne. L'enceinte fortifiée et la Nouvelle cathédrale (Novy sobor) datent de cette époque.

Construite entre 1684 et 1698 dans le style baroque Narychkine *(p. 44)*, la Nouvelle Cathédrale est un haut édifice en brique à cinq dômes. Elle renferme une iconostase à sept rangs et des fresques d'une grande richesse, peintes entre 1782 et 1785 par l'artiste italien Antonio Claudio. L'icône de la Vierge du Don se trouve aujourd'hui à la galerie Tretiakov *(p. 118-121)*, mais on peut en voir une copie dans la Vieille Cathédrale.

La Nouvelle Cathédrale du XVIIᵉ siècle de l'imposant monastère Donskoï

Monastère Danilovski ⓬

Даниловский монастырь
Danilovski monastyr

Danilovski val 22. 958 0502.
Toulskaïa. t.l.j. de 7 h à 19 h.

Fondé par le prince Daniel entre 1298 et 1300, le monastère Danilovski est le plus ancien de Moscou. Après la révolution, il fut utilisé comme usine et centre de détention pour mineurs, mais

EN DEHORS DU CENTRE

L'ÉGLISE
ORTHODOXE RUSSE

La religion chrétienne fut adoptée comme religion officielle en Russie en 988, lorsque Vladimir Ier *(p. 17)* se fit baptiser dans la foi orthodoxe. Au XIIIe siècle, les monastères devinrent des foyers de résistance contre les Mongols. L'Église joua un rôle essentiel jusqu'à la révolution, où elle fut rejetée dans la clandestinité. Après l'éclatement de l'Union soviétique, elle retrouva une nouvelle vitalité et, en 1992, Boris Eltsine fut le premier dirigeant russe à assister à un office religieux depuis 1917.

Décors ouvragés du portail à motifs de Tsaritsyno

depuis 1988, c'est le siège de l'Église orthodoxe russe.

Fondée au XVIe siècle par Ivan le Terrible *(p. 18)*, l'église à dôme vert des Pères-des-Sept-Conciles-Œcuméniques est la plus ancienne des trois sanctuaires à l'intérieur de l'enceinte. L'église principale, au premier étage, renferme une iconostase du XVIIe siècle avec des icônes contemporaines.

Au centre du monastère se dresse l'élégante cathédrale de la Trinité, conçue par Ossip Bove *(p. 45)* en 1833 et achevée cinq ans plus tard.

Le clocher rose du mur nord abrite l'église Saint-Daniel-le-Stylite. Construit entre 1730 et 1732, il avait été démoli dans les années 20. Les cloches avaient alors été vendues à l'université Harvard, mais ont maintenant retrouvé leur place dans le clocher reconstruit.

Kolomenskoïe ⑬

Voir p. 138-139.

Tsaritsyno ⑭
Царицыно
Tsaritsyno

Oulitsa Dolskaïa 1. 📞 321 0743. Ⓜ *Orekhovo, Tsaritsyno.* 🕐 de 11 h à 18 h, du mer. au ven., de 10 h à 18 h, le sam. et dim. (oct. à mars de 10 h à 16 h). 🎫 ♿ 📷 🎬

L orsque Catherine la Grande acheta ce domaine en 1775, elle remplaça l'ancien nom de Tchiornaïa Griaz (« boue noire ») par Tsaritsyno (« le village de la tsarine »), et demanda à l'un de ses architectes les plus inventifs, V. Bajenov *(p. 44)*, de concevoir et de bâtir un palais impérial qui rivaliserait avec ceux de Saint-Pétersbourg.

Bajenov imagina un ensemble de bâtiments d'un genre nouveau, mêlant les styles gothique, baroque et même mauresque, et Catherine approuva les plans. Mais quand elle visita le site en 1785, alors que les travaux étaient déjà bien avancés, elle se déclara insatisfaite et demanda au jeune collègue de Bajenov, M. Kazakov *(p. 44-45)*, de reconstruire le palais. Au bout de dix ans, les travaux n'étaient pas terminés, et la construction cessa par manque de fonds.

Aujourd'hui, le domaine est un lieu de promenade romantique avec des étangs et des chemins en sous-bois. Certaines des ruines ont été restaurées, mais le reste, laissé à l'abandon, a un charme que le palais achevé n'aurait peut-être jamais eu. La charpente du Grand Palais de Kazakov est la construction la plus imposante du domaine, mais certaines autres plus petites de Bajenov sont tout aussi remarquables. On peut voir, en particulier, le portail à motifs avec ses élégantes tours gothiques et ses fenêtres en ogive, le pont à motifs et le pavillon richement décoré de l'opéra à deux étages, un des rares bâtiments approuvés par Catherine II. L'extraordinaire portique du pavillon du Pain, avec son arche ornée de dents en pierre pointues, mène aux cuisines, tandis que l'octaèdre était destiné aux serviteurs. La séduisante église Saint-Nicolas à dôme blanc, aujourd'hui restaurée, date du XIXe siècle.

L'iconostase de l'église des Saints-Pères, monastère Danilovski

Kolomenskoïe ⑬

Коломенское
Kolomenskoïe

La tour du Faucon, construite en 1627, était utilisée comme château d'eau.

Réfectoire

L e village de Kolomenskoïe est mentionné pour la première fois dans le testament d'Ivan Ier *(p. 18),* en 1339. Au XVIe siècle, Kolomenskoïe était devenu une des résidences d'été favorites des tsars. L'église de l'Ascension, construite en 1532, compte parmi les plus anciens bâtiments. Un superbe palais en bois avait été édifié pour le tsar Alexis Mikhaïlovitch *(p. 19)* entre 1667 et 1671, mais il fut démoli au XVIIIe siècle. Après la révolution, le parc fut transformé en musée d'Architecture, où sont rassemblées des constructions en bois provenant de toute la Russie, notamment l'isba d'Arkhangelsk de Pierre le Grand. Le domaine comprend également le musée des Portes de Devant, où l'on peut voir une maquette du palais du tsar Alexis et des objets d'artisanat russe.

★ Église de l'Ascension
Cette magnifique église fut érigée en 1532 par Vassili III pour célébrer la naissance de son fils Ivan (plus tard le Terrible). L'élément le plus original de cette construction est la tour à chatier en pierre, une des premières de ce type en Russie.

Le pavillon est l'unique vestige du palais d'Alexandre Ier (1825).

Église Saint-Georges
Il ne reste aujourd'hui que le clocher de l' église Saint-Georges (XVIe siècle), qui se dressait jadis sur ce site.

Musée des Portes de Devant   **Brasserie d'hydromel**

Les Portes de Devant étaient l'entrée officielle du palais du tsar Alexis. Les deux ailes latérales abritent maintenant le musée des Portes de Devant.

MAQUETTE DU PALAIS DE BOIS

Kolomenskoïe fut considérablement agrandi sous le règne du tsar Alexis, qui ajouta au centre du domaine un gigantesque palais en bois d'une architecture étonnante, avec des bulbes et des toits en forme de barrique, et toute une ornementation sculptée. Les diplomates en visite le décrivaient comme la « huitième merveille du monde ». Il fut démoli en 1768 sur ordre de Catherine la Grande, qui, heureusement, en fit faire une maquette, aujourd'hui exposée au musée des Portes de Devant.

À NE PAS MANQUER

★ **L'église de l'Ascension**

★ **L'église Notre-Dame-de-Kazan**

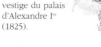

Église Saint-Jean-Baptiste
Située au sud du domaine principal, cette église fut construite sur ordre d'Ivan le Terrible pour célébrer son accession au trône en 1547.

Église St-Jean-
Baptiste

Cette église-porche, transportée à Kolomenskoïe en 1932, provient du monastère Saint-Nicolas-de-Carélie. Elle avait été construite en 1692, avec des pièces de bois entrecroisées, et sans clous.

Annexe du musée des Portes de Devant

Isba de Pierre le Grand
Cette simple cabane en rondins fut bâtie pour le tsar Pierre le Grand en 1702, lors de son voyage à Arkhangelsk (sur la côte nord de la Russie). Elle fut ramenée à Kolomenskoïe, en 1934, et restaurée.

Tour de la prison de Bratsk

Ces vieux chênes
auraient été plantés par Pierre le Grand.

0   25 m

La pierre de Boris (XIIe siècle) porte l'inscription : « Boris le fort, le courageux, le saint. »

La porte du Saint-Sauveur est l'entrée principale.

Métro
Kolomenskaïa

★ **Église Notre-Dame-de-Kazan**
Achevée en 1650 pour le tsar Alexis, cette étonnante église est un des premiers exemples du style baroque Narychkine (p. 44). On peut y voir une copie de l'icône de Notre-Dame-de-Kazan qui aurait aidé la Russie à chasser les envahisseurs polonais en 1612. Elle est aujourd'hui à nouveau ouverte au culte.

Kroutitskoïe podvorie ⓯

Крутицкое подворье
Kroutitskoïe podvorie

Kroutitskaïa oulitsa 11. **Plan** 8 E5.
C *276 9256.* **M** *Proletarskaïa.* **Parc**
O *t.l.j. de 8 h à 20 h.* ♿

Le nom de la procure vient du russe *kroutoï*, qui signifie « abrupt », rappelant que la rive escarpée de la Moskova est proche. Au XVIe siècle, le métropolite, qui résidait à l'origine au Kremlin, s'installa à la procure de Kroutitsky, lorsque la direction de l'Église orthodoxe russe lui fut retirée pour être confiée au patriarche *(p. 56)*.

Les bâtiments de style baroque, actuellement en cours de restauration, sont dominés par l'imposante cathédrale de l'Assomption, construite en 1685. Cet édifice entièrement en brique, y compris les dômes à bulbe, est relié au palais du métropolite par une galerie couverte à laquelle on accède par les Portes saintes, surmontées d'un petit pavillon appelé *teremok*. La galerie et le pavillon sont d'Ossip Startsev, architecte célèbre en Russie à la fin du XVIIe siècle par ses édifices religieux. La façade nord du *teremok* est ornée de fenêtres aux encadrements très ouvragés et revêtue de carreaux en céramique à motifs floraux.

Le palais du métropolite, moins travaillé, est un bel édifice également en brique rouge, surmonté de cheminées de forme pyramidale et doté d'un remarquable perron baroque adossé à sa façade sud.

Au début du XIXe siècle, la procure fut supprimée et servit de caserne et de prison et, après la révolution, de logement pour les ouvriers, dont les pavillons en bois existent toujours.

Kouskovo ⓰

Voir p. 142-143.

Monastère du Sauveur-Saint-Andronic ⓱

Спасо-Андрониковский монастырь
Spasso-Andronikovski monastyr

Andronevskaïa plochtchad 10. **Plan**
8 F2. **M** *Plochtchad Ilitcha.* **O** *de
11 h à 18 h du jeu. au mar.* **Musée**
C *278 1467.* 🚫 📷 **C** *(réserver).*

En 1360, au cours de la traversée qui le ramenait de Constantinople, le métropolite de Moscou Alexeï fut miraculeusement sauvé d'un naufrage. Pour remercier Dieu, il fonda le monastère du Sauveur sur les rives de la Iaouza et nomma le moine Andronic supérieur du couvent, le chargeant en outre de superviser les travaux de construction.

Andreï Roublev, un des plus grands maîtres de la peinture d'icônes en Russie *(p. 61)*, y fut moine. On pense qu'il mourut ici en 1430 et qu'il y est enterré, mais on n'a pas retrouvé sa tombe. Le

La cathédrale du Sauveur, ornée des traditionnels *kokochniki*

Icône de saint Jean-Baptiste, XVe siècle

musée d'Art russe ancien Andreï Roublev, qui présente son œuvre, ne possède pas d'icônes originales de l'artiste, mais d'excellentes copies, ainsi que des icônes peintes par ses contemporains. On peut voir des originaux de Roublev à la galerie Tretiakov *(p. 118-121)*. Les collections du musée sont exposées dans deux des bâtiments du monastère. Situé à droite de l'entrée principale, le logis du supérieur (XVIe siècle), est consacré aux arts décoratifs du XIe au XXe siècle. L'église baroque de l'Archange-Saint-Michel, construite entre 1691 et 1694, est consacrée à l'art russe du XIIIe au XVIIe siècle. Parmi les plus belles pièces de l'exposition, on trouve l'icône de la Vierge de Tikhvine, provenant du monastère Donskoï *(p. 136)*, et des peintures illustrant la vie de saint Nicolas de Zaraïsk, un des saints les plus vénérés en Russie. Le bâtiment conventuel du XVIIIe siècle, qui abritait les cellules des moines, est en cours de restauration.

La cathédrale du Sauveur peut dater de 1390 ou de 1425-1427. Si la première date est exacte, cette église serait la plus vieille de Moscou. Les peintures de l'intérieur sont dues à Roublev mais il n'en reste que quelques traces autour des fenêtres de l'autel.

Portes de Kroutitskoïe, reliant la cathédrale au palais du métropolite

Parc d'Izmaïlovo ⑱

Парк Измайлово

Park Izmaïlovo

Narodni prospekt 17. 📞 166 7909.
Ⓜ *Izmaïlovski Park, Chosse Entouziastov.*
⭕ *t.l.j. sans interruption.* ♿

S'étendant sur près de 12 km², le vaste parc d'Izmaïlovo est un des plus grands parcs d'Europe et offre de multiples attractions : des installations sportives, des terrains de jeu pour enfants, des cafés, des espaces boisés, un théâtre de verdure, un célèbre marché aux puces *(p.185)*, une cathédrale et les vestiges pittoresques d'une ancienne des résidences de campagne des tsars.

Acquis par les Romanov au XVIᵉ siècle, Izmaïlovo devint un de leurs pavillons de chasse favoris. En 1663, le tsar Alexis *(p. 19)* fit construire un énorme palais en bois et dédia ses terres à des expériences dans le domaine de l'élevage et des cultures maraîchères, en développant à la fois l'artisanat rural.

Plus tard, Pierre le Grand y passa une enfance idyllique, loin des intrigues de palais. Il y apprit à naviguer sur le lac, sur un vieux bateau surnommé plus tard « le grand-père de la marine russe ».

Le palais en bois a depuis longtemps disparu, démoli par Catherine la Grande en 1767. Mais à 500 m environ à l'est du métro Izmaïlovski Park, on peut voir les vestiges d'autres bâtiments sur une île près du stade. Ils sont entourés d'un lac qui faisait partie d'un ensemble de 37 étangs créés jadis par le tsar

La cathédrale de l'Intercession du XVIIᵉ siècle, parc d'Izmaïlovo

Alexis pour l'élevage des poissons et l'irrigation de ses cultures expérimentales. Il avait planté des espèces exotiques comme le mûrier et le coton, et commandait les graines à ses ambassadeurs en Angleterre.

Pour accéder à l'île, on emprunte un petit pont. Au bout de celui-ci, une arche en fer, construite en 1859, menait vers trois bâtiments de Konstantin Thon *(p. 45)* que Nicolas Iᵉʳ fit construire dans les années 1840 pour les soldats retraités.

Derrière les vestiges de l'enceinte du domaine, on aperçoit la cathédrale de l'Intercession, érigée entre 1671 et 1679, qui présente cinq imposants dômes noirs, recouverts d'écailles métalliques. Au-dessous de ceux-ci, les *zakomary* *(p. 44)* sont ornées de

céramiques à motifs en œil-de-paon, réalisées par Poloubes, artiste biélorusse de la fin du XVIIᵉ siècle.

Sur le côté droit de la cathédrale se dresse un porche étagé en brique rouge surmonté d'un *chatior*, datant de 1671. C'est la tour du Pont, seul vestige du pont à 14 travées qui traversait autrefois les étangs du domaine. Cette tour servait aux réunions de l'assemblée des boyards sous le tsar Alexis. Le dernier étage offre de beaux points de vue sur l'ensemble du parc.

De l'autre côté de la cathédrale s'élève l'entrée d'apparat, une monumentale porte blanche à trois arches, érigée en 1682 d'après un projet de Makarov. C'est l'une des deux portes qui conduisaient jadis au palais en bois.

Au nord-ouest du lac, le célèbre marché aux puces s'étale sur la pente qui descend depuis les buildings de l'hôtel Izmaïlovo, offrant les marchandises les plus éclectiques. Les Moscovites y viennent en nombre pour acheter toutes sortes d'objets comme des appareils ménagers d'occasion et des pièces détachées pour leur voiture.

Le triple porche de l'entrée d'apparat, vestige de l'ancien domaine impérial d'Izmaïlovo

Kouskovo ⑯

Кусково
Kouskovo

Statue de Minerve

Jusqu'à la révolution, Kouskovo fut pendant plus de 200 ans la propriété des Cheremetev, une des plus riches familles aristocratiques de Russie. Les bâtiments actuels furent construits en 1743 par le comte Piotr Cheremetev, après son mariage avec l'héritière Varvara Tcherkasskaïa. Parmi les 200 000 serfs du domaine figuraient deux architectes, F. Argounov et A. Mironov, qui jouèrent un rôle essentiel dans la réalisation du projet, probablement supervisé par Karl Blank. Outre les jardins à la française, le principal centre d'intérêt est le palais en bois à deux étages construit en 1777. L'Orangerie, transformée en musée de la Céramique, abrite une célèbre collection de porcelaines.

★ Jardins à la française
Conçus dans le style géométrique des jardins à la française, ils valurent à Kouskovo le nom de Versailles russe.

L'Ermitage, surmonté d'un dôme, se reconnaît à ses murs arrondis.

Obélisque

Église de l'Archange-Saint-Michel
Construite en 1737-1738, l'église est le plus ancien bâtiment du domaine. La statue du dôme représente l'archange saint Michel. Le clocher en bois et la flèche dorée furent ajoutés en 1792.

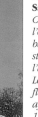

Étang

La Maison hollandaise, de 1749, est un édifice en brique rouge, orné d'un fronton à gradins, dans le style des demeures hollandaises du XVIIe siècle. L'intérieur aux murs carrelés abrite céramique et verrerie russes.

À NE PAS MANQUER

★ **Le palais en bois**

★ **La grotte**

★ **L'Orangerie**

★ **Jardins à la française**

Le chalet suisse, réalisé par Benoit en 1870, ressemble à un chalet alpin traditionnel.

★ Palais en bois
Ce palais néo-classique est entièrement construit en bois recouvert de plâtre peint pour imiter la pierre. Le portique ionique central, surmonté d'un blason aux armes de la famille Cheremetev, est flanqué de deux rampes.

★ Orangerie

L'Orangerie, avec son hall central réservé aux réceptions, fut construite en 1761-1762. C'est aujourd'hui un musée de la Céramique, qui renferme la collection des XVIIIᵉ-XIXᵉ siècles d'A. Morozov (p. 96), notamment des porcelaines de Wedgwood, Meissen et de diverses fabriques russes.

MODE D'EMPLOI

Oulitsa Iounosti 2. ☎ 370 0160.
Ⓜ Riazanski Prospekt, Vykhino.
🚌 133, 208 (p. 219).
🕐 mi-avril à sept. : de 10 h à 18 h, du mer. au dim. ; oct. à mi-avril : de 10 h à 16 h, du mer. au dim.
🎟 Billets vendus à l'entrée principale pour certains monuments du domaine.

Le théâtre de verdure
de 50 places servait à des spectacles en plein air.

Statue allégorique du dieu du Fleuve grec Scamandre

Statue de Minerve, déesse de la Sagesse

Volière

Orangerie américaine

Maison italienne

L'architecte russe Konlogrivov avait étudié en Italie, avant de réaliser ce pavillon. Construit en 1754-1755, dans le style Renaissance tardif, il abrite aujourd'hui des peintures du XVIIIᵉ siècle.

Remises

La ménagerie,
bâtie pour des oiseaux chanteurs, est constituée de pavillons en terre cuite entourés d'une clôture blanche.

★ Grotte

La grotte, aménagée par Fiodor Argounov au milieu du XVIIIᵉ siècle, est ce qu'il y a de plus remarquable à Kouskovo. L'intérieur frais et spacieux est revêtu d'un décor de sable et de stuc incrusté de coquillages et de porcelaine.

0   50 m

Les cuisines étaient aménagées dans cet imposant bâtiment construit en 1756-1757.

Entrée

Entrée principale de la gare de Iaroslav modern style, sur Komsomolskaïa plochtchad

Komsomolskaïa plochtchad ⑲

Комсомольская площадь
Komsomolskaïa plochtchad

Plan 4 D2. Ⓜ *Komsomolskaïa.*

L es trois gares qui donnent sur cette place se disputent depuis longtemps la faveur des Moscovites. La plus ancienne, la gare de Léningrad (autrefois gare Nikolaïevski), fut mise en service en 1851 comme terminus de la ligne Saint-Pétersbourg-Moscou. Elle fut conçue selon les principes de l'historicisme par Konstantin Thon *(p. 45)*, architecte du Grand Palais du Kremlin. *(p. 63)*.

Construite en 1902 par l'architecte Fiodor Chekhtel *(p. 45)*, la gare de Iaroslav, point de départ du Transsibérien, est un bâtiment modern style flanqué de tourelles et surmonté d'un toit particulièrement pentu, avec une frise en majolique polychrome.

L'originalité de l'édifice de Chekhtel poussa son rival Chtchoussev *(p. 45)* à adopter un style aussi hardi pour son projet de la gare de Kazan, qui dessert l'Oural, située de l'autre côté de la place. Commencée en 1912 et achevée en 1926, elle comprend une tour centrale inspirée de la citadelle de Kazan, l'ancienne capitale mongole.

Débouchant sur la place, la station de métro Komsomolskaïa *(p. 39-41)*, due à Chtchoussev, doit son nom au Komsomol

(Jeunesses communistes), qui participera à sa construction. L'intérieur, éclairé de lustres scintillants, est décoré de gigantesques mosaïques. La place Komsomolskaïa est envahie par une foule bigarrée de mendiants, de familles semblant transporter avec elles tout ce qu'elles possèdent, de colporteurs, d'ivrognes, de trafiquants de drogue et, le soir, de prostituées. Depuis quelques années, c'est un endroit peu sûr, et il ne fait pas bon s'y attarder, surtout le soir.

Maison-musée Vasnetsov ⑳

Дом-музей ВМ Васнецова
Dom-mouzeï VM Vasnetsova

Pereoulok Vasnetsova 13. **Plan** 3 A2. Ⓒ *281 1329.* Ⓜ *Soukharevskaïa, Prospekt Mira.* Ⓞ *de 10 h à 17 h, du mer. au dim.* 🖼 🗌 🗌 🗌

G raphiste, sculpteur, peintre, auteur de décors de théâtre et architecte, Victor Vasnetsov (1848-1926) faisait partie du cercle d'artistes fondé à Abramtsevo *(p. 154)* par le mécène S. Mamontov. On lui doit notamment la façade très originale de la galerie Tretiakov *(p. 118-121)*, où sont d'ailleurs exposés plusieurs de ses tableaux. Vasnetsov conçut cette maison, d'un style inhabituel,

Le toit richement décoré de la maison en bois de Vasnetsov

pour lui et sa famille en 1893-1894, et y vécut jusqu'à sa mort en 1926, à l'âge de 78 ans. Admirateur enthousiaste de l'art populaire et de l'architecture russes, il eut recours à des charpentiers de la région de Vladimir *(p. 160-161)* pour construire cette superbe maison en bois, conçue à la manière d'une isba et surmontée de toits verts.

Les pièces du rez-de-chaussée contiennent des meubles très originaux, dont bon nombre ont été dessinés par Vasnetsov lui-même et par son frère cadet, Apollinari (1856-1933), également talentueux. Les poêles sont décorés de céramiques colorées fabriquées par d'autres artistes d'Abramtsevo.

Un escalier en colimaçon, orné de cottes de mailles et d'armes du XVIIe siècle, conduit à l'atelier de l'artiste, qui ressemble à une salle voûtée médiévale. C'est un cadre idéal pour les toiles saisissantes de Vasnetsov, qui sont souvent inspirées des légendes russes. *Baba Iaga*, par exemple, représente la sorcière de la forêt qui vole les enfants. Le gigantesque tableau *La Princesse endormie*, réalisé dans la dernière année de sa vie, dépeint une scène du célèbre conte de *La Belle au bois dormant*.

Palais d'Ostankino ㉑

Московский музей-усадьба Останкино
Moskovski mouzeï-oussadba Ostankino

1-ïa Ostankinskaïa oulitsa 5a. Ⓒ *286 6288.* Ⓜ *VDNKh.* Ⓞ *de 10 h à 17 h, du mer. au dim.* ● *oct-avril.* 🖼 ♿ *uniquement les jardins.* 🗌

C omme la résidence de Kouskovo *(p 142-143)*, Ostankino fut construit par les architectes serfs Argounov et Mironov pour les Cheremetev, une des plus riches familles de Russie. Le comte Nikolaï Cheremetev, un mécène éminent, fit édifier son palais autour d'un théâtre, où une compagnie de 200 acteurs et actrices, sélectionnés parmi ses serfs, jouait des pièces de son choix. En 1800, le comte épousa une de ces actrices, Praskovia Jemtchougova-

L'imposant palais néo-classique d'Ostankino

Kovaleva. Retirés dans leur palais, ils purent fuir la réprobation de la bonne société, mais malheureusement Praskovia mourut trois ans plus tard. Le comte ne s'en remit jamais et quitta le palais, qui resta à l'abandon.

Le palais d'Ostankino, avec un dôme vert et une façade néo-classique, est d'une admirable sobriété. Construit en bois, entre 1792 et 1798, il fut recouvert d'une couche de plâtre imitant la pierre et la brique.

Certaines parties ont été restaurées, et le pavillon italien, dans l'une des ailes, est ouvert au public. Il témoigne de la remarquable habileté des artisans serfs de Cheremetev. Les salles offrent un extraordinaire exemple de décor en trompe l'œil. Des moulures en bois sculpté peint imitent le bronze, l'or et le marbre, les planchers sont en marqueterie de bouleau et d'acajou, et, dans le hall central, un énorme lustre en cristal est suspendu au plafond orné d'une fresque. Le pavillon abrite une galerie de sculptures, où l'on peut voir une tête romaine en marbre d'Aphrodite, du Ier siècle avant J.-C.

Mais la plus belle partie du palais est le théâtre : une magnifique salle en forme d'ellipse avec un plafond peint soutenu par des colonnes corinthiennes. En 1796, le bâtiment fut en partie reconstruit afin d'y installer un système permettant de surélever le plancher de l'auditorium, et de transformer ainsi le théâtre en salle de bal.

Sur la route du domaine, l'église de la Trinité, richement décorée, est surmontée de dômes verts. Elle fut construite entre 1678 et 1683 pour la famille Tcherkasski, propriétaire d'Ostankino avant les Cheremetev.

Théâtre du palais d'Ostankino, où jouaient les acteurs serfs du comte Cheremetev

Centre panrusse des expositions ㉒
Всероссийский Выставочный Центр (ВВЦ)
Vsierossiski Vystavotchni Tsentr (VVTs)

Prospekt Mira. 📞 181 9504.
Ⓜ *VDNKh.* **Pavillons** ⃝ *mai à oct. : de 10 h à 18 h, du lun. au ven., de 10 h à 19 h, sam., dim. et j. fériés ; nov. à avril : de 10 h à 17 h, du lun. au ven., de 10 h à 18 h, sam., dim. et j. fériés.*
♿ **Musée de l'Espace** ⃝ *de 10 h à 19 h du mar. au dim.* 📷 🚫 🎥

L'ancienne Exposition des réalisations de l'économie nationale de l'URSS (VDNKh), devenue Centre panrusse des expositions (VVTs), était à l'époque soviétique une des principales attractions touristiques de la ville. Créé en 1939, ce site fut d'abord un grand parc d'exposition agricole, mais 20 ans plus tard, il fut transformé par Khrouchtchev en un vaste parc à la gloire des réalisations économiques, scientifiques et technologiques du pays. Après la désintégration de l'Union soviétique en 1991, les différents pavillons furent repris par des entreprises privées. Plus de 70 d'entre eux servent maintenant de stands d'exposition pour des produits industriels.

En flânant sur le site, vous apercevrez des sculptures par lesquelles le VDNKh était célèbre. L'entrée principale du parc est un arc de triomphe surmonté des figures d'un conducteur de tracteur et d'une kolkhozienne.

Sur prospekt Mira se dresse la statue allégorique de *L'Ouvrier et la kolkhozienne*. Les deux personnages marchent ensemble vers l'avenir, tenant à bout de bras un marteau et une faucille. Sculptées par Vera Moukhina, ces statues furent conçues pour orner le pavillon de l'URSS à l'Exposition internationale de Paris, en 1937.

De l'autre côté de l'entrée s'élève l'obélisque de l'Espace de Faïdych-Krandevski, de plus de 100 m de haut, qui représente une fusée décollant au-dessus des flammes. Le monument fut érigé en 1964, trois ans après le premier voyage dans l'espace de Iouri Gagarine. Parmi les pièces exposées au musée de l'Espace, on peut voir *Vostok 1*, dans lequel Gagarine fit le tour de la Terre.

Le VDNKh était aussi destiné à être un parc de loisirs, et les familles s'y rendent encore nombreuses durant les week-ends.

Statue au-dessus de l'entrée principale du VVTs

LES ENVIRONS DE MOSCOU

LES ENVIRONS DE MOSCOU

La beauté de certains palais et églises, et l'intérêt historique des villes traversées justifient sans aucun doute quelques excursions autour de Moscou. Si les paysages industriels ne sont pas toujours très engageants, il subsiste, non loin, des espaces boisés et des paysages de campagne parsemés de charmants villages de datchas.

Il n'est pas nécessaire d'aller bien loin pour découvrir les sites historiques et culturels les plus importants. Pour les rejoindre, les transports en commun *(p. 219)* peuvent être irréguliers, mais conviendront à ceux qui souhaitent se mêler à la population locale. Les autres pourront s'adresser à une agence spécialisée *(p. 198)*, pour découvrir par exemple, à l'ouest, Borodino *(p. 152)*, le champ de bataille où s'affrontèrent les troupes de Napoléon et celles du feld-maréchal Koutouzov. Au nord, le monastère de la Trinité-Saint-Serge *(p. 156-159)* est considéré comme le joyau des villes de l'Anneau d'Or *(p. 155)*, cités qui connurent un essor prodigieux aux XIIᵉ et XIIIᵉ siècles, et qui ont conservé un remarquable patrimoine d'églises et de bâtiments en bois. Les maisons de Tchaïkovski *(p. 153)* et de Tolstoï

Le feld maréchal Mikhaïl Koutouzov

(p. 134) sont également situées dans les environs de Moscou. Le vendredi soir, les routes et les trains sont envahis par les familles qui désertent la capitale pour se rendre dans leur datcha. La plupart possèdent un lopin de terre, utilisé pour cultiver fruits et légumes. Pour certains Moscovites, c'était, et c'est encore aujourd'hui, une source importante de nourriture. Mais depuis quelques années, de nouvelles bâtisses en brique sont apparues dans les champs qui étaient autrefois cultivés. Ce sont les maisons des « nouveaux Russes » qui ont choisi de vivre en banlieue comme beaucoup d'Occidentaux. Mais elles sont souvent laissées à l'abandon avant d'être achevées, car les entrepreneurs, touchés par des conditions économiques extrêmement instables font faillite et arrêtent les travaux.

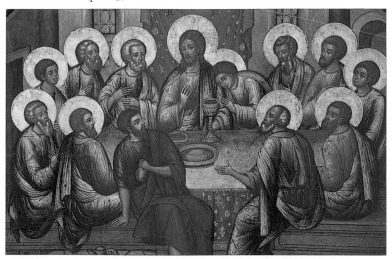

La *Sainte Scène*, peinte en 1685, une des œuvres du trésor de la Trinité-Saint-Serge

◁ L'église du Prophète-Élie, une des nombreuses églises de Souzdal, ville de l'Anneau d'Or

À la découverte des environs de Moscou

Autour de Moscou, plusieurs domaines, aisément accessibles, peuvent faire l'objet de très belles excursions, notamment Iasnaïa Poliana, la résidence de Tolstoï pendant de nombreuses années *(p. 134)*, la maison de Tchaïkovski à Kline *(p. 153)* et le domaine d'Abramtsevo, ancien foyer de la vie artistique russe. Et pour comprendre la grandeur de l'ancienne Russie, il ne faut pas manquer l'exceptionnel monastère de la Trinité-Saint-Serge, cœur religieux unique et ancien lieu de pèlerinage des tsars. Moscou est en outre une bonne base pour découvrir les villes de l'Anneau d'Or, en particulier Pereslavl-Zaleski, Souzdal et Vladimir, fondées par les Russes pour se protéger des envahisseurs, et très riches en monuments historiques.

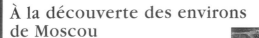

Banc orné de faïence par
Mikhaïl Vroubel, à Abramtsevo

MAISON-MUSÉE TCHAÏKOVSKI **3**

DOUBOSSEKOVO

Riga, Pskov

M9

ISTRA

ARKHANGELSKOÏE **1**

ROUZA

MOSCOU

A107

BORODINO **2**

M1 E30

M3

SOUKHANO

Minsk, Kiev

A108

A101

TCHEKHOV

Kiev

Légende

- Autoroute
- Route principale
- Route secondaire
- Parcours pittoresque
- ┼┼┼┼ Voie ferrée
- Rivière
- Point de vue

Le dôme bleu de l'église du Saint-Esprit et la chapelle du Puits, monastère de la Trinité-Saint-Serge

Les sites d'un coup d'œil

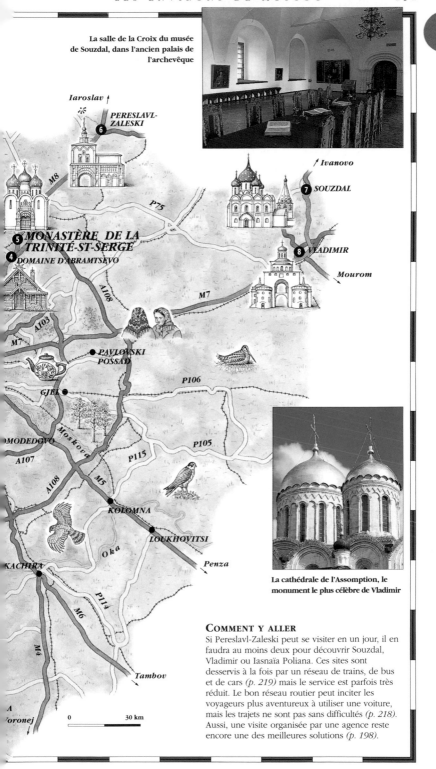

La salle de la Croix du musée de Souzdal, dans l'ancien palais de l'archevêque

Iaroslav

PERESLAVL-ZALESKI 6

Ivanovo

7 **SOUZDAL**

M8

P75

5 **MONASTÈRE DE LA TRINITÉ-ST-SERGE**

4 **DOMAINE D'ABRAMTSEVO**

8 **VLADIMIR**

Mourom

A108

M7

A103

M7

● **PAVLOVSKI POSSAD**

P106

GJEL ●

Moskova

DOMODEDOVO

A107

P115

P105

A108

M5

KOLOMNA

LOUKHOVITSI

KACHIRA

Oka

Penza

La cathédrale de l'Assomption, le monument le plus célèbre de Vladimir

P114

M6

M4

Tambov

A Voronej

0   30 km

COMMENT Y ALLER

Si Pereslavl-Zaleski peut se visiter en un jour, il en faudra au moins deux pour découvrir Souzdal, Vladimir ou Iasnaïa Poliana. Ces sites sont desservis à la fois par un réseau de trains, de bus et de cars (p. 219) mais le service est parfois très réduit. Le bon réseau routier peut inciter les voyageurs plus aventureux à utiliser une voiture, mais les trajets ne sont pas sans difficultés (p. 218). Aussi, une visite organisée par une agence reste encore une des meilleures solutions (p. 198).

Côté jardin, la façade néo-classique revêtue de stuc du palais en bois d'Arkhangelskoïe

Arkhangelskoïe ❶

Архангельское
Arkhangelskoïe

20 km à l'ouest de Moscou.
📞 560 2231. ⏰ de 10 h à 18 h du
mar. au dim. Ⓜ Touchinskaïa, puis bus
(p. 219). 🚫 ♿ uniquement le parc.

Si les édifices du domaine d'Arkhangelskoïe datent pour la plupart des XVIIIᵉ et XIXᵉ siècles, l'église de l'Archange-Saint-Michel, à laquelle il doit son nom, fut achevée en 1667.

La famille Golitsyne fit l'acquisition de cette propriété en 1703. Dans les années 1780, le prince Nicolas Golitsyne entreprit une reconstruction complète de l'ensemble et fit notamment édifier, par l'architecte français Charles de Guerne, un nouveau palais en bois recouvert de stuc imitant la pierre. En 1809, à la mort de Golitsyne, Arkhangelskoïe fut racheté par le prince Ioussoupov, qui y ajouta des bâtiments néo-classiques.

Le magnifique plafond peint du mausolée des Ioussoupov, construit en 1910-1916, à Arkhangelskoïe

Restaurées depuis peu, les somptueuses salles du palais sont ornées de meubles, de tentures et d'objets d'art anciens de toute beauté, ainsi que d'une admirable collection de peintures. Dans les jardins à la française du XVIIIᵉ siècle, des pavillons, comme le petit Caprice datant de 1819, étaient destinés aux réceptions. Un luxueux mausolée, bâti pour la famille Ioussoupov entre 1910 et 1916, n'a jamais été utilisé à cause de la révolution.

Borodino ❷

Бородино
Borodino

130 km au sud-ouest de Moscou.
📞 8238 51057. ⏰ de 9 h à 18 h du
mar. au dim. 🚉 Mojaïsk ou Borodino,
puis bus (p. 219). 🚫 ♿ 🚫 📷

Le 7 septembre 1812, Borodino fut le théâtre d'une des batailles les plus acharnées du XIXᵉ siècle. Pendant plus de 15 heures, la Grande Armée de Napoléon et les troupes russes, sous les ordres du feld-maréchal Koutouzov, s'affrontèrent dans un combat aussi sanglant qu'inutile. Quelque 40 000 soldats russes et 30 000 français y périrent et si Napoléon décrivit cet affrontement comme la plus

terrible de ses batailles, il considéra néanmoins qu'il avait remporté une victoire car il avait forcé les Russes à reculer jusqu'à Moscou. La postérité, cependant, attribuera la victoire aux Russes. Après la bataille, les Français se lancèrent à la poursuite des Russes, mais en arrivant à Moscou, ils trouvèrent la ville et le Kremlin déserts et durent rapidement battre en retraite, fuyant le gigantesque incendie *(p. 24-25)* allumé sur ordre de Koutouzov. En chemin, l'armée napoléonienne dut alors endurer le redoutable hiver russe.

Couvrant plus de 100 km², le champ de bataille est parsemé d'une trentaine de monuments, dont les principaux ne sont pas trop éloignés les uns des autres. À 1 km au sud du village de Borodino, un musée retrace le déroulement du conflit à l'aide de

Monument a
morts de Boro

maquettes et d'une carte éclairée. À l'est du musée, au pied d'un mémorial aux victimes, repose le prince Piotr Bagration, le plus vaillant général russe mort au combat. Non loin de là se trouve l'auberge où séjournait Tolstoï quand il faisait des recherches pour *Guerre et Paix*.

Le premier édifice construit sur le champ de bataille est la petite église Spasski, de style Empire, qui date de 1822.

Maison-musée Tchaïkovski ❸

Дом-музей ПИ Чайковского
Dom-mouzeï PI Tchaïkovskovo

90 km au nord-ouest de Moscou.
Oulitsa Tchaïkovskaïa 48, Kline.
📞 *539 8196.* ⏱ *de 9 h à 17 h de
ven. à mar.* 🚇 *Kline (p. 219).* 📷 ⛔

En mai 1892, Piotr Tchaïkovski écrivait à son frère Anatoli : « J'ai loué une maison à Kline. Quelle bénédiction de savoir que personne ne viendra interrompre mon travail, mes lectures ou mes promenades. » De précédents séjours dans le village de Frolovskoïe, près de Kline, avaient inspiré quelques-unes de ses meilleures œuvres, notamment les ballets *La Belle au bois dormant* et *Casse-Noisette*, et l'opéra *La Dame de pique*, d'après le roman de Pouchkine *(p. 73)*. Tchaïkovski ne profita de Kline que quelques mois avant sa mort, en 1893. En 1894, son frère cadet, Modeste, ouvrit le domaine aux visiteurs. En entrant chez le

Le salon de réception de la maison de Kline, avec le piano de Tchaïkovski

compositeur, au premier étage, on découvre une vaste pièce de réception dont les murs sont couverts de photos de sa famille, de ses camarades de l'école de droit et de ses amis musiciens. Au centre de la pièce, le piano à queue est un cadeau de la firme russe Becker. Bien qu'excellent pianiste, Tchaïkovski ne jouait jamais en public. Le vainqueur du Concours international Tchaïkovski *(p. 192)* donne un récital dans cette salle le 7 mai, date de l'anniversaire du musicien.

Tchaïkovski était un grand collectionneur de souvenirs. Sur une étagère, on peut voir un encrier en forme de statue de la Liberté qu'il rapporta de sa tournée triomphale aux

La maison en bois de Tchaïkovski à Kline, dans la paisible campagne russe qu'il affectionnait

État-Unis, en 1891.

La chambre à coucher est séparée de la pièce principale par un rideau. Endroit chaleureux et intime, il y reste une paire de minuscules pantoufles et un beau dessus-de-lit fait par sa nièce. Le compositeur termina sa *Sixième Symphonie*, la *Symphonie pathétique*, à la table près de la fenêtre.

On peut visiter également la belle bibliothèque lambrissée et le bureau où Modeste Tchaïkovski travailla comme archiviste de Kline, jusqu'à sa mort en 1916. Dans une pièce consacrée à la mémoire du compositeur sont présentés quelques effets personnels, entre autres son chapeau haut de forme, ses gants et ses vêtements de soirée.
Il aimait se promener dans le jardin. Du muguet, sa fleur préférée, y pousse toujours. La salle construite dans le parc sert à des concerts.

PIOTR TCHAÏKOVSKI

Tchaïkovski, sans doute le plus célèbre compositeur russe, est né en 1840. Après avoir obtenu un diplôme de droit, il étudie la musique au conservatoire de Saint-Pétersbourg. En 1866, il obtient, avec l'aide d'un de ses professeurs, un poste d'enseignant au conservatoire de Moscou *(p. 94)*, où il restera douze ans. C'est pendant cette période qu'il compose ses quatre premières symphonies et la musique du *Lac des cygnes* (1876). En 1877, il épouse une étudiante du conservatoire pour tenter d'oublier son homosexualité. Mais le mariage est un échec.

Statue de Piotr Tchaïkovski au conservatoire de Moscou

Au cours des années 1880, il compose de nombreuses œuvres, entre autres la musique du ballet *La Belle au bois dormant* (1889) et l'ouverture *L'Année 1812* (1880). En 1892, il s'installe à Kline, près de Moscou, et meurt du choléra à Saint-Pétersbourg en novembre 1893, alors qu'il assistait à la première de la *Sixième Symphonie*, sa dernière œuvre. On raconte qu'il aurait bu volontairement une eau souillée pour mettre dignement fin à ses jours, après la découverte de ses relations homosexuelles avec un jeune aristocrate.

Iconostase de l'église du Sauveur, domaine d'Abramtsevo

Domaine d'Abramtsevo ❹

Музей-усадьба Абрамцево
Mouzeï-oussadba Abramtsevo

60 km au nord-est de Moscou.
🚃 *Khotkova ou Serguev Possad, puis bus (voir p. 219).* 📞 *254 32470.*
🕐 *de 10 h à 17 h du mer. au dim.*
📷 🚫 📹 *(réservez à l'avance).*

D ans la seconde moitié du XIXe siècle, ce refuge campagnard devint un foyer très actif de la vie culturelle russe. La maison appartenait à l'écrivain Sergueï Aksakov, mort en 1859, dont les fils étaient d'ardents slavophiles. En 1870, elle fut rachetée par le riche industriel et mécène, Savva Mamontov, qui sut préserver l'héritage artistique du domaine. Il mit toute sa générosité et son zèle au service d'une communauté d'artistes qui s'installa dans cette propriété, et il s'employa à réhabiliter les traditions populaires et l'artisanat russes. Le travail des artisans du pays, dont les enfants allaient à l'école du domaine, était une source d'inspiration pour beaucoup d'artistes.

Le domaine recèle d'intéressants bâtiments, notamment l'atelier des artistes, conçu en 1872 par Victor Gartman, avec un exceptionnel toit sculpté. Les céramiques de deux artistes renommés, Valentin Serov et Mikhaïl Vroubel, y

sont exposées. Construit en 1873 par Ivan Ropet, le petit pavillon appelé *teremok* est inspiré des maisons de paysans russes (isba). Conçu d'abord pour les bains, il fut plus tard utilisé pour loger les invités. À l'intérieur, le mobilier et les ornements en bois sont d'origine.

La « Maisonnette sur pattes de poule », conçue par Vasnetsov, est une construction sur pilotis, très populaire auprès des enfants car elle évoque la sorcière du folklore russe, Baba Iaga, dont la maison dans la forêt est bâtie sur des pattes de poule géantes.

Mais le bâtiment le plus intéressant est la chapelle du Sauveur, à laquelle on accède par un sentier à travers bois. Inspirée des églises médiévales de Novgorod, elle fut construite en 1881-1882 d'après les plans de Vasnetsov, qui la mit néanmoins au goût du jour en appliquant des frises de carreaux de majolique peints sur les murs en brique blanchis à la chaux. Le sol en mosaïque est également de Vasnetsov, ainsi que certaines icônes. Les autres icônes ont été peintes par Ila Repine et sa femme Vera, et par Vassili Polienov et Nikolaï Nevrev.

Le manoir renferme encore les meubles Empire

d'Aksakov, laissés par Mamontov par respect pour son prédécesseur. Nicolas Gogol et Ivan Tourgueniev étaient des habitués de la maison. La salle à manger est ornée d'une cheminée d'angle en céramique et d'une quantité de tableaux, parmi lesquels on remarque le portrait de la fille de Mamontov intitulé *Petite Fille aux pêches* qui est une copie du tableau peint par Serov en 1887 et exposé à la galerie Tretiakov *(p. 121).*

Monastère de la Trinité-Saint-Serge ❺

Voir p. 156-159

Pereslavl-Zaleski ❻

Переславль-Залесский
Pereslavl-Zaleski

135 km au nord-est de Moscou.
🚶 *43 400.* 🚃 *Serguev Possad puis bus (p. 219).*

S urplombant le lac Plechtcheevo, cette ancienne forteresse fut fondée en 1152 par Iouri Dolgorouki. Elle demeura une principauté indépendante jusqu'en 1302, passant sous la domination de Moscou. C'est ici que Pierre le Grand *(p. 22)* fit construire ses premiers bateaux. La cité recèle d'intéressants édifices comme la **cathédrale de la Transfiguration,** du XIIe siècle, et le **monastère Goritski de l'Assomption,** fondé au XIVe siècle mais dont la plus grande partie date des XVIIe et XVIIIe siècles.

Cathédrale du monastère Goritski de l'Assomption, Pereslavl-Zaleski

Histoire de l'Anneau d'Or

Novgorod, au nord, et Kiev, au sud, situées l'une et l'autre sur d'importantes voies de communication entre la Baltique et la mer Noire, furent les premières villes importantes de Russie. À partir du XIᵉ siècle, alors que des tribus hostiles envahissaient la Russie kiévienne *(p. 17)*, de nouvelles villes se développèrent, parmi lesquelles Rostov, Iaroslav, Vladimir et Souzdal, qui, comme Novgorod et Kiev, s'enri-

Icône de l'Anneau d'Or, XVIᵉ siècle

chirent grâce au commerce avec l'Europe, Byzance et l'Asie centrale, tandis que Serguiev Possad devenait le centre spirituel de l'Église orthodoxe. La fondation de Moscou date également de cette époque *(p. 17)*, et quand, au XVIᵉ siècle, elle devint la capitale de la Russie, les villes du Nord-Est étaient déjà sur le déclin, même si, dans les années 1960, leur patrimoine historique leur valut le titre d'Anneau d'Or.

L'ANNEAU D'OR

Le prince Vladimir Monomaque (p. 59) fonda une petite ville commerçante, à la fin du XIᵉ siècle, baptisée Vladimir en 1108. Le fils de Monomaque, Iouri Dolgorouki (p. 17), agrandit la ville, qui devint par la suite la capitale du Nord.

Cette icône de Novgorod du XVᵉ siècle représente la campagne menée par Souzdal contre Novgorod en 1169. Elle évoque la puissance de Souzdal avant la domination de Moscou.

Andreï Bogolioubski, fils de Dolgorouki, transféra sa cour à Vladimir en 1157, où il allait recréer la splendeur de Kiev. Il mourut assassiné par ses boyard qui l'accusaient d'être un dictateur.

Les anges symbolisent la bénédiction divine de la lutte contre les Mongols.

Dimitri Donskoï

La bataille de Koulikovo (p. 18) en 1380 est une date charnière dans l'histoire de l'Anneau d'Or. Jusque-là, les Mongols avaient fait de nombreuses incursions dans la région et mis Souzdal à sac en 1238. Dimitri Donskoï (p. 18) remporta sur eux une victoire décisive à Koulikovo, grâce, dit-on, à la bénédiction du moine Serge de Radonèje (p. 159).

Les nombreuses églises des villes de l'Anneau d'Or témoignent de leur relative prospérité. Certaines églises en bois sont conservées dans un musée à Souzdal (p. 160).

Monastère de la Trinité-Saint-Serge ❺

Троице-Сергиева Лавра
Troïtse-Serguieva Lavra

Fondé en 1345 par Serge de Radonej *(p. 159)*, le monastère de la Trinité-Saint-Serge, établi dans la ville de Serguev Possad (bourg Saint-Serge, ex-Zagorsk), est un des centres religieux et lieux de pèlerinage les plus importants de Russie. Au Temps des Troubles *(p. 19)*, les moines résistèrent au siège de l'armée polonaise de 1608 à 1610 et, dans les années 1680, le jeune Pierre le Grand y trouva refuge durant la révolte des streltsy *(p. 22)*. Le monastère fut fermé par les communistes en 1919, et rouvert en 1946. Il devint alors le siège de l'Église orthodoxe russe, qui fut transféré en 1988 au monastère Danilovski *(p. 136-137)*.

L'église Notre-Dame-de-Smolensk fut construite en 1745 pour abriter l'icône de la Vierge de Smolensk.

Le clocher, commencé en 1741, fut achevé 28 ans plus tard. La galerie offre de superbes points de vue.

Chapelle du Puits
Cette ravissante chapelle baroque Narychkine (p. 44) fut édifiée à la fin du XVIIᵉ siècle pour marquer une source.

Tour des Charpentiers

Hôpital et église St-Zosime-et-St-Sabbatius

Obélisque

Trésor

★ Cathédrale de la Trinité
Construite en 1422-1423 sur la tombe de saint Serge, cette splendide église abrite une iconostase due à des artistes dirigés par Roublev (p. 61).

Sacristie

Palais des métropolites
Ce vaste palais, achevé en 1778, fut la résidence des métropolites et des patriarches entre 1946 et 1988.

Tour de l'Eau

Église du Saint–Esprit

★ Église Saint-Serge et réfectoire
Le réfectoire des moines fut construit entre 1686 et 1692 avec l'église Saint-Serge. La façade polychrome, avec ses demi-colonnes sculptées, est ornée de feuilles de vigne et de murs peints en damier.

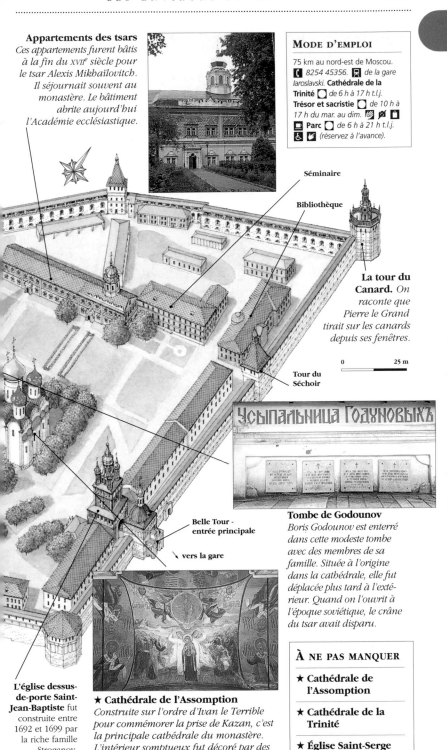

Appartements des tsars
Ces appartements furent bâtis à la fin du XVIIᵉ siècle pour le tsar Alexis Mikhaïlovitch. Il séjournait souvent au monastère. Le bâtiment abrite aujourd'hui l'Académie ecclésiastique.

MODE D'EMPLOI

75 km au nord-est de Moscou.
8254 45356. de la gare Iaroslavski. **Cathédrale de la Trinité** de 6 h à 17 h t.l.j.
Trésor et sacristie de 10 h à 17 h du mar. au dim. **Parc** de 6 h à 21 h t.l.j.
(réservez à l'avance).

Séminaire

Bibliothèque

La tour du Canard. *On raconte que Pierre le Grand tirait sur les canards depuis ses fenêtres.*

0   25 m

Tour du Séchoir

Tombe de Godounov
Boris Godounov est enterré dans cette modeste tombe avec des membres de sa famille. Située à l'origine dans la cathédrale, elle fut déplacée plus tard à l'extérieur. Quand on l'ouvrit à l'époque soviétique, le crâne du tsar avait disparu.

Belle Tour - entrée principale

vers la gare

L'église dessus-de-porte Saint-Jean-Baptiste fut construite entre 1692 et 1699 par la riche famille Stroganov.

★ Cathédrale de l'Assomption
Construite sur l'ordre d'Ivan le Terrible pour commémorer la prise de Kazan, c'est la principale cathédrale du monastère. L'intérieur somptueux fut décoré par des artistes de Iaroslav un siècle plus tard.

À NE PAS MANQUER

★ **Cathédrale de l'Assomption**

★ **Cathédrale de la Trinité**

★ **Église Saint-Serge**

Monastère de la Trinité-Saint-Serge

Au XIVᵉ siècle, Serge de Radonej construisit une petite église en bois dans les forêts du nord de Moscou et la consacra à la sainte Trinité. Le site attira de nombreux pèlerins. Le pieux fondateur les organisa en une communauté qui donna naissance au monastère de la Trinité. Au fur et à mesure que sa prospérité et son influence augmentaient, le monastère s'agrandit pour devenir un vaste ensemble ecclésiastique, entouré d'une longue enceinte de murs blancs. Ses splendides églises comptent parmi les plus belles de Russie.

Le monastère fortifié de la Trinité-Saint-Serge vu du sud-est

La superbe iconostase du XVIIᵉ siècle de la cathédrale de l'Assomption

Église Saint-Serge et réfectoire

Le réfectoire fut construit entre 1686 et 1692 grâce aux dons de Pierre le Grand et de son demi-frère, Ivan V, désireux de témoigner leur gratitude envers les moines chez qui ils avaient trouvé refuge pendant la révolte des streltsy (p. 22). Les murs extérieurs sont constitués d'une série de panneaux surmontés de coquilles sculptées, et séparés par des demi-colonnes ornées de grappes de raisin stylisées. Chaque panneau est peint en damiers, qui rappellent le

Piliers baroques de l'église Saint-Serge et du réfectoire

style du palais à Facettes du Kremlin (p. 62). La façade principale est dotée d'une terrasse couverte richement décorée. À l'extrémité est se dresse l'église Saint-Serge, dont l'iconostase, ornée de sculptures en bois imitant le métal, fut apportée en 1688 de l'église Saint-Nicolas-sur-Ilinka de Moscou.

Cathédrale de l'Assomption

Au cœur du monastère s'élève cette magnifique cathédrale, surmontée d'une coupole centrale dorée entourée de quatre dômes bleus parsemés d'étoiles. Sa construction fut ordonnée par Ivan le Terrible en 1559 pour célébrer sa victoire sur les Mongols à Kazan (p. 19). Édifiée d'après des plans de la cathédrale de l'Assomption du Kremlin due à Fioravanti (p. 58-59), elle fut achevée 26 ans plus tard. En 1684, il ne fallut que 100 jours aux peintres de la célèbre école de Iaroslav, dirigés par Dimitri Grigoriev, pour décorer l'intérieur de l'édifice. Leurs noms sont inscrits sur le mur ouest, sous la fresque du Jugement dernier. La somptueuse iconostase à cinq rangs date de la même époque, mais possède plusieurs icônes du XVIᵉ siècle.

Cathédrale de la Trinité

Cette exquise cathédrale blanche, ornée d'une triple frise surmontée de *kokochniki* (p. 44), est le plus ancien bâtiment en pierre du monastère. Elle fut édifiée sur la tombe de saint Serge en 1422, année de sa canonisation. Les cendres de saint Serge

Le *Christ en majesté* (1425-1427), icône de la cathédrale de la Trinité

sont conservées dans une
châsse en argent à l'intérieur
de la cathédrale.

À l'origine, la décoration
intérieure avait été réalisée par
Roublev et Tcherny, mais la
plupart de leurs œuvres ont
disparu sous d'autres peintures.
L'iconostase a néanmoins
survécu, mais l'icône *La Trinité*
de Roublev (vers 1420) est une
copie, l'original se trouvant à
la galerie Tretiakov *(p. 118-121)*.
Dans l'iconostase figurent deux
icônes de Simon Ouchakov :
La Sainte Face (1674) et
Le Christ en majesté (1684).

SAINT SERGE

Serge de Radonej (v. 1319-1392), fils d'un boyard de Rostov,
se retira du monde avec son frère, et fonda le monastère de
la Trinité. Serge encoura-
gea les princes russes à
s'unir contre les envahisseurs mongols et, en
1380, le prince Dimitri
Donskoï lui demanda sa
bénédiction avant
d'affronter les Mongols à
Koulikouvo *(p. 155)*. C'est
surtout à la victoire des
Russes que le moine doit
sa canonisation, en 1422,
mais, en 1408, on décou-
vrit également que son
corps était miraculeuse-
ment sorti indemne d'une
attaque mongole contre le
monastère.

Icône du XVIᵉ siècle représentant
l'apparition de la Vierge, et des saints
Pierre et Paul à Serge de Radonej

**Rotonde abritant la source sacrée,
près de la chapelle du Puits**

Autres églises

Le monastère compte cinq
autres églises plus modestes.
La plus ancienne est l'église du
Saint-Esprit, construite en 1476
par des artisans de la ville de
Pskov *(p. 44)*. L'infirmerie et
l'église Saint-Zosime-et-Saint-
Sabbatius attenante, surmontée
d'un toit à *chatior,* datent de
1635-1638.

La chapelle du Puits-de-Serge
fut érigée à la fin du XVIIᵉ siècle
au-dessus d'une source sacrée.
La rotonde qui la jouxte fut
ajoutée au XIXᵉ siècle. Les
pèlerins viennent toujours
remplir des bouteilles d'eau
sacrée à la source, sous la
rotonde.

Juste en face de l'église Saint-
Serge se dresse la petite église
de Mikheev à dôme unique,
qui porte le nom d'un élève
de saint Serge enterré dessous.
Petite rotonde bleue et
blanche, l'église baroque
Notre-Dame-de-Smolensk

(1745) abrite l'icône de la
Vierge de Smolensk. C'est la
dernière église construite
dans le monastère.

Palais et musées

La sacristie et le trésor
abritent de nombreux joyaux,
notamment les cadeaux offerts
par les tsars : des revêtements
d'icônes ornés de pierreries,
de superbes croix, des icônes,
des évangiles, des vêtements
sacerdotaux et de merveilleuses
tapisseries, dont le drap
mortuaire de saint Serge.

Construits à la fin du
XVIIᵉ siècle pour le tsar Alexis
Mikhaïlovitch, les appartements du tsar abritent aujour-
d'hui une Académie de théo-

logie. L'angle sud-ouest du
monastère est occupé par la
résidence des métropolites,
premier bâtiment à avoir
retrouvé sa fonction religieuse
lorsque les Soviétiques auto-
risèrent le retour des patriarches
et métropolites en 1946.

Tours et églises-porches

Au temps d'Ivan le Terrible
(p. 18), le monastère était
fortifié. Les imposants murs
d'enceinte actuels, de 12 m
de haut, datent du début du
XVIIᵉ siècle. La Belle Tour
constitue la porte principale
du monastère. Sa voûte d'entrée
est revêtue de fresques représentant la vie de saint Serge.
Derrière la belle tour se dresse
l'église Saint-Jean-
Baptiste. L'angle
nord de l'enceinte
se termine par la
tour du Canard,
ainsi nommée
parce que Pierre
le Grand se
mettait à l'affût,
derrière ses
fenêtres, pour
chasser le canard.
La flèche ornée
d'un canard et les
étages supérieurs
furent ajoutés
dans les années
1672-1686.

La tour-clocher
bleue et blanche
à cinq étages
fut érigée entre
1741 et 1769.

**Une des fresques dépeignant des scènes de la vie
de saint Serge, sur la voûte de la Belle Tour**

Souzdal ❼
Суздаль
Souzdal

200 km au nord-est de Moscou.
🏃 12,100. 🚉 *Vladimir, puis bus.*
🚌 (p. 219). 🏛 dim.

N ichée sur les rives de la Kamenka, Souzdal est la mieux conservée des villes de l'Anneau d'Or *(p. 155)*. Son ensemble monastique aux multiples églises blanches des XVIIᵉ et XVIIIᵉ siècles et ses maisons en bois traditionnelles aux fenêtres sculptées en font une cité pleine de charme.

La ville est mentionnée pour la première fois en 1024. Peu de temps après, le prince Iouri Dolgorouki, fondateur de Moscou *(p. 17)*, fit construire le kremlin dans un méandre de la rivière. Le centre est dominé par la **cathédrale de la Nativité,** couronnée de dômes bleus parsemés d'étoiles. Bien que sa construction remonte au XIIIᵉ siècle, la plus grande partie de l'édifice actuel date du XVIᵉ siècle. Les portes sud et ouest sont revêtues de plaques en cuivre doré, gravées de scènes bibliques. Des fresques datant des XIIIᵉ-XVIIᵉ siècles ornent les murs intérieurs.

La cathédrale de la Nativité, dans le kremlin de Souzdal

Jouxtant la cathédrale, l'ancien palais épiscopal abrite le **musée de Souzdal.** Sa collection d'icônes et d'art ancien est exposée dans la magnifique salle de la Croix, une des plus grandes salles voûtées de Russie sans pilier central. Au nord-est, la rue principale est bordée d'un long bâtiment à arcades datant des années 1806-1811, occupé autrefois par des marchands.

Souzdal possède également cinq fondations ecclésiastiques, notamment le **monastère de Saint-Euthyme,** où vivaient plus de 10 000 serfs, et qui était jadis l'un des plus riches de la région. Avec ses fortifications de près de 6 m d'épaisseur, il commande le nord de la ville. Les cellules des moines ont été converties en musée des Arts décoratifs, qui présente une admirable collection de peintures religieuses et de bijoux.

Au sud se dresse le **monastère Saint-Alexandre**. Fondé en 1240 puis détruit par un incendie, il fut reconstruit au XVIIᵉ siècle. La cathédrale de l'Ascension fut construite à la même époque par Natalia Narychkina, mère de Pierre le Grand.

De l'autre côté de la rivière, au-dessus des prairies, on aperçoit le **monastère de l'Intercession.** Fondé au XIVᵉ siècle,

Icône de saint Nicolas du XVᵉ siècle, musée de Souzdal

il fut édifié sous le règne de Basile III entre 1510 et 1514. Ses maisons de retraite servent aujourd'hui d'hébergement.

Aux abords sud-ouest de Souzdal, le **musée de l'Architecture en bois** présente une exposition en plein air de constructions apportées de toute la Russie. L'église de la Transfiguration, construite en 1756 sans un seul clou, et surmontée de dômes recouverts d'écailles de tremble, est particulièrement remarquable.

🏛 **Musée de Souzdal**
Oul. Kremliovskaïa. 📞 09231 20444. 🕐 mer. au lun. 🚫 📷 (réservez à l'avance).

🏛 **Musée des Arts décoratifs**
Oul. Lenina. 📞 09231 20444. 🕐 mar. au dim. 🚫 📷 (réservez à l'avance).

🏛 **Musée de l'Architecture en bois**
Oul. Kremliovskaïa. 📞 09231 20444. 🕐 mer. au lun. 🚫 📷 (réservez à l'avance).

La porte d'Or, entrée de Vladimir sur la route de Moscou

Vladimir ❽
Владимир
Vladimir

170 km au nord-est de Moscou.
🏃 360,000. 🚉 🚌 (p. 219).
🏛 t.l.j.

F ondée à la fin du XIᵉ siècle par Vladimir Monomaque *(p. 155)*, sur les bords de la Kliazma, Vladimir commença à prendre son essor sous le règne du fils de Monomaque, le prince Iouri Dolgorouki *(p. 17)*. Le fils héritier de ce prince, Andreï Bogolioubski, y transféra sa cour en 1157 et en fit la capitale de la nouvelle principauté de Vladimir-Souzdal. La ville fut à son

La cathédrale de l'Assomption du xiie siècle, Vladimir

apogée au xiie siècle et au début du xiiie, et la plupart des monuments intéressants datent de cette période. Comme Souzdal, le rôle stratégique de Vladimir fut ensuite éclipsé par Moscou mais la ville resta un pôle important pour le commerce. Aujourd'hui, elle ressemble aux autres villes industrielles de l'époque soviétique, mais les usines de pneus et les industries chimiques sont heureusement situées assez loin de la vieille ville et ne nuisent pas à l'harmonie du décor.

En arrivant par la route de Moscou, on pénètre par la monumentale **porte d'Or.** Construite en 1164, elle devait être à la fois un arc de triomphe et un bastion défensif. Les icônes au-dessus du porche, qui furent blanchies à la chaux par les communistes, ont été restaurées depuis peu. La porte abrite maintenant une petite exposition sur l'histoire militaire.

En descendant la rue principale, on longe les galeries marchandes et les boutiques du xixe siècle avant d'arriver à la **cathédrale de l'Assomption,** le monument le plus célèbre

Détail des bas-reliefs sculptés de la cathédrale Saint-Dimitri

de Vladimir. Construite dans les années 1158-1160, sur un promontoire au-dessus des rives de la Kliazma, elle était décorée à l'origine d'une profusion d'or et d'argent, de pierreries, de carreaux de majolique et de sculptures en pierre blanche. Des artisans vinrent de toute la Russie, de Pologne et du Saint Empire romain germanique pour participer à la construction de ce qui était alors le plus haut édifice de Russie. Dimitri Donskoï (*p. 18*) et Alexandre Nevski (*p. 17*) furent parmi les princes russes à y être couronnés. La cathédrale fut lourdement endommagée lors d'un incendie en 1185, et on mit à profit les travaux de restauration pour lui ajouter quatre dômes. Lorsque au xve siècle Ivan III décida de construire la cathédrale de l'Assomption à Moscou (*p. 58-59*), il demanda à son architecte italien, Fioravanti, de prendre pour modèle celle de Vladimir.

La célèbre icône de la Vierge de Vladimir (*p. 61*), jadis dans la cathédrale, est aujourd'hui exposée à la galerie Tretiakov (*p. 121*). Il reste toutefois de superbes fresques de Roublev

et de Tcherny sur les murs ouest, au-dessous de la galerie du chœur.

Non loin de là se trouve la **cathédrale Saint-Dimitri,** construite entre 1194 et 1197 par le prince Vsevolod III. L'édifice présente une façade en pierre blanche finement sculptée d'une multitude de bas-reliefs inspirés de l'Ancien Testament. Au-dessus de la fenêtre de la façade sud, d'autres sculptures retracent l'ascension d'Alexandre le Grand, symbole de l'autorité princière.

Iasnaïa Poliana ❾

Ясная Поляна
Iasnaïa Poliana

180 km au sud de Moscou.
☎ 0872 339118. ◻ de 10 h à 17 h 30 du mer. au dim. 🚉 Toula, puis bus. ▭ (p. 219). ♿

Cette résidence de campagne, qu'affectionnait Tolstoï (*p. 134*), est située dans une paisible vallée entourée de forêts. Tolstoï naquit à Iasnaïa Poliana en 1828. À partir des années 1850, il y passa tous les étés, et sa famille s'y installa définitivement en 1901. La maison est restée à peu près telle qu'elle était du vivant de l'écrivain. On peut y visiter le cabinet de travail où Tolstoï écrivit *Guerre et Paix* et *Anna Karénine*. D'autres bâtiments sont situés dans la propriété, dont Dom Volkonskovo, où vivaient les serfs, et un pavillon pour les invités. Un petit musée littéraire a été aménagé dans l'ancienne école que Tolstoï avait ouverte pour les paysans.

La maison de Léon Tolstoï dans sa propriété familiale de Iasnaïa Poliana

LES BONNES ADRESSES

HÉBERGEMENT

L'infrastructure hôtelière de Moscou s'est considérablement améliorée depuis que la Russie est devenue un État indépendant, en 1992. De nouveaux hôtels ont été construits, de belles demeures rénovées, et la création de logements étant devenue une priorité pour le maire Iouri Loujkov, les travaux d'aménagement du parc hôtelier devraient se poursuivre. Toutefois, le nombre d'hôtels reste largement insuffisant, et ce sont les établissements haut de gamme qui ont

Mosaïque d'Alexandre Golovine sur la façade du Metropol (p. 88)

bénéficié des récents développements. Les hôtels de prix moyen restent rares. Les hôtels sélectionnés pages 168 à 171 sont classés selon leur situation géographique et par ordre de prix. Vérifiez les tarifs car ils peuvent changer très rapidement. Il n'y a pas d'agences de réservation à Moscou, mais la plupart des hôtels les prennent directement par téléphone ou fax. La meilleure solution est de réserver à l'avance en s'adressant à une agence de voyage.

LES TYPES D'HÔTELS

Selon les chiffres officiels, il existe plus de 200 hôtels à Moscou. Mais beaucoup d'entre eux sont des établissements réservés à des délégations professionnelles, comme l'hôtel du Centre de recherche en cancérologie. Le visiteur n'a habituellement le choix qu'entre deux catégories : les hôtels de luxe et les anciens hôtels soviétiques, moins chers et plus simples.

Les hôtels de luxe appartiennent souvent à des chaînes étrangères ou à des compagnies russo-occidentales. Beaucoup occupent des bâtiments historiques (d'avant ou d'après la révolution), décorés avec des meubles d'époque, mais offrant tout le confort moderne. Le service est aujourd'hui comparable à celui des meilleurs hôtels européens, mais le prix d'une chambre double est rarement

Le grand hall du luxueux Baltschoug Kempiski (p. 169)

inférieur à 200 $ la nuit. Dans les hôtels « ex-soviétiques », auparavant gérés par l'État, le service laisse souvent à désirer mais les chambres sont généralement propres et spacieuses. Ces hôtels peuvent donner une idée du genre de vie qui était autrefois celui de l'élite du parti notamment.

TROUVER UN HÔTEL

La plupart des hôtels de luxe sont situés dans le centre-ville et aisément accessibles en voiture ou en métro. À quelques exceptions près, les hôtels ex-soviétiques sont généralement un peu plus excentrés.

Toutefois, l'emplacement n'a généralement pas d'effet sur les prix. Mais avant de choisir votre hôtel, prenez en compte de votre moyen de déplacement pour visiter la ville : voiture, marche à pied ou transports en commun. Ainsi, pour le métro et le bus, mieux vaut avoir une connaissance minimale de l'alphabet cyrillique.

COMMENT RÉSERVER

À l'époque soviétique, il était strictement obligatoire de réserver son hébergement avant de se rendre dans le pays. Si on ne peut toujours pas obtenir de visa touristique sans réservation, une fois sur place, il est théoriquement possible aujourd'hui de trouver une chambre en s'adressant directement à l'hôtel de son choix. Toutefois, la solution la plus pratique est de s'adresser à une agence spécialisée dans les voyages en Russie, qui facilitera toutes les démarches. Les hôtels les plus chers sont souvent réservés longtemps à l'avance, surtout pour les jours de semaine. Presque tous les hôtels ci-dessous acceptent

Une chambre du National, spacieuse et élégante (p. 89)

Petit salon attenant à une chambre du Danilovskaïa *(p. 170)*

les réservations par fax ou téléphone. Le personnel des hôtels de luxe parle généralement anglais, et habituellement un numéro de carte de crédit suffit comme garantie de paiement. Dans les hôtels ex-soviétiques, il est conseillé de réserver les chambres par fax, en demandant une confirmation écrite à l'hôtel.

LES SERVICES

Tous les hôtels de luxe offrent les services d'un hôtel de même catégorie en Europe : télévision (souvent par satellite), service affaires avec messageries et salle de réunion, mini-bars, blanchisserie et service de chambre 24 h/24. Toutes les chambres sont équipées de salle de

La magnifique salle à manger du Savoy *(p. 168)*

bains avec baignoire ou douche, quelquefois les deux. Quelques établissements ont une salle de remise en forme ou une piscine. Si vous voyagez en été, prenez en compte que même les hôtels haut de gamme ne sont pas toujours climatisés.

Les chambres des hôtels ex-soviétiques disposent généralement d'une salle de bains et sont équipées de télévision, réfrigérateur et téléphone. Les appels téléphoniques pour l'étranger à partir de la chambre sont chers et parfois difficiles s'il faut passer par l'opérateur. La plupart de ces établissements, surtout les moins chers, ne proposent qu'un service de blanchisserie.

Dans beaucoup d'hôtels de ce type, on trouve encore, à chaque étage, la *dejournaïa* assise derrière son bureau. Ces employées, à l'air parfois assez redoutable, sont notamment chargées de garder les clés des clients lorsqu'ils sortent. Veillez à ne pas perdre la carte que l'on vous donne lors de la remise des clés, car vous devez la présenter quand vous rentrez à l'hôtel. Les bonnes relations avec la *dejournaïa* sont importantes pour obtenir un meilleur service, comme vous procurer de quoi

manger ou boire hors des heures habituelles.

Tous les hôtels ont des bars et des restaurants. Les grands hôtels possèdent quelques-uns des meilleurs restaurants de la ville, mais pratiquent des prix élevés. Les hôtels ex-soviétiques sont en général moins souples pour les heures de repas, et la nourriture y est beaucoup moins appétissante.

L'élégant restaurant Yar du Sovetski, orné de miroirs *(p. 170)*

LES PRIX

L a capacité d'accueil à Moscou reste insuffisante, et les prix sont parfois excessivement élevés. Les tarifs indiqués dans ce guide sont ceux donnés par les hôtels. Mais, en réalité, peu de clients payent le plein tarif. Dans les grands hôtels, les hommes d'affaires ont généralement de meilleurs prix, négociés par leur compagnie, et la plupart des touristes réservent par une agence à conditions plus intéressantes. Il est rarement avantageux de réserver une chambre soi-même. Les voyageurs ayant choisi un hôtel en particulier ont intérêt à passer par leur agence de voyage, qui se renseignera sur les prix spéciaux. S'adressant à une clientèle d'affaires qui

remplit l'établissement surtout en semaine, les hôtels de luxe proposent des forfaits avantageux pour le week-end.
S'il est illégal de payer dans toute autre monnaie que le rouble, les hôtels haut de gamme indiquent généralement les prix en monnaie étrangère (dollars

Détail de mosaïque à l'intérieur du Moscou *(p. 168)*

le plus souvent), et la carte de crédit est le moyen de paiement le plus pratique pour régler. Les hôtels exsoviétiques n'indiquent pas les prix en dollars, et la plupart n'acceptent que le paiement en liquide (en roubles). Certains prennent les cartes de crédit, mais n'acceptent pas les chèques de voyage.

Les hôtels de luxe donnent souvent les prix hors taxes, et en ajoutant la TVA et une taxe locale il faut parfois compter 20 % en plus du prix annoncé. Sachez aussi que les taxes en Russie peuvent changer très vite.
Le petit déjeuner est rarement inclus dans le prix des chambres et représente parfois aussi un supplément important. Les appels téléphoniques, locaux ou internationaux, passés depuis la chambre coûtent également très cher. Le réseau téléphonique local est meilleur marché *(p. 206)*.

VOYAGER AVEC DES ENFANTS

L es Russes adorent les enfants, mais cela ne se traduit pas nécessairement par des services hôteliers appropriés. Dans beaucoup d'hôtel il est possible, avec un supplément, de faire ajouter un lit dans une chambre, et la plupart des établissements de luxe ont un service de babysitting. Mais les hôtels préfèrent la clientèle d'affaires ou les groupes, aussi n'espérez pas des services très développés.

L'imposante façade du Moscou avec sa multitude de fenêtres *(p. 168)*

Le Marco Polo Presnïa, situé dans une rue tranquille du centre *(p. 168)*

LES PERSONNES HANDICAPÉES

Peu d'hôtels à Moscou sont accessibles en fauteuil roulant, et s'ils existent, les équipements restent limités. Les personnes handicapées doivent se renseigner à l'avance auprès de leur agence de voyage.

LA SÉCURITÉ

Bien que les dangers de la vie à Moscou soient souvent exagérés, les hôtels (surtout ceux qui appartiennent à des compagnies étrangères) sont très attentifs à la sécurité. Ne soyez donc pas surpris de voir des hommes avec des talkies-walkies arpenter les halls d'entrée, même dans les établissements les plus chic. Les hôtels

La tour gothique-stalinienne de l'Ukraine *(p. 169)*

de luxe proposent des coffres-forts, et les clients ont habituellement peu de problèmes de sécurité personnelle.
Les hôtels ex-soviétiques sont également très sûrs. Les porteurs interdisent l'entrée aux personnes indésirables, et une *dejournaïa (p. 165)* monte la garde à chaque étage. Toutefois, comme dans d'autres grandes villes, les touristes sont souvent la cible des petits malfaiteurs, particulièrement aux abords des hôtels.

SÉJOURS CHEZ L'HABITANT

Certaines organisations proposent des séjours dans des familles. C'est une bonne solution pour ceux qui veulent progresser en russe ou découvrir de plus près la vie quotidienne, mais pour ceux qui ne parlent pas la langue, un séjour en famille peut s'avérer difficile. Si vous avez recours à ce type d'hébergement, vérifiez bien auparavant où est situé l'appartement. Les appartements dans le centre sont rares, et il ne faut pas avoir peur des longs trajets pour rejoindre les sites touristiques. Faites-vous préciser si les repas ou la blanchisserie sont inclus dans le prix. Les pensionnaires disposent généralement d'une chambre individuelle, mais doivent s'attendre à partager salle de bains et autres commodités.

HÉBERGEMENT BON MARCHÉ

Pour les voyageurs ayant un petit budget, le choix est limité. Certains hôtels ex-soviétiques ont des chambres convenables à moins de 50 $. **Moscow Bed and Breakfast** propose de louer des appartements avec service de nettoyage inclus, situés pour la plupart près du métro Belorousskaïa. Un appartement pour une

Le hall de l'Ukraine *(p. 169)*

personne coûte environ 50 $ la nuit, et on peut la partager à plusieurs.
Il existe très peu de pensions à Moscou, mais la **Pension Prakash** et la **Travellers' Guest House** s'adressent plus particulièrement à des voyageurs ayant un petit budget. Elles proposent un hébergement en dortoirs à des prix allant de 15 à 25 $ la nuit. Le service est amical et les dortoirs sont propres.

CARNET D'ADRESSES

CHAMBRES CHEZ L'HABITANT

**Moscow
Bed and Breakfast**
📞 457 3508.
FAX 457 3508.

HÉBERGEMENT BON MARCHÉ

Bed and Breakfast
📞 147 0021.

Pension Prakash
Общежитие Пракаш
Profsoïouznaïa oulitsa 83, korpous 1, podezd 2.
📞 334 2598.
FAX 334 2598.

**Travellers'
Guest House**
Bolchaïa Pereïaslavskaïa oulitsa 50, 10e étage.
📞 971 4059.
FAX 280 7686.

CENTRE-VILLE

Belgrade
Белград

Smolenskaïa plochtchad 5. **Plan** 5 C1.
📞 248 1643. ℻ 230 2129.
Chambres : 920. 🖥 1 ♨ 24 TV
Y 🗐 🔋 🔌 P Y 🍽 ★ 🅮
MC, V. Ⓢ

Cet hôtel ex-soviétique, qui n'occupe plus qu'un des deux imposants buildings construits à la fin de l'ère soviétique, a l'avantage d'être situé au centre-ville et de proposer des tarifs raisonnables. Bien que le service soit un peu sommaire, héritage de son passé, le restaurant sert une bonne cuisine de l'Europe de l'Est et l'hôtel s'améliore, semble-t-il, de jour en jour. Destiné à prendre la place du gigantesque hôtel Rossia, promis à la démolition, il peut être considéré actuellement comme le seul bon établissement de ce type dans le centre-ville.

Boudapecht
Будапешт

Petrovskie Lini oulitsa 2/18. **Plan** 3 A4.
📞 924 8820. ℻ 921 1266.
Chambres : 116. 🖥 1 ♨ TV Y
🔋 🔌 Y 🍽 ★ 🅮 AE, DC, MC,
V, JCB. ⒮Ⓢ

Depuis cet hôtel, tous les sites touristiques du centre de Moscou peuvent facilement se visiter à pied. Situé dans une rue tranquille donnant sur oulitsa Petrovka, il est particulièrement bien placé pour les amateurs de musique, puisqu'il est situé près du Bolchoï. Si le Boudapecht n'est pas aussi prestigieux que certains des hôtels du centre, il offre, grâce à ses prix, un compromis intéressant entre les établissements haut de gamme et les hôtels meilleur marché de la banlieue.

Intourist
Интурист

Tverskaïa oulitsa 3/5. **Plan** 2 F5. 📞
956 8426. ℻ 956 8450. **Chambres :**
433. 🖥 1 ♨ 24 🔋 🔌 P
Y 🍽 ★ 🅮 DC, MC, V, JCB. ⒮Ⓢ

L'Intourist accueillait auparavant la plupart des touristes étrangers en voyage organisé. Aujourd'hui, il donne une idée du médiocre niveau de prestations des hôtels soviétiques, mais permet aux touristes puissent choisir leur hébergement. Avec ses 22 étages de chambres identiques, il a toutefois l'avantage d'offrir des prix raisonnables compte tenu de sa situation très centrale, à cinq minutes à pied de la place Rouge. Les rumeurs selon lesquelles

il serait sur le point d'être racheté ou démoli semblent sans fondement et sont vivement démenties par l'Intourist, qui affirme que l'hôtel fonctionnera encore au XXIe siècle.

L'établissement possède plusieurs restaurants. Le meilleur est sans doute le petit Azteca, qui a été aménagé dans deux chambres du 20e étage et qui sert des repas mexicains. Le bar près du hall d'entrée est encore le meilleur endroit du centre-ville pour prendre un café et une pâtisserie.

Moscou
Москва

Oulitsa Okhotny riad 2. **Plan** 3 A5.
📞 960 2020. ℻ 928 5938.
Chambres : 983. 🖥 1 ♨ 24 TV
Y 🗐 🔋 🔌 Y 🍽 ★ 🅮 MC, V.
⒮Ⓢ

Cet hôtel monumental est renommé pour sa façade asymétrique. Staline ayant vu deux plans et les ayant approuvés l'un et l'autre, l'hôtel serait en fin de compte une combinaison des deux.

L'hôtel Moscou accueillait autrefois les dignitaires du parti de passage dans la capitale, et semble encore se dresser comme un bastion soviétique dans une cité plus moderne et capitaliste. Aujourd'hui, pour ceux qui veulent bien oublier les prostituées et les individus louches qui rôdent dans le hall, l'hôtel offre un hébergement bon marché au cœur de la ville.

Les chambres sont généralement propres, vastes et bien préservées des bruits de la circulation. Les chambres des étages élevés, côté sud, ont vue sur la place Rouge. Le principal restaurant de l'hôtel est à éviter, mais son bar espagnol, El Rincón Español, est un des meilleurs et plus anciens établissements étrangers de la capitale.

Arbat
Арбат

Plotnikov pereoulok 12. **Plan** 6 D2.
📞 244 7635. ℻ 244 0093.
Chambres : 105. 🖥 1 ♨ 24 TV
🔋 🔌 P Y 🍽 ★ 🅮 AE, DC,
MC, V. ⒮⒮Ⓢ

L'hôtel Arbat est situé dans une petite rue tranquille qui donne sur l'Arbat, la plus célèbre rue piétonne de Moscou. C'est un bâtiment sans caractère particulier, construit en brique claire dans les années 60, et niché entre des immeubles occupés autrefois par l'élite du parti communiste. Si vous ne souhaitez pas payer le prix des hôtels haut de gamme du centre-ville, mais cherchez un endroit tranquille et néanmoins relativement central, l'Arbat est une bonne solution.

Les chambres sont assez spacieuses et beaucoup ont même un coin salon, mais les salles de bains et l'ameublement sont fatigués comme dans beaucoup d'hôtels de l'époque soviétique. Le bar fait toutefois exception. C'est un étonnant mélange de surfaces laquées noires et d'épais tapis rouges, avec une agréable véranda où l'on peut s'asseoir dehors en été pour prendre un verre.

Marco Polo Presnïa
Марко Поло Пресня

Spiridonevski pereoulok 9. **Plan** 2 E4.
📞 202 4834. ℻ 926 5402.
Chambres : 68. 🖥 1 ♨ TV Y
Y 🗐 🔋 🔌 P Y 🍽 ★ 🅮
AE, DC, MC, V, JCB. ⒮⒮⒮Ⓢ

Situé dans un quartier paisible près de l'étang des Patriarches (p. 96), le Marco Polo Presnïa occupe l'un des meilleurs emplacements de Moscou. Bien qu'il soit éloigné des transports en commun, il permet toutefois de découvrir en se promenant quelques-unes des plus charmantes rues résidentielles de la ville. Plus petit que les autres hôtels de sa catégorie, il bénéficie d'une atmosphère plus tranquille.

L'établissement fait figure de parent pauvre à côté du Palace Hotel de la rue Tverskaïa, qui, comme lui, a été repris par la chaîne Marco Polo. Contrairement au Palace, le Presnïa n'a pas encore été entièrement rénové. Mais malgré l'aspect un peu négligé et le service peu amical, l'hôtel offre une solution de rechange aux établissements luxueux du centre-ville.

Savoy
Савой

Rojdestvenka oulitsa 3. **Plan** 3 A4.
📞 929 8500. ℻ 230 2186.
Chambres : 86. 🖥 1 ♨ 24 TV
Y 🗐 🔋 🔋 🔌 P Y 🍽 ★
🅮 AE, DC, MC, V, JCB. ⒮⒮⒮Ⓢ

Construit en 1912 et rénové en 1989, le Savoy fut le premier hôtel de luxe de Moscou repris par une direction étrangère. Il est caché dans une petite rue près de la place Loubianka (p. 112), et l'extérieur sans prétention ne laisse guère deviner la somptuosité du décor intérieur.

Le hall d'entrée, de dimensions modestes, mène à des pièces assez sombres mais luxueuses, dont les riches boiseries, les tapis rouges et l'éclairage intime rappellent un peu l'atmosphère d'un club privé. Les couloirs de l'hôtel servent également de galerie de peinture, avec des tableaux sur tous les murs. Les chambres sont équipées de copies de meubles anciens, et de tout le confort moderne. L'hôtel possède une salle de restaurant, ornée de lustres et de peintures murales, où les tables sont disposées autour d'une fontaine.

Baltschoug Kempinski
Балчуг Кемпинский

Oulitsa Baltchoug 1. **Plan** 7 B2. [☎] *230 6500.* [FAX] *230 6502.* ***Chambres :*** *234.* 🛏 📶 🎚 [24] [TV] 🍽 ▤ 🖥 ★ ≋ 🏊 🔒 🛗 💆 🎣 🍴 🍷 *AE, DC, MC, V, JCB.* ⑤⑤⑤⑤⑤

Le Baltschoug Kempinski est situé sur la rive sud de la Moskova. C'est un emplacement central, mais la traversée du pont pour aller jusqu'au Kremlin peut paraître longue en hiver, à cause du vent glacial.
Même s'il ne présente pas une architecture aussi imposante que certains de ses concurrents, le Baltschug Kempinski est néanmoins l'un des plus beaux hôtels de Moscou. Datant de la fin du XIXᵉ siècle, il possède un somptueux décor intérieur moderne de marbre blanc et de rampes dorées.
   Les pièces donnant sur la rivière ont une vue magnifique sur le Kremlin et sur l'église Basile-le-Bienheureux. Le restaurant de l'hôtel sert, paraît-il, le meilleur brunch de Moscou, le dimanche.

Marriott Grand Hotel
Марриотт Гранд отель

Tverskaïa oulitsa 26. **Plan** 2 E3 [☎] *935 8500.* [FAX] *937 0001.* ***Chambres :*** *392.* 🛏 [24] [TV] 🍽 ▤ 🖥 ≋ 🏊 🔒 🛗 💆 P 🍷 🍴 ★ ≋ *AE, MC, V, JCB.* ⑤⑤⑤⑤⑤

Cet établissement de luxe, appartenant à la chaîne d'hôtels américaine Marriott, a été achevé en 1997. C'est un de ces bâtiments moscovites modernes dont la conception architecturale a été vaguement influencée par le modern style de la fin du XIXᵉ siècle.
   Situé entre la ceinture des Jardins et celle des Boulevards, l'hôtel jouit d'un emplacement central. Il offre tous les équipements modernes, y compris une prise d'ordinateur dans chaque chambre. Surtout fréquenté par une clientèle d'affaires, il dispose en outre d'une salle de conférence et de salles de réunion, ainsi que d'un centre de remise en forme bien équipé et une piscine couverte, un jacuzzi, un sauna humide et sec, un solarium et un bar à jus de fruit à l'américaine. On peut y manger dans trois restaurants : le plus chic sert une cuisine russe ou occidentale, le restaurant-buffet propose petits déjeuners, déjeuners, et dîners en buffet

(souvent conçu autour de spécialités italiennes, allemandes ou orientales), et une taverne russe qui offre un choix de caviars et de vodkas.

Metropol
Метрополь

Teatralny proïezd 1/4. **Plan** 3 A5. [☎] *927 6000.* [FAX] *927 6010.* ***Chambres :*** *369.* 🛏 📶 🎚 [24] [TV] 🍽 ▤ 🖥 ≋ 🏊 🔒 🛗 💆 P 🍷 🍴 ★ ≋ *AE, DC, MC, V, JCB.* ⑤⑤⑤⑤⑤

Le Metropol (*p. 88*) fut construit entre 1899 et 1905 ; ses transformations au cours du XXᵉ siècle reflètent celles de la ville elle-même. Après une période d'opulence sous le règne des tsars, l'hôtel fut réquisitionné par les Soviets juste après la révolution. Mal entretenu pendant des années, il a été rénové avec l'aide de fonds étrangers, et atteint maintenant des prix prohibitifs.
   Le Metropol est un merveilleux exemple du style (*p. 45*) du début du XXᵉ siècle. L'intérieur est magnifiquement décoré de mosaïques, de lustres dorés et de vitraux. Le restaurant, installé sous une imposante verrière et éclairé par des lampes en cercle sur de longues tiges dorées.
   Beaucoup de chambres présentent la même richesse décorative, avec un mélange de mobilier ancien et d'équipements modernes. Bien évidemment tout ce luxe a un prix, et le service est un peu affecté. Quoi qu'il en soit, même si on n'habite pas au Metropol, on peut s'y arrêter pour prendre un café et admirer le décor.

National
Националь

Mokhovaïa oulitsa 15/1. **Plan** 2 F5. [☎] *258 7000.* [FAX] *258 7100.* ***Chambres :*** *231.* 🛏 📶 🎚 [24] [TV] 🍽 ▤ 🖥 ≋ 🏊 🔒 🛗 💆 P 🍷 🍴 ★ ≋ *AE, DC, MC, V, JCB.* ⑤⑤⑤⑤⑤

L'hôtel National (*p. 89*) est d'une élégance discrète, et la beauté de la façade n'apparaît pas toujours au premier regard. Construit en 1903, l'établissement a été complètement rénové au début des années 1990 et a retrouvé sa place parmi les deux ou trois palaces de Moscou.
   Les chambres ont de hauts plafonds et des planchers en bois, et les plus chères sont meublées de tapis et meubles anciens. Au fur et à mesure qu'on monte dans les étages, elles deviennent plus petites et moins importantes, et pour avoir vue sur le Kremlin, il faut payer un supplément. Pour atteindres les cafés et restaurants, il faut traverser le hall d'entrée,

qui est un vrai labyrinthe. Le service est impeccable, mais la nourriture d'un prix exorbitant. Le bar du rez-de-chaussée, entouré de parois vitrées, regorge de plantes vertes et ressemble à une serre.

EN DEHORS DU CENTRE

Kosmos
Космос

Porspekt Mira 150. [☎] *234 1000.* [FAX] *215 8880.* ***Chambres :*** *1 776.* 🛏 📶 🎚 [24] [TV] 🔒 🛗 💆 🍷 🍴 ★ *AE, DC, MC, V, JCB.* ⑤⑤

Le Kosmos, situé au nord de la ville, juste en face de la station de métro VDNKh, a été ouvert en 1980, pour les Jeux olympiques de Moscou. Son immense façade en forme de croissant donne sur l'actuel Centre panrusse des expositions (*p. 145*).
   Comme l'exposition, le Kosmos n'est plus aussi apprécié qu'autrefois. Le vaste hall, décoré sur le thème de l'espace avec des étoiles et des fusées suspendues au plafond, paraît maintenant un peu démodé, et les boutiques et les bars qui l'entourent ont cessé d'être les plus luxueux de Moscou. La piscine est actuellement fermée pour travaux de réfection.
   Les chambres sont toutefois vastes et très lumineuses, et celles du dernier étage bénéficient d'une vue splendide.

Ukraine
Украина

Koutouzovski prospekt 2/1 **Plan** 5 B1. [☎] *243 2596.* [FAX] *956 2078.* ***Chambres :*** *1 600.* 🛏 📶 🎚 [24] [TV] 🔒 🛗 💆 P 🍷 🍴 ★ ≋ *AE, DC, MC, V.* ⑤⑤

L'hôtel Ukraine occupe l'un des sept gratte-ciel de style gothique-stalinien (*p. 45*) que Staline fit construire à Moscou après la Seconde Guerre mondiale. Situé sur la rive ouest de la Moskova, il donne sur la Maison-Blanche (*p. 128*), sise de l'autre côté de la rivière.
   Par certains aspects, l'Ukraine est le plus somptueux de tous les hôtels moscovites. À l'intérieur, on découvre, sur le plafond du hall d'entrée, une intéressante série de mosaïques représentant de jeunes Soviétiques heureux. Décorés de meubles anciens, il ne faut toutefois pas s'attendre à des prestations de luxe. L'ensemble reste un peu démodé et défraîchi. Un séjour à l'Ukraine est toutefois l'occasion de découvrir un bâtiment construit à l'époque où l'Union soviétique était au faîte de sa puissance.

Légende des symboles voir p. 165

Danilovskaïa
Даниловская

Bolchoï Starodanilovski pereoulok 5.
C 954 0503. **FAX** 954 0750.
Chambres : 116. 🛏 1 🔢 24 TV
🍷 ▤ 🎵 🔌 🅿 🍴 11 ★ 🌐
AE, DC, MC, V, JCB. $$$$

Le Danilovskaïa est situé à
l'intérieur de l'enceinte du
monastère Danilovski (p. 136-137),
et le garde chargé de la sécurité
occupe une tour de guet restaurée,
datant du xvᵉ siècle. Mais l'hôtel
est un bâtiment de cinq étages
construit en 1991.

Tenu par l'Église orthodoxe
russe, c'est un établissement
unique en son genre, où le
spirituel se mêle au profane, avec
des portraits de patriarches dans
les couloirs et des icônes dans les
chambres. Cette ambiance un peu
irréelle est loin d'être déplaisante.
Les chambres sont propres,
calmes, et équipées de façon
moderne, avec vue du monastère
rénové et de ses paisibles jardins.
L'excellent restaurant propose une
des meilleures cuisines russes de
Moscou.

L'emplacement un peu excentré
de cet hôtel, dans un quartier sud
de la ville, ne permet pas de
joindre à pied les principaux sites
touristiques.

Hôtel Sovetski
Отель Советский

Leningradski prospekt 32/2. **Plan** 1 B1.
C 960 2000. **FAX** 250 8003.
Chambres : 100. 🛏 1 🔢 24 TV
🍷 ▤ 🎵 🔌 🅿 🍴 11 ★ 🌐
AE, DC, MC, V. $$$

À défaut d'offrir des équipements
modernes, le Sovetski a gardé
l'aspect pompeux qu'il avait à
l'époque soviétique, quand il était
le lieu de résidence des dignitaires
étrangers en visite à Moscou.

Construit en 1957 dans le style
stalinien, le Sovetski est un
établissement incontestablement
grandiose. Les sols en marbre sont
recouverts de tapis rouges, le hall
d'entrée est entouré d'immenses
colonnes. La décoration des
chambres, moins nombreuses
qu'on pourrait l'imaginer, présente
le même caractère d'opulence.
Elles sont grandes, avec de hauts
plafonds ornés de moulures, des
sols en parquet et des meubles
anciens. En revanche, les salles de
bains sont défraîchies.

Le restaurant de l'hôtel, le Yar,
porte le nom d'un célèbre
établissement du centre de la ville
fréquenté jadis par Pouchkine, qui
s'écriait dans l'un de ses poèmes :
« Emmenez-moi au Yar. » La salle
à manger, entourée de miroirs et
éclairée par un étonnant lustre,
est impressionnante.

Le Sovetski est situé à 15-20
minutes du centre-ville en voiture,
sur la route de Cheremetevo (p. 208).
À environ 1 km sur cette même
route, on trouve la station de métro
Dinamo, la plus proche de l'hôtel.

Novotel
Новотель

Aéroport de Cheremetevo 2. **C** 926
5900, 502 220 6611. **FAX** 926 5904,
502 220 6604. **Chambres :** 488. 🛏
1 🔢 24 TV 🍷 ▤ 🎵 🔌 🅿 🍴 11 ★ 🌐 AE, DC, MC,
V, JCB. $$$

Le Novotel correspond exactement
à ce qu'on attend d'un hôtel
d'aéroport : il est clair, propre, et le
service est efficace. Les prestations
y sont infiniment supérieures à
tout ce qu'on peut trouver dans
l'aéroport proprement dit.

President Hotel
Президент отель

Oulitsa Bolchaïa Iakimanka 24. **Plan** 7
A4. **C** 239 3800. **FAX** 230 2318.
Chambres : 209. 🛏 1 🔢 24 TV
🍷 ▤ 🎵 🔌 🅿 🍴 11
★ 🌐 AE, DC, MC, V. $$$

Ouvert en 1983, le President Hotel
était fréquenté par les hauts
dignitaires du parti communiste et
les personnalités étrangères en
visite à Moscou, et le caractère
officiel de l'établissement n'a pas
totalement disparu. Les membres
du personnel et les gardes chargés
de la sécurité ont l'air d'oublier que
leur rôle est d'accueillir les visiteurs
plutôt que de les écarter. La
surveillance est très stricte et
convient de ce fait aux nombreux
hommes d'État étrangers.

L'intérieur est typique de
l'architecture monumentale de la
fin de l'époque soviétique,
notamment le grand escalier en
marbre menant au hall d'entrée au
plafond couvert de miroirs et
éclairé par des spots. Les
chambres sont spacieuses et
dotées d'un mobilier fonctionnel,
pas toujours du meilleur goût.
Équipé de plusieurs salles de
conférence, l'hôtel paraît destiné
avant tout à une clientèle
d'affaires. Il est situé au sud de la
rivière, non loin du centre.

Art Sport Hotel
Арт Спорт отель

3-ïa Pestchanaïa oulitsa N2. **C** 955
2300. **FAX** 955 2310. **Chambres :** 86.
🛏 1 🔢 24 TV 🍷 ▤ 🎵 🔌
🅿 🍴 11 ★ 🌐 AE, DC, MC, V.
$$$$

Cet hôtel au nom curieux est
ouvert depuis 1996. « Art » fait
référence à une collection de

sculptures installée dans le jardin,
tandis que « Sport » rappelle que
l'hôtel est situé sur l'ancien terrain
de sport de l'Armée rouge. Tenu
par des Allemands, l'établissement
est propre et bien entretenu, et
ressemble un peu à un motel
américain haut de gamme.

Les chambres sont de bonne
taille et meublées de façon
moderne et fonctionnelle. Ses atouts
principaux : un centre de remise
en forme (avec un sauna), une
chute d'eau artificielle et un bar à
bière. Ce type de bar est très rare à
Moscou.
C'est un endroit tranquille et parti-
culièrement agréable pour prendre
un verre dehors quand il fait beau.
Le restaurant principal et le bar,
avec des spécialités de grillades,
servent une cuisine européenne.

Le Art Sport Hotel, situé à
environ 20 mn du centre de Moscou
en voiture, est peu accessible par
les transports en commun. En été,
il offre l'avantage, rare à Moscou,
d'échapper à la chaleur et à la
pollution de la ville.

Mejdounarodnaïa
Международная

Krasnopresnenskaïa nab. 12. **Plan** 5
A1. **C** 258 1212. **FAX** 253 2481.
Chambres : 547. 🛏 1 🔢 24 TV
🍷 ▤ 🎵 🔌 🅿 🍴 11
★ 🌐 AE, DC, MC, V, JCB. $$$$

Le Centre Mejdounarodnaïa
(appelé le « Mej ») est un vaste
complexe de chambres d'hôtel,
bureaux, boutiques et restaurants.
Construit en 1980 à l'initiative du
magnat américain Armand Hammer
et avec ses fonds, il devait être le
symbole des relations américano-
soviétiques. Hammer était le
patron de la compagnie Occidental
Petroleum et un sympathisant du
parti communiste soviétique.
Durant les années 80, le Mej était
pour ainsi dire le seul hôtel pour
la clientèle d'affaires en visite à
Moscou, et une sorte d'oasis occi-
dentale dans la capitale communiste.
Il est toujours fréquenté par une
clientèle d'affaires, mais attire
moins les visiteurs à cause de son
éloignement du centre.

Les chambres de l'hôtel sont
fonctionnelles mais sans fantaisie.

Palace Hotel
Палас отель

1-ïa Tverskaïa-Iamskaïa oulitsa 19.
Plan 2 D2. **C** 931 9700, 502 256
3000. **FAX** 931 9704, 502 256 3008.
Chambres : 218. 🛏 1 🔢 24 TV
🍷 ▤ 🎵 🔌 🔌 🅿 🍴
11 ★ 🌐 AE, DC, MC, V, JCB.
$$$$

Cet hôtel occupe un bâtiment
moderne présentant une façade

en granit et en verre. L'intérieur manque de caractère, mais le cadre est néanmoins luxueux, les équipements modernes et le personnel efficace et très aimable. S'il n'a pas le prestige des vieux hôtels de Moscou, le Palace n'a pas son égal pour le luxe et l'étendue des prestations proposées. L'entrée donne sur le prolongement de Tverskaïa oulitsa, l'une des rues les plus animées du centre-ville, mais l'hôtel est bien insonorisé.

Radisson-Slavianskaïa
Рэдиссон-Славянская

Berejkovskaïa nab. 2. **Plan** 5 B2.
☎ 941 8020. FAX 941 8000.
Chambres : 410. 🛏 1 ♨ 24 TV
🍴 🍷 🛁 🎿 ☂ 👤 ⛤ 🍽
★ 🅿 🖂 *AE, DC, MC, V.* ⑤⑤⑤⑤

Situé près de la gare de Kiev, l'hôtel est loin du centre à pied, mais bien desservi par les transports en commun.
Le Radisson-Slavianskaïa est le type même d'établissement destiné à une clientèle d'hommes d'affaires. Son long couloir bordé de boutiques de luxe mène à un grand bar. La plupart des clients choisissent l'hôtel pour ses excellentes prestations, mais l'ambiance de travail qui y règne et le manque de fantaisie des chambres peuvent parfois dissuader les visiteurs.
Notez toutefois que l'hôtel possède un des cinémas de Moscou où l'on donne des films en anglais - l'American House of Cinema *(p. 193)*.

Tverskaïa
Тверская

1-ïa Tverskaïa-Iamskaïa oulitsa 34.
Plan 2 D2. ☎ 502 290 9900. FAX 502 290 9999. ***Chambres :*** 162. 🛏
1 ♨ 24 TV 🍴 🍷 🛁 🎿 ☂ 🎿
🅿 🍷 🍽 ★ 🖂 *AE, DC, MC, V,
JCB.* ⑤⑤⑤⑤

Le Tverskaïa, construit dans les années 90, a ouvert ses portes en 1995, mais sa petite façade imite l'architecture modern style, en vogue au début du siècle. Ce style est d'ailleurs décliné à l'intérieur de l'hôtel dans plusieurs éléments de la décoration (cuivres, vitraux, rampes incurvées en bois).
Du hall d'entrée très banal, par un des ascenseurs vitrés on peut accéder, huit étages plus haut, à la verrière du toit. Les chambres sont très confortablement meublées et disposent de tous les équipements modernes.
Dirigé par des Américains, l'hôtel offre un excellent service et toutes les garanties de sécurité.

Aerostar
Аэростар

Leningradski prospekt 37, korpous 9.
☎ 213 9000. FAX 213 9001.
Chambres : 413. 🛏 1 ♨ 24 TV
🍴 🍷 🛁 🎿 ☂ 🅿 🍷 🍽 🖂
AE, DC, MC, V, JCB. ⑤⑤⑤⑤⑤

La construction de l'Aerostar a commencé avant les Jeux olympiques de 1980, mais faute des fonds nécessaires, il n'a pu être achevé qu'après avoir été repris par une joint-venture russo-canadienne. Il est ouvert depuis 1991.
Vu de l'extérieur, son bloc de béton blanc n'a rien de très attrayant, mais à l'intérieur, l'hôtel est frais et lumineux, et agrémenté d'un grand bar donnant sur le hall d'entrée. Les chambres, modernes et confortables, sont équipées de grandes baies vitrées qui créent une impression d'espace et de clarté.
L'hôtel est situé sur Leningradski prospekt, la voie principale reliant Moscou à l'aéroport de Cheremetevo *(p. 208)*, à 30 km. C'est pourquoi il convient essentiellement à une clientèle d'affaires de passage. Les autres visiteurs pourraient trouver les 20 mn de trajet qui le séparent du centre un peu longuene.

Renaissance Moscou
Ренессанс Москва

Olimpiski prospekt 18/1. **Plan** 3 A1.
☎ 931 9000. FAX 931 9076.
Chambres : 475. 🛏 1 ♨ 24 TV
🍷 🍴 🛁 🎿 ☂ 👤 🍽 🅿
🍷 ★ 🖂 🖂 *AE, DC, MC, V, JCB.*
⑤⑤⑤⑤⑤

Comme le stade situé à côté, le Renaissance Moscou devait être achevé pour les Jeux olympiques de 1980. Le stade, qui avait été terminé à temps, tombe aujourd'hui en ruine, mais l'hôtel, achevé seulement en 1991, est en bien meilleur état.
C'est un établissement moderne, qui manque peut-être un peu de caractère, mais qui offre d'excellentes prestations, notamment la plus belle piscine et le meilleur centre de remise en forme de Moscou. Les petites chambres sont dotées de mobilier clair et fonctionnel. Bars, restaurants et boutiques sont situés au rez-de-chaussée inférieur.

Sofitel-Iris
Софитель-Ирис

Korovinskoïe chosse 10. ☎ 488 8000. FAX 488 8888. ***Chambres :*** 195.
🛏 1 ♨ 24 TV 🍷 🍴 🍷 ☂ 🍽
🎿 🛁 🎿 🅿 🍷 🍽 ★ 🖂 *AE,
DC, MC, V, JCB.* ⑤⑤⑤⑤⑤

Le Sofitel-Iris, au nord de Moscou, est éloigné du centre-ville. Mais

une navette gratuite fonctionne toutes les demi-heures entre l'hôtel et la ville, de 7 h 30 du matin à 11 h du soir.
Le nom de l'hôtel rappelle qu'il a été construit sur le terrain de la clinique ophtalmologique d'un certain professeur Fiodorov. Le motif de l'œil est d'ailleurs présent dans l'architecture du bâtiment, avec un ovale argenté qui regarde le café du hall, situé huit étages plus bas. Les chambres, modernes et bien équipées, donnent sur les galeries de l'atrium, et l'ensemble procure une agréable impression d'espace. Le restaurant est cher mais sert une bonne cuisine française.

LES ENVIRONS DE MOSCOU

Tour-Centre
Тур-Центр

Korovniki oulitsa, Souzdal. ☎ 2 0908.
FAX 2 0766. ***Chambres :*** 271. 🛏 1
♨ 🌊 🛁 🅿 🍷 🍽 ★ ⑤

Les visiteurs se rendant à Souzdal *(p. 160)* pour découvrir l'architecture des siècles passés seront peut-être déçus de se retrouver dans ce bâtiment sans charme des années 70. Les chambres sont cependant parfaitement propres et bien équipées. C'est l'endroit le plus commode pour se loger à Souzdal, et l'ensemble témoigne des conditions de vie d'une époque récente. C'est en effet un bon exemple d'hôtel soviétique, avec un hall peu accueillant, des prestations moins étendues que ce qui est annoncé et un personnel peu enthousiaste, très conscient du fait que la concurrence dans les environs est limitée.
À la limite nord-ouest de la ville, l'hôtel est à environ un quart d'heure à pied des églises et autres édifices religieux du centre.

Moscou
Москва

Place de la gare de Moscou, Toula.
☎ 0872 208952. FAX 872 208952.
Chambres : 357. 1 🎿 🍷 🍽 ⑤⑤

L'hôtel Moscou est situé en face de la gare des trains en provenance de Moscou. Même si cela peut paraître commode, ce n'est sans doute pas le genre d'endroit où les visiteurs choisiraient de séjourner, à moins qu'ils n'aient un petit budget. Mais pour ceux qui sont de passage à Toula pour visiter la maison de Tolstoï *(p. 134)* à Iasnaïa Poliana *(p. 161)*, il est tout à fait acceptable. Les chambres, de taille modeste, sont propres et bon marché, bien qu'un peu défraîchies. Le restaurant de l'hôtel ne plaira qu'aux affamés.

Les meilleurs hôtels de Moscou

Les hôtels sélectionnés ci-dessous sont ceux qui offrent un excellent confort et un grand nombre de prestations, autant pour les visiteurs que pour la clientèle d'affaires. Seuls les amateurs de culture physique seront limités dans leur choix. Tous ces hôtels sont des établissements de luxe, réputés pour leur service efficace et courtois – que l'on ne trouve pas toujours ailleurs. Ils sont situés dans des édifices modern style ou contemporains, en acier et en verre, et mêlent quelquefois de façon originale le séculier et le religieux, comme le Danilovskaïa, installé dans les jardins d'un monastère du XIIIᵉ siècle.

Tverskaïa

Arbatskaïa

Tverskaïa
L'extérieur comme l'intérieur de cet hôtel moderne et confortable sont inspirés du modern style du début du XXᵉ siècle (p. 171).

Palace Hotel
Cet hôtel luxueux et moderne est réputé pour l'excellente qualité de son service. Le cadre est à la fois simple et élégant, mais n'a peut-être pas le caractère de certains autres grands hôtels de la capitale (p. 170).

Marco Polo Presnïa
Moins somptueux que certains palaces de Moscou, le Marco Polo Presnïa se distingue par sa situation agréable dans un quartier résidentiel. Son restaurant sert une bonne cuisine occidentale (p. 168).

National
Construit dans un mélange de styles du XIXᵉ siècle, cet imposant hôtel possède un bar décoré comme une serre (p. 169).

Renaissance Moscou
Achevé en 1991, ce vaste hôtel offre d'excellents équipements modernes, notamment le meilleur centre de remise en forme avec piscine – ce qui est rare à Moscou (p. 171).

0   600 m

Savoy
Les chambres y sont petites, mais luxueuses et dotées d'éclairages tamisés créant une atmosphère chaleureuse (p. 168).

Place Rouge et
Kitaï Gorod

emlin

Zamoskvorietchie

Metropol
Construit entre 1899 et 1905, le Metropol est un des meilleurs exemples du modern style à Moscou. La façade richement décorée est ornée de mosaïques et de reliefs en pierre (p. 169).

Baltchoug Kempinski
Ce grand hôtel date du XIXᵉ siècle, mais possède des installations modernes de luxe (p. 169).

Danilovskaïa
Situé dans les jardins paisibles du monastère Danilovski, datant du XIIIᵉ siècle, cet hôtel moderne (p. 170) appartient à l'Église orthodoxe russe.

RESTAURANTS, CAFÉS ET BARS

L'habitude de sortir le soir pour dîner au restaurant n'était pas entrée dans les mœurs russes jusqu'à une époque récente, et c'est dans la capitale qu'elle a été le plus vite adoptée. Sous le régime soviétique, les bons restaurants à Moscou se comptaient sur les doigts de la main. Aujourd'hui, le choix s'est élargi, et sans atteindre celui que l'on peut trouver à Paris ou à Londres, il offre aux visiteurs nombre de possibilités alléchantes, qu'il s'agisse de cuisine russe, européenne,

Logo de Rousskoïe Bistro

caucasienne, indienne ou encore chinoise. Les bons restaurants sont en général assez chers – le café-restaurant à l'occidentale est encore inconnu à Moscou – mais vu l'ouverture constante de nouveaux établissements, la situation évoluera rapidement. Les pages suivantes vous aideront à repérer les meilleurs endroits dans toutes les catégories de prix. Les pages 180-181 les décrivent plus en détail, et les pages 182-183 signalent les établissements où l'on peut faire des repas légers.

Un restaurant McDonald's comme on en voit à Moscou aujourd'hui

ALLER AU RESTAURANT

Les restaurants les plus connus de Moscou sont, pour la plupart, situés dans le centre et sont donc presque tous accessibles en métro. Oulitsa Arbat *(p. 70-71)* se distingue par le nombre et la variété de ses établissements. Et comme partout, on peut même trouver un McDonald's *(p. 182)*. Le choix sur Tverskaïa oulitsa *(p. 89)* et sur Trioumfalnaïa plochtchad est étendu. Le Rousskoïe Bistro *(p. 183)* est une nouvelle chaîne de fast-foods à la russe, qui connaît un vif succès.

LIRE LE MENU

Les restaurants de cuisine internationale proposent en général les menus en russe, en anglais et parfois dans une troisième langue. Dans ce type d'établissements, le personnel parle anglais. Dans les petits restaurants de quartier, mieux vaut avoir quelque connaissance du cyrillique pour déchiffrer la carte.

LES TYPES DE CUISINE

Contrairement à ce qu'on pourrait croire, il y a peu de restaurants exclusivement russes à Moscou. Les Russes n'avaient pas tellement l'habitude de sortir pour dîner, et la cuisine russe n'a jamais eu la réputation de la cuisine française ou italienne par exemple. En revanche, les cuisines géorgienne ou arménienne sont délicieuses et relativement bon marché. Les restaurants d'Europe occidentale, notamment méditerranéens, sont de plus en plus populaires. Les chinois et les japonais sont en général très chers et de qualité variable, mais il y a d'excellents restaurants indiens.

Enseigne de café proposant des plats russes

La Maison Centrale des Écrivains *(p. 181)*, un des restaurants les plus chic de Moscou

LES BOISSONS

Si la vodka est l'alcool le plus souvent associé à la Russie, depuis la perestroïka, la bière accompagne de plus en plus les repas. Certains restaurants proposent aujourd'hui de la bière locale à la pression ainsi que plusieurs sortes de bières en bouteille. Les meilleurs restaurants occidentaux ont une carte des vins acceptable, mais les bons crus sont généralement chers *(p. 179)*. Il ne faut toutefois pas quitter Moscou sans avoir goûté au vin de Géorgie *(p. 179)*, dans un des nombreux restaurants géorgiens. C'est un vin plutôt doux, qui accompagne très bien les repas.

PAIEMENT ET POURBOIRE

Dans beaucoup de restaurants, surtout les moins touristiques, on ne peut payer qu'en espèces. Cette situation évolue lentement, mais il faut le prévoir lorsqu'on choisit l'endroit où manger. Les restaurants occidentaux ou asiatiques acceptent généralement les cartes de crédit, mais il est plus prudent de s'en assurer auparavant. Les prix varient considérablement selon que l'on choisit une cafétéria locale *(stolovaïa)*, où un

Terrasse de café sur Tverskaïa, un bon endroit pour observer la vie de la rue

repas russe standard coûte à peu près l'équivalent de 5 $, ou à la Maison Centrale des Écrivains, un établissement très huppé où le dîner revient à plus de 75 $. La plupart des restaurants internationaux restent assez chers. Il est parfois difficile de manger bon marché à Moscou sans s'en tenir strictement aux produits de base russes : pain, fromage et saucisson *(kolbassa)*. Même si le service est rarement inclus dans la note, le pourboire n'est pas une pratique courante en Russie. On peut laisser environ 15 % de la note dans les grands restaurants ou les établissements étrangers, mais dans les restaurants ou cafés russes de la petite monnaie suffira.

HEURES D'OUVERTURE

Le dîner est le principal repas de la journée, mais de nombreux restaurants proposent des déjeuners

L'intérieur chaleureux du Café Marga-rita *(p. 180)*, un café traditionnel

d'affaires, souvent sous la forme de menus à prix fixe. Ces repas sont généralement servis entre midi et 16 h. La plupart des restaurants servent le dîner à partir de 18 h et cessent de prendre les commandes à 22 h 30. Certains établissements géorgiens tenus par des familles ferment leurs cuisines dès 20 h 30 ou 21 h. Mais maintenant que la vie nocturne se développe à Moscou, de plus en plus de restaurants restent ouverts jusqu'aux premières heures du jour. Certains établissements restent même ouverts 24 h/24.

RÉSERVER UNE TABLE

La plupart des restaurants internationaux et des établissements pour touristes prennent des réservations et, dans les plus fréquentés, elles sont parfois nécessaires. Il vaut mieux réserver à l'avance. Toutefois, certains restaurants géorgiens et caucasiens très populaires ne prennent pas de réservations, et il arrive que les clients patientent une heure avant de trouver une table.

LES USAGES

En général, il n'est pas nécessaire de s'habiller de façon particulièrement élégante pour aller au restaurant. Mais sachez que les Russes ont tendance à s'habiller plutôt trop que pas assez, et, pour avoir l'esprit tranquille, choisissez de préférence une tenue soignée. On ne voit guère d'enfants dans les restaurants chic, et la plupart des menus ne prévoient pas de plats spéciaux pour eux.

LES VÉGÉTARIENS

Il y a beaucoup de viande dans la cuisine russe, même dans les salades. La seule alternative est de demander une assiette de betteraves ou de tomates. En revanche, la cuisine géorgienne est habituellement riche en plats de haricots et d'aubergines délicieux. En dehors des restaurants indiens, peu de restaurants font figurer à part des plats végétariens au menu. Les restaurants européens, chinois et japonais proposent généralement du poisson et quelques plats qui conviennent aux végétariens.

FUMEURS, NON-FUMEURS

En général, il n'existe pas de zones non-fumeurs, et il est considéré comme acceptable de fumer pendant les repas.

LES PERSONNES HANDICAPÉES

Peu de restaurants à Moscou ont des aménagements spécifiques pour les personnes handicapées, et il vaut mieux se renseigner par téléphone auprès de l'établissement avant de s'y rendre.

LÉGENDE DES TABLEAUX

Symboles des tableaux des pages 180-181.

🆅 spécialités végétariennes
🧒 convient pour les enfants
♿ accès handicapés
👔 tenue de ville
▦ terrasse
🎵 orchestre d'ambiance
🍷 bonne cave
★ vivement recommandé
💳 cartes de paiement :
AE American Express
DC Diners Club
MC MasterCard
V   Visa
JCB Japanese Credit Bureau

Catégories de prix pour un repas avec entrée et dessert, un verre de vin, taxes et service non compris :
Ⓢ moins de 15 $
ⓈⓈ de 15 $ à 30 $
ⓈⓈⓈ de 30 $ à 50 $
ⓈⓈⓈⓈ de 50 $ à 75 $
ⓈⓈⓈⓈⓈ plus de 75 $

Que manger à Moscou

L a grande variété de climats et de cultures en Russie a donné naissance à une cuisine d'une extraordinaire diversité, qui a aussi subi des influences européennes et arabes. Chaque région a ses propres traditions culinaires, mais aujourd'hui la popularité de certaines spécialités régionales, comme le *chachlyk* de Géorgie, s'étend à toute la Russie. Les ingrédients de base de la nourriture russe comprennent notamment les pickles, la crème aigre *(smetana),* le fromage blanc et l'aneth.

Bouquet d'aneth

Khatchapouri
Ces pains au fromage sont originaires de Géorgie. Ils sont garnis traditionnellement d'un fromage de brebis appelé soulougouni.

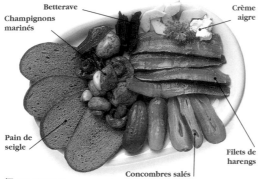

Betterave

Champignons marinés

Crème aigre

Pain de seigle

Filets de harengs

Concombres salés

ZAKOUSKI

Le mot *zakouski* désigne toute une variété de hors-d'œuvre servis en entrée au déjeuner ou au dîner, et dont la saveur épicée ou salée aiguise l'appétit. Caviar, saucisson fumé *(kolbassa)* et fromage font également partie de ces entrées typiquement russes.

Rassolnik
Cette soupe traditionnelle se prépare avec de la viande, des pommes de terre et des concombres salés.

Solianka
À la viande, cette soupe, préparée aussi au poisson, a un goût prononcé de tomate.

Borchtch
Cette soupe aigre-douce doit sa couleur rouge à la betterave. Elle se sert chaude en hiver et froide en été.

Chachlyk
Cette version du kebab se prépare avec du mouton ou du bœuf mariné. On peut intercaler des légumes entre les morceaux de viande.

CAVIAR ET BLINI

Le caviar noir *(ikra)* est constitué d'œufs de trois espèces d'esturgeon qui proviennent presque tous de la mer Caspienne. Le béluga est le plus rare et a un goût caractéristique de noisette. L'ossetra a une saveur crémeuse, tandis que le sevruga a un goût d'eau de mer. Le caviar rouge *(keta)* est fait d'œufs de saumon. L'*ikra* et la *keta* sont souvent servis avec des blinis.

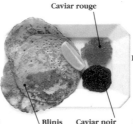

Caviar rouge

Pot de caviar rouge

Pot de caviar noir

Crème aigre

Blinis

Caviar noir

Ossetrina
L'esturgeon est réputé pour ses œufs, mais on mange aussi le poisson lui-même apprêté de différentes façons.

Pirojki salés
Ce sont de petits chaussons farcis de différents ingrédients, viande, poisson, légumes et fromage blanc.

Kotlety po Kievski
Ces blancs de poulet garnis de beurre à l'ail, panés et frits sont appelés parfois côtelettes en Europe de l'Ouest.

Pelmeni
D'origine sibérienne, ces raviolis à la viande ou au poisson sont servis dans la soupe ou avec de la crème aigre.

Koulebiaka
Tourte de forme allongée, garnie d'un mélange de saumon, riz, œufs durs et champignons. Se sert découpée en tranches.

Goloubtsy
Ces feuilles de chou farcies de viande et de riz, cuites à l'eau ou au four sont souvent servies avec une sauce tomate.

DESSERTS

Sauf dans les grandes occasions, les Russes ne prennent généralement pas de dessert. Les gâteaux se mangent n'importe quand.

Bev Stroganof et Kacha
Du bœuf en lanières, sauté aux oignons et aux champignons est souvent accompagné de gruau de sarrasin.

Vatrouchki : tartelettes sucrées au fromage.

Vareniki : sortes de beignets sucrés, fourrés de fruits divers.

Khvorost : allumettes torsadées.

Pirojki sucrés
Fait de pâte levée, les pirojki sucrés sont fourrés de diverses façons, notamment de fruits ou de confiture.

Charlotka
Espèce de pudding aux pommes, selon une recette du chef français Antoine Carême, créée pour le tsar Alexandre Ier.

Morojenoïe
En Russie, on mange de la glace à toute heure et en toute saison.

Que boire à Moscou

Un verre de vodka aromatisée

La vodka russe est réputée. Cette eau-de-vie est fabriquée depuis le XIVe ou XVe siècle, et on suppose qu'elle a été inventée par des moines moscovites. La vodka produite à Moscou a toujours été considérée comme la meilleure. Pierre le Grand *(p. 22)* avait une prédilection pour les vodkas au poivre et à l'anis, et il mit au point un nouveau procédé de distillation qui en améliora considérablement la qualité. L'autre boisson nationale du pays est le thé. Servi nature, le thé est devenu populaire en Russie à la fin du XVIIIe siècle, lorsqu'on commença à en importer de Chine.

Une famille de paysans russes du XIXe siècle buvant de la vodka et du thé dans leur datcha

LA VODKA NATURE

La vodka russe est une eau-de-vie de grain, généralement de blé, parfois de seigle. La Stolitchnaïa, fabriquée à partir de blé et de seigle, est sans doute la plus connue des vodkas russes. Son nom signifie « de la capitale ». La Moskovskaïa est une vodka considérée comme de qualité supérieure, tandis que la Koubanskaïa, produite à l'origine par les cosaques, est un peu amère. La distillerie Cristall à Moscou a la réputation d'être la meilleure de Russie et produit des vodkas haut de gamme, qu'il s'agisse de Stolitchnaïa, de la Moskovskaïa ou de sa propre marque, Cristall. La vodka accompagne presque toujours les repas en Russie, se mariant particulièrement bien aux fortes saveurs épicées ou salées des traditionnels *zakouski (p. 176)*.

Koubanskaïa

Stolitchnaïa

Moskovskaïa

Stolitchnaïa Cristall

LA VODKA PARFUMÉE

Au Moyen Âge, quand on commença à fabriquer cette eau-de-vie afin d'en faire le commerce, il était impossible d'enlever toutes les impuretés. Aussi, pour en dissimuler le goût peu agréable, on y ajoutait miel, huiles aromatiques et épices. Plus tard, les vodkas aromatisées sont devenues des spécialités à part entière. La Limonnaïa, dont le goût vient du zeste de citron, est une des plus traditionnelles, de même que la Pertsovka, parfumée aux piments rouges. L'Okhotnitchïa (« vodka des chasseurs ») contient, entre autres, du genièvre, du gingembre et des clous de girofle. La Starka (« vieille vodka ») est un mélange de vodka, cognac et porto additionné d'une infusion de feuilles de pommier et de poirier, et vieilli en fûts de chêne.

Pertsovka

Limonnaïa

Okhotnitchïa

Starka

LES RÉGIONS VITICOLES

■ Région viticole   ■ Russie

■ Moldavie   ■ Géorgie

■ Ukraine   ■ Arménie

    ■ Azerbaïdjan

    — Frontières internationales

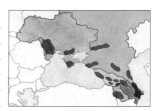

Vins géorgiens   **Champanskoïe**

LES VINS

L'ex-Union soviétique était l'un des plus grands producteurs de vin *(vino)* du monde. Beaucoup de grandes régions viticoles font maintenant partie de républiques indépendantes, mais leurs crus sont toujours populaires à Moscou.
De nombreuses variétés de raisin sont cultivées dans les différentes régions, à côté d'espèces originaires d'autres pays. La Géorgie et la Crimée produisent traditionnellement les meilleurs vins. Parmi les vins géorgiens, on trouve des crus fabriqués à partir du raisin *rkatsiteli,* caractérisés par un arôme de fleur et subtilement fruités.
La Moldavie produit des vins blancs pétillants, dans le Centre et le Sud, et des vins rouges.
Depuis 1799, la Moldavie est aussi un grand producteur de *champanskoïe,* un vin doux pétillant.

AUTRES BOISSONS ALCOOLISÉES

L e cognac *(konyak)*, qui est à l'origine un sous-produit de la vinification, n'a commencé à être commercialisé à grande échelle en Russie qu'au XIXe siècle. La Géorgie et l'Arménie sont deux grandes régions productrices. Le cognac arménien passe pour être le meilleur, avec un parfum de vanille, et est obtenu par un vieillissement dans des fûts de chêne, fabriqués avec du bois vieux de 70 à 100 ans. Parmi les bières de bonne qualité, on trouve la Jigoulevskoïe, la Baltika, la Kolos et la Moskovskoïe. On trouve également des bières d'importation.

Bière Baltika   **Cognac arménien**

AUTRES BOISSONS

C onsommé par les adultes comme par les enfants, le *kvas* est une boisson douce, légèrement alcoolisée, à base d'orge et de seigle. La Russie possède une multitude d'eaux minérales *(mineralnaïa voda),* dont beaucoup sont très minéralisées. Celles du Caucase, de Sibérie et de Géorgie sont recherchées. On boit également des jus de fruits *(sok)* et des boissons sucrées obtenues en faisant bouillir des fruits dans de l'eau avec du sucre *(kompot).*

Eau minérale   **Kvas**   **Mors**

LE THÉ

L e thé russe se prend nature avec une tranche de citron, dans une tasse ou un grand verre appelé *stakan.* On le sucre souvent avec de la confiture *(varenie).*
On fait bouillir l'eau dans un samovar, et on prépare du thé bien fort dans une théière. L'eau gardée au chaud dans le samovar sert à diluer le thé concentré que l'on aura versé dans les verres.

Un verre de thé et de la confiture *(varenie)*

LE SAMOVAR

L e samovar traditionnel, en laiton ou en cuivre, servait à faire bouillir de l'eau pour divers usages domestiques.
Aujourd'hui, ils sont souvent électriques et servent à la préparation du thé. On faisait aussi parfois cuire des œufs dans l'eau bouillante de la partie supérieure. Le mot *samovar* vient de *samos* qui veut dire « soi-même », et de *varit,* qui signifie « bouillir ».

CENTRE DE MOSCOU

Café Margarita
Кафе Маргарита

Malaïa Bronnaïa oulitsa 28.
Plan 2 E4. **C** 299 6534. ○ de 13 h à minuit. **V** **&** **♫** **$$**

Le Café Margarita (p. 182), qui doit son nom à l'héroïne du roman de Mikhaïl Boulgakov Le Maître et Marguerite, est situé près du pittoresque étang des Patriarches (p. 96), où commence le roman. On y trouve toutes les spécialités russes, notamment la soupe au chou (chtchi) et plusieurs types de blinis (p. 176). L'intérieur confortable avec ses meubles de bois foncé, font de ce café un endroit agréable pour prendre un thé ou un café et un repas léger. Certains soirs, on peut y écouter des musiciens.

Patio Pizza
Патио пицца

Oulitsa Volkhonka 13a. **Plan** 6 F2.
C 298 2520. ○ de midi à minuit. **V** **&** **&** **&** AE, DC, MC, V, JCB. **$$**

Ce restaurant aéré et spacieux offre un cadre agréable pour un repas à l'italienne. Les pizzas sont de qualité moyenne mais très variées, et on y trouve un bon choix de salades. C'est un endroit pratique pour se restaurer avant ou après une visite au musée des Beaux-Arts Pouchkine (p. 78-81). On peut aussi essayer l'établissement du n° 4 Tverskaïa oulitsa.

Starlite Diner
Свет звёзд

Bolchaïa Sadovaïa oul. 16. **Plan** 2 E3.
C 290 9638. ○ 24 h/24. **V** **&** **♦** **&** AE, MC, V. **$$**

Un coin de l'Amérique des années 50 niché au fond d'une cour donnant sur Trioumfalnaïa plochtchad. Les prix y sont très élevés, mais il n'en est pas moins très populaire auprès des expatriés américains et même des Russes. Ses hamburgers sont excellents, tout comme ses milk-shakes crémeux.

Hola Mexico !
Привет Мексика!

Pouchetchnaïa oulitsa 7/5. **Plan** 3 A4.
C 925 8251. ○ de midi à 5 h du matin. **V** **&** **♫** **&** AE, DC, MC, V, JCB. **$$**

La présence d'un restaurant latino-américain dans ce quartier historique de Kouznetski most peut sembler incongrue. On y trouvera,

en effet, toutes les savoureuses spécialités mexicaines, des quesadillas aux fajitas, servies dans un cadre spacieux et coloré. Dans la longue liste de cocktails à base de fruits figurent une excellente sangria et des piña coladas.

Maharaja
Махараджа

Oulitsa Pokrovka 2/1. **Plan** 3 C5.
C 921 9844. ○ de midi à 16 h, de 17 à 22 h 30. **V** **&** AE, DC, MC, V, JCB. **$$**

Le Maharaja est plus cher que ses concurrents, mais ceux qui aiment la cuisine indienne ne seront pas déçus. Il est situé non loin du Kremlin (p. 52-67). L'atmosphère y est feutrée, et la décoration de bon goût, ce qui n'est pas souvent le cas dans les restaurants à Moscou. Le personnel est attentif, et, même si les portions sont réduites, la nourriture est excellente, notamment les curries et les différents pains indiens.

Samovar
Самовар

13 Miasnitskaïa oulitsa.
C 921 4688. ○ de 13 h à 23 h. **♫** **&** MC, V. **$$**

Un bon endroit pour déguster une cuisine russe traditionnelle, avec sans doute le plus grand choix de plats que l'on puisse trouver à Moscou. Laissez-vous tenter par les kotlety po Kievski (p. 177), l'ossetrina (p. 177), les blinis (p. 176), le borchtch (p. 176), ou explorez toutes les possibilités de pelmeni (p. 177), notamment cuits à la vapeur, grillés et cuits dans une omelette. La nourriture est exquise mais chère. Comme son nom l'indique, le Samovar est un endroit pour les amateurs de thé : il n'en propose pas moins de vingt-quatre sortes différentes.

San Marco
Сан Марко

Oulitsa Arbat 25. **Plan** 6 E1.
C 291 7089. ○ de midi à minuit. **V** **&** **&** AE, DC, MC, V. **$$$**

L'Arbat (p. 70-71) est plein de pièges à touristes, mais si on se promène dans le quartier on peut s'arrêter sans risque au San Marco. Ce restaurant italien sans prétention est l'un des meilleurs endroits à Moscou pour déguster une pizza cuite dans un four en brique. Les soupes sont un peu grasses, mais les salades et les pâtes sont excellentes, et les prix restent raisonnables pour le quartier.

Tandoor
Тандур

Tverskaïa oulitsa 30/2. **Plan** 2 E3.
C 299 4593. ○ de midi à minuit. **V** **&** **&** AE, DC, MC, V. **$$**

Situé en face de la salle de concert Tchaïkovski (p. 192), le Tandoor est un des plus anciens restaurants indiens de Moscou, et il a toujours autant de succès qu'à son ouverture, en 1991. Si certains curries du menu principal sont assez communs, il ne faut pas manquer les entrées et les plats cuits au tandoor (four). Les végétariens pourront essayer le dhal et les feuilles de moutarde, et les amateurs de thé, terminer leur repas avec un thé masala au lait.

Ou Babouchki
У бабушки

Bolchaïa Ordynka 42. **Plan** 7 B4.
C 230 2797. ○ de midi à 23 h. **V** **&** limité. **♫** **&** MC, V. **$$$**

Si ce restaurant propose des spécialités russes, c'est surtout par sa cuisine française qu'il a acquis sa renommée. Vous pourrez y déguster de délicieux pelmeni (p. 177) et d'autres spécialités typiquement russes comme l'ossetrina (p. 177) et les blinis (p. 176).

Élégance
Элеганс

Maly Ivanovski peroulok 9. **Plan** 7 C1.
C 917 0717. ○ de midi à minuit. **V** **&** **&** DC, MC, V. **$$$$**

L'Élégance propose une bonne cuisine caucasienne, préparée par un chef arménien, et servie par un personnel aimable. Essayez l'agneau et les plats de haricots lobio avec le pain traditionnel appelé lavach. Au dîner, la direction offre un verre de cognac arménien (p. 179) à ses clients. Mais on a le choix entre vingt-quatre autres variétés de cognac, et la carte des vins est excellente.

Le Gastronome
Лё гастроном

Koudrinskaïa plochtchad 1. **Plan** 1 C5.
C 255 4433. ○ de midi à minuit. **♫** **▼** **★** **&** AE, DC, MC, V, JCB. **$$$$**

Situé au rez-de-chaussée d'un gratte-ciel stalinien des années 50, le Gastronome se distingue par sa splendeur. Le menu présente un choix de plats variés et inventifs, des sushis aux hamburgers, en privilégiant néanmoins la cuisine occidentale. Tout est bon, mais le borchtch (p. 176), la salade d'aubergines et le canard rôti sont particulièrement réussis. Mieux vaut réserver.

Scandinavia
Скандинавия

Maly Palachevski per. 7. **Plan** 2 E4. **C**
200 4986. ☐ de midi à 23 h.
AE, DC, MC, V, JCB. $$$$

À proximité de la place Pouchkine,
ce restaurant suédois est
particulièrement populaire en été,
où le bar et le restaurant en plein
air sont parfois bondés. Le menu est
un mélange de plats européens et
de steaks et hamburgers américains,
tous de bonne qualité. L'hiver, à
l'intérieur, le bar confortable et
l'ambiance chaleureuse en font
également un endroit agréable.

Ou Diadi Guilliaïa
У Дяди Гилляя

Stolechnikov pereoulok 6, str. 1. **Plan** 2
F4. **C** 229 2050. ☐ de 11 h à minuit.
AE, MC, V. $$$$

Ce restaurant, dont le nom signifie
« Chez Oncle Guilli », a la réputation
de servir le meilleur filet mignon
de Moscou. Il propose par ailleurs
un grand choix de plats américano-
européens, tels que la salade
César et le sandwich au poulet
et parmesan. Au bar et dans le
restaurant lui-même, l'ambiance
est intime et conviviale.

Artistico
Артистико

Kamergerski pereoulok 5/6. **Plan** 2 F4.
C 292 4042. ☐ de midi à minuit. V
AE, DC, MC, V.
$$$$$

Dans un cadre intime et élégant, ce
restaurant italien près de Tverskaïa
oulitsa (p. 89) prépare une cuisine
sans prétention. Les plats principaux
manquent un peu de piment, mais
les salades, simples et fraîchement
préparées, ainsi que les desserts
présentés avec recherche
(notamment le délicieux *tiramisu*)
suffisent à compenser ces faiblesses.

La Maison Centrale des Écrivains
Центральный дом
литераторов

Oulitsa Povarskaïa 50. **Plan** 2 D5.
C 291 1515. ☐ de midi à minuit. V
★ AE, MC, V.
$$$$$

Les passionnés de littérature russe
se rappelleront la Maison Centrale
des Écrivains qui figure dans une
scène du roman de Boulgakov
Le Maître et Marguerite, et
découvriront qu'un dîner sur les
lieux mêmes de cette scène est
également un moment inoubliable.
Les hauts plafonds et les boiseries
sculptées composent un élégant
décor, le service est impeccable,

et le mélange de cuisine russe et
occidentale réussi. Le caviar (p. 176)
et l'*ossetrina* (p. 177) sont d'excellente
qualité, à côté de spécialités plus
européennes comme la salade de
crevettes et d'artichaut. Les tables
du balcon permettent d'avoir une
vue de la salle. Réserver.

Praga
Прага

Oulitsa Arbat 2. **Plan** 6 E1.
C 290 6171. ☐ de midi à minuit. V
$$$$$

Encore récemment, le Praga
semblait être resté au temps d'avant
la perestroïka, mais c'est maintenant
un des meilleurs restaurants de la
ville. Ses salles imposantes, qui
datent des années 1880, ont été
rénovées et offrent des possibilités
variées. On peut choisir la cuisine
dans son décor, depuis la salle
brésilienne (buffet très convenable)
jusqu'à la luxueuse salle du Tsar.

EN DEHORS DU CENTRE

Gouria
Гурия

Komsomolski prospekt 7/3.
Plan 6 D4. **C** 246 0378.
☐ de 11 h à 23 h. $

Les portions généreuses servies
dans ce restaurant géorgien en font
l'un des plus fréquentés de Moscou.
Malheureusement, on ne peut pas
réserver et l'attente est parfois
longue, surtout le week-end. Le
menu est limité mais amplement
suffisant. Commencez par un
khatchapouri (p. 176), puis goûtez
aux plats d'aubergines et haricots
lobio (p. 176), avant d'essayer les
chachlyk (p. 176). Entre autres
boissons locales, on peut boire
du vin géorgien (p. 179).
Des chanteurs gitans accompagnent
les repas de chants folkloriques ou
de chansons des Beatles. Le service
est parfois inégal.

Darbar
Дарбар

Leninski prospekt 38, Hôtel Spoutnik.
C 930 2925. ☐ de midi à minuit. V
★ AE, DC , MC, V, JCB.
$$

Il ne faut pas hésiter à s'éloigner
du centre-ville pour aller au Darbar.
À en croire les Moscovites, c'est là
qu'on trouve la meilleure cuisine
indienne de Moscou. Le menu, rédigé
sur des rouleaux, comprend notam-
ment des spécialités du sud de l'Inde.
Avec ses nombreux plats de légumes,
le Darbar est idéal pour les végéta-
riens. Les lentilles et les plats tandoori
sont particulièrement recommandés.
Il est prudent de réserver.

Brasserie du Soleil
Брассери дю солей

Taganskaïa oulitsa 23. **Plan** 8 F3.
C 258 5900. ☐ de midi à minuit
lun.–ven., de 18 h à minuit sam.–dim.
V ★ AE, DC,
MC, V. $$$

Tenu par des Français, ce restaurant
propose une des meilleures cuisines
européennes de Moscou. La carte
varie selon les saisons, mais on est
toujours sûr d'y faire un repas
délicieux. Les plats principaux
accommodent des produits de
qualité. Pour le dessert, essayez la
mousse au chocolat. Le week-end,
un orchestre de jazz anime le bar.

TRAM
ТРАМ

Malaïa Dmitrovka oulitsa 6. **Plan** 2 F3.
C 299 0770. ☐ 24 h/24. V ★
AE, MC, V. $$$

Situé au sous-sol du théâtre Lenkom
(p. 192), le TRAM est un bon endroit
pour goûter des spécialités russes
dans une atmosphère décontractée
et sympathique. Le thème du théâtre
est partout, aussi bien dans le décor
que dans le menu, dont les plats
portent des noms d'acteurs russes
contemporains. Les blinis (p. 176)
sont parmi les meilleurs de Moscou.

Ou Pirosmani
У пиросмани

Novodievitchi proïezd 4. **Plan** 5 A5.
C 247 1926. ☐ 12 h 45 à 23 h. V
★ V. $$$

Ce restaurant géorgien est plus
cher que ses concurrents, mais,
pour ce prix, on bénéficie d'une
belle vue du monastère de
Novodevitchi (p. 130-133) et de
magnifiques peintures intérieures.
La nourriture est excellente et
comprend toutes les spécialités
géorgiennes, notamment le chou
mariné, les *pelmeni* (p. 177) et les
chachlyk (p. 176).

Il Pomodoro
Иль помодоро

Bolchï Golovin pereoulok 5. **Plan** 3 B3.
C 924 2931. ☐ de midi à 23 h.
★ AE, DC, MC, V. $$$$

Le restaurant italien le plus
authentique de Moscou possède
l'atmosphère chaleureuse d'une
vraie trattoria et une cuisine
exquise. Parmi les spécialités, le
carpaccio (fines tranches de bœuf
cru) et la salade de tomates à la
mozzarella, sans oublier les plats
de pâtes sont excellents. On peut
y boire aussi de délicieux expresso
ou cappuccino, ce qui est rare à
Moscou. Il est préférable de
réserver.

Légende des symboles *voir p. 175*

Repas légers et en-cas

Les cafés tels qu'on les connaît en Europe occidentale ne font pas encore partie du paysage moscovite, mais parallèlement aux restaurants haut de gamme, on voit peu à peu apparaître des établissements plus modestes qui traduisent une évolution des habitudes en matière de restauration. Sachez néanmoins que le mot café ne se réfère pas forcément à un endroit avec des tables où on peut boire un café. Beaucoup de petits établissements inspirés de la cafétéria soviétique traditionnelle (*stolovaïa*) servent du thé et des sandwichs, que l'on prend debout au comptoir. Mais les cafés de Moscou répondent progressivement à la demande d'endroits confortables offrant des repas légers. Après la période soviétique, plusieurs bars américains et européens se sont ouverts, et on voit aussi apparaître aujourd'hui de plus en plus de bars russes où on peut manger des en-cas.

Où MANGER

Cafés et bars sont concentrés dans le centre-ville, mais on en voit s'ouvrir maintenant dans des quartiers plus excentrés. La plupart des grands hôtels (p. 168-173) ont leurs propres cafés et bars de type occidental. Toutefois, au hasard de vos promenades dans la ville, vous découvrirez peut-être des endroits meilleur marché et plus typiques.

Comme de nombreux cafés et bars s'ouvrent régulièrement, vous pouvez consulter l'édition du vendredi du *Moscow Times* ou du *Moscow Tribune* (p. 207). L'un et l'autre sélectionnent une liste de bons endroits. Une autre source d'information utile est *The Exile,* une publication bi-hebdomadaire en anglais spécialisée dans les restaurants et la vie nocturne. Vous trouverez ces journaux dans la plupart des hôtels et dans de nombreux restaurants et bars.

LES CAFÉS

Si vous voulez manger simple et bon marché, choisissez un repas russe. Vous y trouverez habituellement des soupes comme le *borchtch* (p. 176), la plus courante, des salades, des *bouterbrod* (canapés garnis de saucisson, de poisson fumé, de fromage ou de pâté) et des pâtisseries ou des tartes. Vous trouverez un très bon choix de ces spécialités au **Café Margarita** (p. 180). Certains des cafés les plus

agréables de Moscou sont installés dans des centres commerciaux ou des musées. Un endroit chic et très fréquenté est l'**Art Kafe Nostalgie,** situé dans un cinéma multisalle pour enfants. Dans le même style, le **Café Cinéma,** attenant au Centre du cinéma (p. 193), est un endroit très agréable pour prendre un café et une glace après le cinéma. On peut également passer un moment au **Palm's,** situé dans une galerie marchande de luxe, un endroit propice pour observer les passants.

Dans les cafés haut de gamme, tels que ceux des grands hôtels, la carte est plutôt occidentale, avec des sandwichs et desserts et plusieurs variétés de café et de thé. Sachez cependant qu'une simple tasse de thé peut atteindre des prix exorbitants. Le **Café Amadeus** de l'hôtel Radisson-Slavianskaïa (p. 171) et le **Café de Vienne** du Renaissance Moscou (p. 171) appartiennent à cette catégorie.

LES BARS

Pendant plusieurs années, les bars les plus populaires de Moscou étaient tenus par des étrangers, par exemple le **Bar et Grill Americain** et le **Moosehead Canadian Bar.** La nourriture servie dans ces bars est d'inspiration américaine, avec essentiellement des hamburgers, des frites et des *burritos*. Le **Hungry Duck** propose également d'excellentes spécialités

américaines, mais il vaut mieux arriver tôt pour dîner, car l'ambiance est extrêmement animée plus tard.

Contrairement à ce qu'on pourrait croire, le **John Bull Pub** ne sert pas de la nourriture anglaise mais chinoise. Le mélange de spécialités orientales épicées et de bière anglaise est apparemment réussi.

Au **Taverna Miramar,** une étrange coutume veut qu'après une soirée de billard et un bon repas latino-américain, les clients cassent leurs bouteilles de bière vides, en les jetant dans un endroit réservé à cet effet.

À Moscou, les bars russes s'adressent aussi bien aux étudiants qu'aux nouveaux Russes fortunés. On y sert habituellement des plats comme des *stolitchni salat* (salade de viande et de légumes) et des blinis, ainsi que des boissons alcoolisées. La nourriture russe peut aisément se déguster sur le pouce, surtout les *zakouski* (p. 176), dont les saveurs relevées se marient bien avec la vodka (p. 178). Les cartes du **Propaganda** et du **Krizis Janra** (p. 194), bien que limitées, proposent des salades et des pâtisseries délicieuses, et au **Vermel**, il ne faut pas manquer le *borchtch* et les blinis.

HEURES D'OUVERTURE

Il existe peu d'établissements à Moscou qui restent ouverts 24 h sur 24, mais les bars les plus populaires sont ouverts au moins jusqu'à 2 h du matin, et certains jusqu'à 5 h. Dans tous les cas, il est difficile de trouver quelque chose à manger après minuit.

Les retardataires pourront toutefois essayer le **Starlite Diner** (p. 180), qui est ouvert toute la nuit. Le **Bar et Grill Américain** sert également tard le soir et des petits déjeuners tôt le matin.

LES FAST-FOODS

Les inconditionnels de la restauration rapide se retrouveront chez eux au **McDonald's** (p. 174). Celui de Bolchaïa Bronnaïa oulitsa, au coin de Pouchkinskaïa plochtchad, est le plus connu.

C'est le premier qui ait été ouvert à Moscou en 1990, et les files de Moscovites y étaient alors gigantesques. Aujourd'hui, il en existe près d'une douzaine dans toute la ville, dont un sur Tverskaïa oulitsa *(p. 89),* particulièrement pratique quand on fait ses courses dans ce quartier, et un autre sur Gazetny pereoulok, non loin du Kremlin *(p. 52-67).* On peut également prendre une portion de pizza dans l'un des **Pizza Hut,** ou s'offrir un beignet chez **Dunkin Donuts.**

Mais pour une expérience plus authentiquement russe, allez faire un tour dans l'un des établissements de la nouvelle chaîne **Rousskoïe Bistro,** qui ont bénéficié du soutien du maire de Moscou. Rousskoïe Bistro sert des salades, d'excellents *pirojki (p. 177)* et une boisson rafraîchissante, légèrement alcoolisée, appelée *kvas (p. 179).* Vous n'aurez pas de mal à reconnaître leurs pancartes vert et or, qu'on voit maintenant dans toute la ville. Parmi les établissements du centre, essayez un des quatre situés sur Tverskaïa oulitsa.

LES USAGES

Dans les petits cafés russes, le menu est généralement écrit à la main, uniquement en russe, et les prix sont indiqués en roubles. Mais dans les cafés à l'occidentale ou ceux qui s'adressent à une clientèle étrangère, le menu est souvent traduit en anglais. Les bars russes et étrangers ont habituellement des menus en russe et en anglais. La plupart des bars russes où l'on peut manger, et presque tous les bars étrangers, acceptent les cartes de crédit, mais elles ont refusées dans les cafés russes.

En règle générale, il n'est pas nécessaire de laisser un pourboire dans les bars et cafés russes, à moins d'être particulièrement satisfait du service. Mais dans un endroit de type occidental, il est d'usage d'en laisser un.

On a non seulement le droit de fumer partout, mais c'est, semble-t-il, presque de rigueur.

CARNET D'ADRESSES

CAFÉS

Café Amadeus
Амадеус кафе
Hôtel Radisson-Slavianskaïa, Berejkovskaïa naberejnaïa 2.
Plan 5 B2.
(941 8020 p. 3298.

Art Kafe Nostalgie
Арт кафе ностальжи
Tchistoproudny boulvar 12a. **Plan** 3 C4.
(916 94/8.

Boubliki Baguels
Бублики багелс
Oulitsa Petrovka 24/1.
Plan 3 A4.
(200 0828.

Café Cinéma
Кафе синема
Droujinnikovskaïa oulitsa 15.
Plan 1 C5.
(255 9116.

Palm's
Пальма
Palma
Oulitsa Novy Arbat 11, 2e ét. **Plan** 6 E1.
(291 2221.

Café de Vienne
Венское кафе
Venskoïe Kafe
Hôtel Renaissance Moscou, Olimpiski prospekt 18/1.
Plan 3 A1.
(931 9000 p. 2422.

BARS

Bar et Grill Américain
Американский бар и гриль
Amerikanski bar i grill
1-ïa Tverskaïa-Iamskaïa oulitsa 2/1.
Plan 2 E3.
(251 9671.

Angara
Ангара
Oulitsa Novy Arbat 19.
Plan 6 D1.
(203 6936.

Hungry Duck
Хангри дак
Pouchetchnaïa oulitsa 9/6.
Plan 3 A4.
(923 6158.

John Bull Pub
Джон булл паб
Koutouzovski prospekt 4/2.
Plan 5 B1.
(243 5688.

Marika
Марика
Oulitsa Petrovka 21.
Plan 3 A4.
(924 0358.

Moosehead Canadian Bar
Музхэд канадиэн бар
Oulitsa Bolchaïa Polianka 54.
Plan 7 B5.
(230 7333.

Planet Hollywood
Планета голливуд
Planeta Gollivoud
Oul. Krasnaïa Presnia 23b.
Plan 1 B4.
(255 9191.

Propaganda
Пропаганда
Bolchaïa Zlatoustinski pereoulok 7.
Plan 3 B5.
(924 5732.

Sally O'Brien's
Салли о'брайнс
Oul, Bolchaïa Polianka 1/3.
Plan 7 A3.
(959 0175.

Sports Bar
Спорт бар
Oulitsa Novy Arbat 10.
Plan 6 E1.
(290 4311.

Taverna Miramar
Таверна мирамар
Miasnitskaïa oulitsa 30.
Plan 3 C4.
(924 1986.

Ou Yara
У яра
Hôtel Sovetski *(p. 170),*
Leningradski prospekt 33.
Plan 1 B1.
(945 3168.

Vermel
Вермель
Rauchskaïa naberejnaïa 4/5.
Plan 7 B2.
(959 3303.

Le Zoo
Зоопарк
Zoopark
Koudrinskaïa plochtchad 1.
Plan 2 D5.
(255 4144.

FAST-FOODS

Dunkin' Donuts
Данкин донатс
Miasnitskaïa oulitsa 24.
Plan 3 B4.
(925 0289.

McDonald's
МакДоналдс
Bolchaïa Bronnaïa oulitsa 29.
Plan 2 E4.
(200 5896.
Oulitsa Arbat 50/52.
Plan 6 D2.
(241 3681.
Gazetny pereoulok 17/9.
Plan 2 F5.
(956 9817.

Pizza Hut
Пицца хат
Tverskaïa oulitsa 12.
Plan 2 F4.
(229 2013.
Koutouzovski prospekt 17.
Plan 5 A2.
(243 1727.

Rousskoïe Bistro
Русское бистро
Tverskaïa oulitsa 19a.
Plan 2 E4.
(299 3800.

BOUTIQUES ET MARCHÉS

Le goût des Russes pour les marchandises de l'Ouest se traduit à Moscou par l'apparition de tous les types de magasins d'une grande ville occidentale. Aux supermarchés et grands magasins qui vendent des produits importés, s'ajoutent des boutiques de luxe où les nouveaux Russes peuvent acheter vêtements et chaussures des grandes marques françaises et italiennes. Les quartiers commerçants intéressants sont situés à

Poupée russe

l'intérieur de la ceinture des Jardins. Les principaux grands magasins sont regroupés dans le centre près de la place Rouge, et les meilleures boutiques de souvenirs et d'antiquités, sur oulitsa Arbat *(p. 70-71),* une rue piétonne pleine de charme. Pour les visiteurs un peu curieux, une visite au marché aux puces s'impose. Il se tient chaque week-end au parc d'Izmaïlovo et on y trouve de tout.

Un étalage de la somptueuse épicerie Elisseev (p. 186)

HEURES D'OUVERTURE

À Moscou, les commerces ouvrent rarement avant 10 h ou même 11 h. La plupart restent ouverts jusqu'à 19 h. De nombreux magasins, en particulier les anciens magasins d'État, ferment à l'heure du déjeuner. Ils sont généralement ouverts le samedi toute la journée, et aujourd'hui beaucoup le sont également le dimanche, mais souvent avec des horaires réduits.

Les marchés sont ouverts de 10 h à 16 h mais, pour trouver les meilleurs produits, il faut y aller le matin.

COMMENT PAYER

De nombreux magasins d'alimentation, grands magasins et boutiques de souvenirs appartenant à l'État *(beriozka)* fonctionnent avec le système de la *kassa.* Il faut passer par plusieurs guichets successifs, comme dans

certains grands magasins parisiens. On commence par choisir un article au comptoir et on demande le prix. Mieux vaut faire inscrire sur un papier la nature et le prix de l'objet. Ensuite, on va payer à la *kassa,* puis on retourne au comptoir avec le reçu pour retirer son achat. Ces démarches prennent environ dix minutes à condition qu'il n'y ait personne.

La seule monnaie légale en Russie est le rouble, et la plupart des magasins n'acceptent pas d'autre monnaie. Sur les marchés touristiques, il arrive que les vendeurs annoncent le prix en dollars, ce qui est illégal et ne signifie pas que ce soit moins cher qu'en roubles.

Les supermarchés et magasins à l'occidentale, ainsi que les boutiques russes haut de gamme, acceptent les principales cartes de crédit. Certains magasins affichent encore des prix en dollars ou, très rarement, en devises ayant

un taux de change fixe par rapport au rouble. Si c'est le cas, le prix sera converti en roubles avant paiement, à un taux plus élevé que la moyenne. Payer par carte bancaire évite cet inconvénient car les fiches sont presque toujours faites en dollars.

Les prix de la plupart des marchandises incluent 20 % de TVA. Seuls les aliments de base locaux comme le lait et le pain en sont exempts.

Il y a quelques magasins hors taxes dans le centre et à l'aéroport de Cheremetevo 2.

LES GRANDS MAGASINS

Le plus célèbre grand magasin de Russie est le grand magasin d'État qu'on appelle le GOUM *(p. 107).* C'est un beau bâtiment qui abrite trois galeries marchandes sous une grande verrière. Il a été construit au début du siècle, juste avant que la révolution ne mette un terme à cette luxueuse incarnation du capitalisme. Durant l'époque soviétique, le GOUM vendait les mêmes produits que les autres grands magasins de Moscou, et il était plutôt médiocre. Rénové depuis peu, il abrite plusieurs succursales de chaînes occidentales, des magasins spécialisés et des boutiques de mode. On y trouve des cosmétiques, des médicaments, du matériel électronique, des vêtements, des articles pour la maison…

L'autre grand magasin de Moscou est le Grand Magasin Central appelé

Une nouvelle boutique occidentale du GOUM, devenu très cher

Copies d'icônes en vente au monastère de la Trinité Saint-Serge *(p. 156-159)*

TsOUM. Autrefois, il était moins cher et encore plus miteux que le GOUM, mais il a été entièrement rénové et les prix y sont maintenant trop élevés pour la plupart des Moscovites. Le système de la *kassa* y est encore en vigueur.

Detski Mir (le Monde des Enfants) est le plus grand magasin pour enfants du pays. On y vend des jouets faits en Russie, des maquettes à assembler, des équipements de sport et des jouets importés.

Souvenirs au marché aux puces du parc d'Izmaïlovo

LES BAZARS ET LES MARCHÉS

Beaucoup de Moscovites s'approvisionnent en fromage, viande, fruits et légumes dans les grands marchés d'alimentation de la ville. L'un des plus vastes et des plus pittoresques est le **marché Danilovski,** proche du monastère du même nom *(p. 136-137).*

Le **marché d'Izmaïlovo** est un marché aux puces qui se tient à la fin de la semaine dans le parc d'Izmaïlovo *(p. 141)*. On y trouve tout : du neuf et du vieux, les traditionnels souvenirs, notamment ceux de l'époque soviétique et les fameuses matriochkas *(p. 188)*, de l'argenterie et des bijoux anciens, des icônes, des samovars, de la verrerie et des porcelaines, des chapeaux en fourrure, de l'ambre, et les plus beaux tapis d'Asie centrale.

Depuis quelques années, de nombreux artistes et artisans y ont leurs étals.

Sur les rives de la Moskova, à côté de la **Maison Centrale des Artistes,** se tient un marché d'art en plein air qui présente toutes sortes de tableaux et d'ornements sculptés.

LES BOUTIQUES DES MUSÉES

Le **musée de la Révolution** a une petite, mais excellente, boutique de souvenirs qui vend de vieilles affiches soviétiques, des timbres et des insignes, de l'ambre et des boîtes laquées. Le **musée des Beaux-Arts Pouchkine** *(p. 78-81)* et la **galerie Tretiakov** *(p. 118-121)* offrent l'un et l'autre un bon choix de livres d'art.

LES RÈGLES DU MARCHANDAGE

Si vous parlez un peu le russe, vous pourrez vous amuser à discuter les prix des fruits et des légumes au marché. Beaucoup de vendeurs attendent du client qu'il marchande pour chacun de ses achats. Mais face à ces vendeurs chevronnés, vous n'aurez peut-être pas le dernier mot. La plupart d'entre eux sont originaires du Caucase et de la Russie méridionale, où sont cultivés les meilleurs produits.

Dans les marchés de souvenirs, beaucoup de vendeurs ont une connaissance suffisante de l'anglais pour marchander, mais il n'est pas toujours possible au client d'obtenir un rabais car ils connaissent la valeur de leur marchandise et ne veulent surtout pas casser les prix.

Les marchands d'Asie centrale du marché aux tapis d'Izmaïlovo sont persuasifs, mais en général ils annoncent tout d'abord le double du prix qu'ils sont prêts à consentir pour un tapis. Commencez donc le marchandage en divisant ce prix par deux, avant de fixer un prix intermédiaire.

Éventaire d'herbes et de légumes frais au marché Danilovski

LES ANTIQUITÉS

Il est très difficile de faire sortir de Russie des objets fabriqués avant 1945 *(p. 200)*. À la sortie du pays, tous les bagages sont passés aux rayons X par les douaniers, qui vérifient si vous n'emportez pas de métaux précieux, d'œuvres d'art, de tapis ou d'icônes. L'autorisation d'exportation pour les antiquités et les œuvres d'art ne peut être obtenue qu'auprès du **ministère de la Culture.** Cette démarche prend au moins deux semaines, et il sera perçu une taxe de 50 % de la valeur attribuée à ces antiquités par le ministère.

Il est plus prudent de n'acheter que des objets ayant moins de 50 ans d'âge. Mais les inspecteurs des douanes peuvent demander à voir les documents prouvant leur âge.

Samovars et autres objets chez l'un des nombreux antiquaires de la rue Arbat

Où faire ses achats à Moscou

L'augmentation du nombre des magasins de type occidental rend beaucoup plus faciles qu'auparavant les achats de nourriture, articles de toilette et autres objets courants tel que piles et pellicules photographiques. On peut faire ses courses sans avoir à faire d'interminables queues, comme à l'époque soviétique, ou sans aller dans les magasins pour étrangers et privilégiés où on paye en devises. Mais les droits d'importation élevés et le manque relatif de concurrence font que les biens sont beaucoup plus chers qu'à l'Ouest. Il vaut mieux acheter les jolis objets d'artisanat russe que l'on trouve un peu partout en ville, ou des produits typiques d'Asie centrale, ou même des souvenirs de l'époque soviétique.

VODKA ET CAVIAR

Si vous achetez de la vodka et du caviar, il y a certaines règles à connaître. Pour le caviar, mieux vaut acheter des boîtes que des pots en verre et, dans tous les cas, les conserver au réfrigérateur. Évitez d'en acheter dans les kiosques. On peut se procurer du caviar dans la plupart des supermarchés, mais pour une ambiance russe plus authentique, allez à l'**épicerie Elisseev** (p. 89). Cela vous donnera l'occasion d'admirer les superbes lustres et vitraux de ce magasin datant d'avant la révolution, qui portait le nom Gastronom n° 1 à l'époque soviétique.

De nombreuses bouteilles de vodka sont fabriquées illicitement, et cet alcool peut être très toxique. Il faut vérifier qu'il y a bien une étiquette rose sur le goulot de la bouteille, et ne jamais acheter de vodka dans la rue. Les marques courantes comme la Stolitchnaïa et la Moskovskaïa (p. 178) se trouvent dans la plupart des supermarchés, notamment au **Kalinka Stockmann** et au **Supermarché Diplomat,** deux des meilleurs supermarchés de type occidental. La vodka se vend aussi dans les petites épiceries.

ARTISANAT

Pour les souvenirs originaux et intéressants, les meilleurs endroits sont les marchés, comme le **marché d'Izmaïlovo** (p. 185), et les boutiques de souvenirs de la rue Arbat (p. 70-71). Les plateaux et bols laqués, la porcelaine peinte et les *matriochkas* peuvent s'acheter à **Arbatskaïa Lavitsa.** Les dentelles et broderies faites à la main se vendent à **Rousskaïa Vychivka,** et pour les bijoux russes et l'ambre, essayez **Samotsvety.** D'autres boutiques de Moscou vendent des objets d'artisanat, notamment **Rousski Souvenir** qui en offre un grand choix.

La **galerie de l'Union des artistes de Russie** expose et vend des peintures, ainsi que des bijoux et des boîtes laquées. Si vous souhaitez des souvenirs qui sortent de l'ordinaire allez au **Dom Farfora** ou au **Salon du fonds culturel de Moscou** qui propose des samovars, des vieilles lampes ainsi que des sculptures et mobiles originaux.

ANTIQUITÉS

Les antiquaires, qui profitent de l'engouement des nouveaux Russes pour les antiquités, connaissent maintenant la valeur des marchandises, et le temps des bonnes affaires semble révolu. Sachez, par ailleurs, que l'exportation d'objets antérieurs à 1945 est compliquée et coûte très cher (p. 185). Mais il y a de nombreuses boutiques à explorer et des trésors à y découvrir.

Celles de la rue Arbat sont parmi les plus intéressantes. **Antiquités Koupina** possède entre autres un bon choix d'icônes, et **Antonika** vend toute une variété de porcelaines soviétiques. Pour les meubles, on peut aller à la boutique **Tradition et Personnalité,** et au **Dépôt-vente d'antiquités** qui vend des objets laissés en dépôt par des particuliers. **La Librairie Étrangère** vend également des objets de brocante.

MODE ET ACCESSOIRES

Il y a de nombreuses boutiques de mode aux alentours du **GOUM** (p. 107) et du **TsOUM** (p. 184) et sur Tverskaïa oulitsa (p. 89). Dans le centre, on trouve aussi deux galeries marchandes. Le **Passage Petrovski** vend des vêtements et des chaussures, mais aussi des meubles et des appareils électriques. La **Galerie Aktior,** comprend des boutiques de mode et de grands couturiers français notamment.

Un peu plus excentrée, la **Sadko Arcade** est un grand ensemble commercial regroupant des restaurants, des magasins spécialisés, des boutiques de mode et deux supermarchés.

Si vous cherchez une chapka, vous en trouverez au passage Petrovski et au 2e étage du GOUM, et en hiver, sur le marché d'Izmaïlovo.

LIVRES ET MUSIQUE

Les librairies spécialisées dans les livres en langue étrangère sont la **Librairie Anglaise Anglia,** la **Librairie Américaine** et la **Librairie Anglaise.** Non loin de celle-ci se trouve la **Librairie Étrangère,** qui vend des livres en langue russe et des antiquités. L'immense **Maison du Livre de Moscou** a quelques livres en anglais et également des CD, des disques, des icônes anciennes et des affiches de propagande soviétique. **La Maison du Commerce Moskva** vend livres, timbres, livres d'art, petites antiquités et peintures russes. **Melodia** vend des CD, des disques et des cassettes d'orchestres et interprètes russes, et **Transylvania 6-5000** offre le meilleur choix de CD occidentaux non piratés.

CARNET D'ADRESSES

GRANDS MAGASINS

Detski Mir
Детский мир
Teatralny proïezd 5.
Plan 3 A5.
℃ 928 2234.

GOUM
ГУМ
Krasnaïa plochtchad 3.
Plan 3 A5.
℃ 921 5763.

TsOUM
ЦУМ
Oulitsa Petrovka 2. **Plan** 3 A4.
℃ 292 1157.

BAZARS ET MARCHÉS

Maison Centrale des Artistes
Центральный Дом художника
Tsentralny Dom Khoudojnika
Krymski val 10. **Plan** 6 F4.

Marché Danilovski
Даниловский рынок
Danilovski rynok
Mytnaïa oulitsa 74.

Marché d'Izmaïlovo
Рынок Измайлово
Rynok Izmaïlovo
Izmaïlovskoïe chosse.

BOUTIQUES DE MUSÉES

Musée de la Révolution
Музей революции
Mouzeï revolioutsii
Tverskaïa oulitsa 21.
Plan 2 E4.
℃ 299 6724.

Musée des Beaux-Arts Pouchkine
Музей изобразительных искусств имени АС Пушкина
Mouzeï izobrazitelnykh iskoustv imeni AS Pouchkina
Oulitsa Volkhonka 12.
Plan 6 F2.
℃ 203 7998.

Galerie Tretiakov
Третьяковская галерея
Tretiakovskaïa galereïa
Lavrouchinski pereoulok 12.
Plan 7 A3.
℃ 951 1362.

VODKA ET CAVIAR

Supermarché Diplomat
Дипломат гастроном
Diplomat gastronom
Bolchaïa Grouzinskaïa oul. 63.
Plan 2 D2.
℃ 251 2589.

Kalinka Stockmann
Калинка Стокман
Oulitsa Zatsepski val. 4/8.
Plan 7 C5.
℃ 953 2602.

Épicerie Elisseev
Елисеевский гастроном
Elisseïevski gastronom
Tverskaïa oulitsa 14.
Plan 2 F4.
℃ 209 0760.

ARTISANAT

Arbatskaïa Lavitsa
Арбатская Лавица
Oulitsa Arbat 27.
Plan 6 E1.
℃ 290 4669.

Dom Farfora
Дом фарфора
Leninski prospekt 36.
℃ 137 6023.

Rousskaïa Vychivka
Русская вышивка
Oulitsa Arbat 31.
Plan 6 D1.
℃ 241 2841.

Rousski Souvenir
Русский сувенир
Koutouzovski prospekt 9.
Plan 5 A1.
℃ 243 6986.

Salon du fonds culturel de Moscou
Салон Московского фонда культуры
Salon Moskovskovo fonda koultoury
Piatnitskaïa oulitsa 16.
Plan 7 B3.
℃ 951 3302.

Samotsvety
Самоцветы
Oulitsa Arbat 35.
Plan 6 D1.
℃ 241 0765.

Galerie de l'Union des artistes de Russie
Галерея Союза художников России
Galereïa Soyouza khoudojnikov Rossii
Tverskaïa oulitsa 25/9.
Plan 2 E3.
℃ 299 7221.

ANTIQUITÉS

Antonika
Антоника
Oulitsa Arbat 4. **Plan** 6 E1.
℃ 291 7444.

Dépôt-vente d'antiquités
Антиквариат комиссионный магазин
Antikvariat komissionny magazine
Frouzenskaïa nab. 54.
℃ 242 3664.

Antiquités Koupina
Антиквариат Купина
Oulitsa Arbat 18. **Plan** 6 D1.
℃ 202 4462.

Ministère de la Culture
Министерство культуры
Ministerstvo koultoury
Kitaïgorodski proïezd 7.
Plan 7 C1.
℃ 923 8754.

Tradition et Personnalité
Традиция и личность
Traditsiia I litchnost
Oulitsa Arbat 2, 2ᵉ étage.
Plan 6 E1.
℃ 290 6294.

MODE ET ACCESSOIRES

Galerie Aktior
Галерея Актера
Tverskaïa oulitsa 16/2.
Plan 2 F4.
℃ 935 8374.

Passage Petrovski
Петровский Пассаж
Oulitsa Petrovka 10.
Plan 3 A4.
℃ 928 5047.

Sadko Arcade
Садко Аркада
1-y Krasnogvardeiski proïezd 1a.
℃ 259 5656.

LIVRES ET MUSIQUE

Librairie Américaine
Американская книга
Amerikanskaïa kniga
Denejny pereoulok 8/10.
Plan 6 D2.
℃ 241 4224.

Librairie Anglaise Anglia
Англия британские книги
Anglia britanskie knigui
Khlebny pereoulok 2.
Plan 2 E5.
℃ 203 5802.

Librairie Anglaise
Английская книга
Angliskaïa kniga
Oulitsa Kouznetski most 18.
Plan 3 A4.
℃ 928 2021.

Librairie Étrangère
Иностранная книга
Ilnostrannaïa kniga
Malaïa Nikitskaïa oul. 16/5.
Plan 2 D5.
℃ 290 4082.

Maison du Commerce Moskva
Торговый дом Москва
Torgovy dom Moskva
Tverskaïa oulitsa 8.
Plan 2 F4.
℃ 229 6483.

Melodia
Мелодия
Oulitsa Novy Arbat 22.
Plan 6 D1.
℃ 291 1421.

Maison du Livre de Moscou
Московский Дом книги
Moskovski Dom knigui
Oulitsa Novy Arbat 8.
Plan 6 D1.
℃ 290 3580.

Transylvania 6-5000
Трансильвания 6-5000
Tverskaïa oulitsa 25.
Plan 2 E3.
℃ 200 4379.

Qu'acheter à Moscou

Boîte en bois décorée

I l est facile de trouver à Moscou de beaux objets à emporter. L'artisanat traditionnel ayant été encouragé par le régime soviétique, beaucoup de techniques anciennes se sont maintenues, et les artisans d'aujourd'hui continuent à fabriquer toutes sortes d'objets traditionnels : des petits insignes en émail bon marché aux coûteuses boîtes de Palekh peintes à la main, en passant par les samovars et les pierres semi-précieuses taillées. Les plateaux et bols peints, les échiquiers, les jouets en bois et les matriochkas restent également très populaires, de même que les objets typiques de l'époque soviétique.

Vodka et caviar
Il existe de multiples variétés de vodka, nature ou aromatisée (au citron et au poivre) (p. 178). Elles accompagnent à merveille le caviar noir (ikra) et le caviar rouge (keta), qui sont souvent servis avec des blinis.

Samovar
Les samovars (p. 179), qui servaient à bouillir l'eau du thé, existent en plusieurs tailles. Il faut une autorisation pour exporter un modèle d'avant 1945.

Œuf en malachite   **Bague d'ambre**

Pierres semi-précieuses
La malachite, l'ambre, le jaspe et plusieurs variétés de marbre des montagnes de l'Oural sont utilisés pour faire toutes sortes d'objets : bijoux, échiquiers et dessus de tables marquetés.

Vodka nature

Caviar rouge

Vodka aromatisée

Caviar noir

Jouets en bois
Ces adorables jouets en bois grossièrement taillé, appelés bogorodskie, font de charmants cadeaux.

Matriochkas
Ces poupées gigognes peintes existent dans tous les styles. Les poupées traditionnelles sont les plus jolies, mais celles qui représentent d'anciens dirigeants soviétiques ont beaucoup de succès.

Échiquiers
Les échecs sont un passe-temps extrêmement répandu en Russie. On trouve des échiquiers dans toutes sortes de matières, y compris en malachite. Le beau modèle ci-dessus est en bois, peint dans le même style russe traditionnel que les matriochkas.

OBJETS LAQUÉS

Les objets en bois ou en papier mâché laqués sont très appréciés. Les boîtes laquées de Palekh, peintes à la main, peuvent atteindre des prix élevés, mais les œufs décorés et les traditionnels bols rouge, noir et or sont plus abordables.

Boîte de Palekh

L'art de la miniature sur papier mâché date de la fin du XVIIIe siècle. Les artistes des villages de Palekh, Fedoskino, Mstera et Kholouy fabriquent encore aujourd'hui ces merveilles peintes à la main. Les images sont inspirées des contes et légendes russes.

Bol et cuillère

Les objets en papier mâché peints, fabriqués à Khokhloma, sont revêtus d'une couche de laque dure. Mais ils ne résistent pas au liquide bouillant.

Œuf en bois peint

Plateau russe peint à la main

Boutons de réglage   **Cordes**

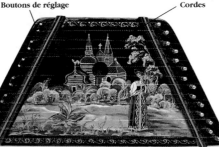

Châle russe

Ces châles traditionnels en laine de couleurs vives protègent efficacement du froid en hiver. On trouve aussi des châles en polyester dans les grands magasins, fabriqués en série, mais ils ne sont pas aussi chauds.

Instruments de musique traditionnels

La musique folklorique russe utilise une grande variété d'instruments. Ce gousli, qui ressemble à la cithare, se joue en pinçant les cordes des deux mains. La balalaïka et le garmon (accordéon) font également partie des instruments de musique russes.

Souvenirs soviétiques

Il y a un grand choix d'objets de l'époque soviétique à acheter : des vieux billets de banque, des pièces de monnaie, des montres de poche, et des pièces d'uniforme de l'Armée rouge, comme des boucles de ceinture ou bien encore des insignes.

Vase de Gjel

La ville de Gjel, près de Moscou, fabrique des objets en céramique, figurines ou vaisselle, ornés de motifs bleus sur fond blanc caractéristiques. Ils sont très appréciés des Russes comme des touristes.

Montre de poche

Insigne soviétique

Ceinture de l'Armée rouge

Se distraire à Moscou

Moscou offre une grande variété de distractions, et les noctambules trouveront de nombreux endroits où passer agréablement la soirée.

Enseigne au néon d'un des casinos de Moscou *(p. 195)*

Pour les passionnés d'opéra ou de ballet, une représentation au théâtre historique du Bolchoï *(p. 90-91)* s'impose. Les autres théâtres ont une programmation variée, incluant des comédies musicales et des spectacles pour enfants. Plusieurs cinémas projettent des films en langue étrangère. En général, les derniers films occidentaux passent quelques semaines après leur sortie dans le pays d'origine. On compte environ 300 boîtes de nuit à Moscou et des quantités de bars ou cafés ouverts tard le soir. Enfin, il y a toujours des artistes qui se produisent dans la rue pour le plus grand plaisir des passants, surtout sur oulitsa Arbat *(p. 70-71)*.

Représentation de l'opéra *Boris Godounov* au Bolchoï

Si vous parlez russe, vous pourrez acheter vos billets dans un kiosque *(teatralnaïa kassa)*. Il y en a dans toute la ville et dans les stations de métro.

On peut également prendre ses billets sur les lieux mêmes du spectacle. C'est généralement meilleur marché, mais il faut avoir beaucoup de patience car les guichets ont des heures d'ouverture souvent imprévisibles et ne vendent habituellement les billets pas plus de trois jours à l'avance.

Vous trouverez aussi

Affiches annonçant les spectacles

RENSEIGNEMENTS PRATIQUES

Les bureaux d'information touristique classiques n'existent pas à Moscou. Mais pour trouver les programmes des films, pièces de théâtre, concerts et expositions, ainsi que des listes de restaurants, bars et boîtes de nuit, il vous suffit de consulter l'édition du vendredi des journaux de langue anglaise comme *The Moscow Times* et *The Moscow Tribune*. Les restaurants et les boîtes de nuit figurent également en anglais dans *The Exile*. On peut les consulter dans les grands hôtels, les restaurants et les bars occidentaux.

LES RÉSERVATIONS

La meilleure façon de réserver un concert, un ballet, un opéra ou une pièce de théâtre est de passer par un des principaux hôtels internationaux, même si vous n'y séjournez pas. Qu'ils soient russes ou occidentaux, ces établissements ont habituellement un bureau de réservation, mais leurs billets sont souvent plus chers qu'ailleurs. Ils acceptent le paiement par carte de crédit, souvent avec une commission.

LE CIRQUE D'ÉTAT DE MOSCOU

Aux XVIIIe et XIXe siècles, le cirque était très populaire, et les troupes faisaient des tournées dans tout le pays présentant la plupart du temps des spectacles satiriques. Aujourd'hui, le célèbre Cirque de Moscou a son chapiteau permanent. Il est réputé pour ses clowns, ses acrobates et ses trapézistes, et pour ses numéros d'animaux. On y voit notamment des tigres sautant à travers des cerceaux de feu et des ours faisant de la bicyclette.

Le premier chapiteau, appelé aujourd'hui l'**Ancien Cirque,** fut construit en 1880 par Albert Salamonski pour sa troupe privée. Le cirque de Salamonski devint le Cirque d'État de Moscou en 1919. Le **Nouveau Cirque** date de 1973.

Le grand chapiteau du Nouveau Cirque, l'un des deux cirques d'État de Moscou

Les deux sont actuellement en activité.

Le Cinéma d'art *(p. 193),* un des plus vieux cinémas de Moscou

des revendeurs de billets devant les salles de spectacle pour la plupart des représentations, en particulier au Bolchoï. Mais les places qu'ils proposent sont presque toujours plus chères que ce qu'elles valent, et il faut se méfier des contrefaçons.

LES SPECTACLES POUR ENFANTS

À Moscou, il y a deux théâtres de marionnettes : le **Théâtre de marionnettes Obraztsov** *(p. 192),* qui propose des matinées destinées aux enfants, et le **Théâtre de marionnettes de Moscou**. Le **Théâtre musical des enfants Natalia Sats** donne d'excellents spectacles

pour enfants de tous âges.
Le **Théâtre central des enfants** *(p. 88)* donne des représentations pour enfants de sept ans et plus.
Le **zoo de Moscou** est très populaire. Malheureusement, les animaux ont souvent l'air mal nourris et à l'étroit dans leurs cages.
Le **Théâtre d'animaux Dourov** présente des spectacles d'animaux. Le **Théâtre de chats Kouklatchev** montre des chats poussant de petites voitures d'enfant et sautant à travers des cerceaux.
Dans l'un et l'autre théâtre, les spectateurs risquent de trouver certaines scènes pénibles.
Au **Club d'enfants Arlecchino,** des jouets et des ordinateurs sont à la disposition des enfants, et ils peuvent assister à un spectacle de clowns.

Une scène de l'histoire de l'arche de Noé, au Théâtre de marionnettes de Moscou

Le pédalo, une des nombreuses attractions du parc Gorki

La **Cité Miracle,** au parc Gorki, est un parc d'attractions en plein air comme on en voit à l'Ouest, ouvert de la fin du printemps à fin octobre.
Les enfants de moins de 1,20 m ont accès gratuitement aux manèges, trains et mini-voitures de course. Il y a également des attractions pour adultes comme les montagnes russes.
Au parc Gorki, on peut aussi voir la **navette Bourane.** Cette navette qui n'a effectué qu'un vol d'essai sans équipage, a été convertie en simulateur. Elle offre l'occasion de s'imaginer effectuant un vol spatial, et on peut même goûter aux soupes et pâtés en tube dont se nourrissent les cosmonautes russes.

Théâtre, danse et cinéma

Du mois de juin jusqu'à la fin septembre, la plupart des salles de concert et de théâtre restent fermées, pendant que les orchestres et les troupes de théâtre et de ballet de la ville sont en tournée en Russie ou à l'étranger. Mais le reste de l'année, les programmes culturels sont riches et variés. Le théâtre Bolchoï (p. 90-91), la plus ancienne et la plus célèbre scène d'opéra et de ballet de Moscou, présente un répertoire impressionnant, et les nombreux théâtres d'art dramatique proposent un vaste choix de pièces, classiques ou d'avant-garde. Ceux qui ne comprennent pas le russe pourront découvrir les danses folkloriques ou la musique tzigane, et assister à des concerts de musique classique donnés par de grands interprètes internationaux.

BALLET ET OPÉRA

Il existe de nombreux endroits à Moscou où l'on peut voir des ballets et des opéras de grande qualité. Le plus célèbre est sans aucun doute le théâtre Bolchoï, construit en 1780, il a survécu à deux incendies successifs. Aujourd'hui, le Bolchoï reste la meilleure scène de Moscou pour l'opéra et le ballet. La grande salle de ce magnifique théâtre peut accueillir environ 2 500 spectateurs. Parmi les ballets mondialement connus qui y ont été dansés figurent *Gisèle*, d'Adolphe Adam, et *Le Lac des cygnes* et *Casse-Noisette* de Tchaïkovski. Le répertoire de l'opéra comprend de nombreuses œuvres de compositeurs russes, entre autres *Boris Godounov* de Moussorgski, *La Dame de pique* et *Eugène Onéguine* de Tchaïkovski, et *Sadko* de Rimski-Korsakov. La compagnie du ballet du Kremlin, autre troupe de ballet beaucoup plus récente, se produit au **palais des Congrès** (p. 56) du Kremlin. Ce gigantesque bâtiment en acier et en verre, construit en 1961 pour les réunions du parti communiste, possède un auditorium de 6 000 places. C'est un endroit de premier ordre pour voir des chanteurs d'opéra occidentaux, et également pour le ballet.

D'autres théâtres moins prestigieux donnent également des spectacles d'opéra et de ballet d'excellente qualité : l'Opéra **Helicon**, le **Novaïa Opera** et le **théâtre musical Stanislavski & Nemirovitch-Dantchenko**. Comme son nom l'indique, le **Théâtre d'opérette** produit des opérettes, tandis que le Studio d'opéra de l'Académie de musique Gnesine est spécialisé dans des spectacles plus expérimentaux.

MUSIQUE CLASSIQUE

Les concerts classiques sont une ancienne tradition, et Moscou est depuis longtemps le rendez-vous des grands événements musicaux internationaux. La **salle Tchaïkovski** est un des endroits les plus réputés dans ce domaine. Depuis 1959, son vaste auditorium circulaire abrite un immense orgue de fabrication tchèque constitué de 7 800 tuyaux et pesant environ 20 tonnes.

Le **conservatoire de Moscou** (p. 94) est à la fois un établissement consacré à l'enseignement de la musique et une salle de concerts. Sa fondation date de 1866, et Tchaïkovski (p. 153), alors jeune compositeur à l'aube d'une brillante carrière, y enseigna pendant 12 ans. Aujourd'hui, le conservatoire accueille plus de 1 000 élèves.

La Bolchoï Zal (Grande Salle) est utilisée pour des concerts de musique orchestrale, donnés soit par l'orchestre du conservatoire, soit par des orchestres de passage. La Maly Zal (Petite Salle) sert de cadre à des récitals par de plus petits ensembles. De nombreux musiciens de renom ont été les hôtes de ce conservatoire, où a lieu chaque année le célèbre Concours international Tchaïkovski (p. 33).

Le plus prestigieux rassemblement musical de Moscou est le festival annuel des Nuits de décembre Sviatoslav Richter (p. 35), qui se tient au musée des Beaux-Arts Pouchkine (p. 78-81), et attire les plus grands interprètes russes et étrangers. Pendant les entractes, certaines salles du musée sont ouvertes au public.

En été, des concerts ont également lieu, en dehors de Moscou, à Kouskovo (p. 142-143), les mardis et jeudis soirs.

THÉÂTRE

Moscou possède plus de 60 théâtres. La plupart sont des théâtres de répertoire. Cela signifie qu'un spectacle différent a lieu chaque soir. Si vous souhaitez voir une pièce en particulier, il est donc important de vérifier le programme. Vous trouverez tous les renseignements dans les éditions du vendredi de *The Moscow Times* et *The Moscow Tribune*, ou dans *The Exile* (p. 207).

Le **Théâtre d'art de Moscou** (p. 92) exploite un vaste répertoire, mais il est surtout connu pour ses représentations des pièces d'Anton Tchekhov, comme *La Mouette*. Le **théâtre Lenkom,** d'un registre tout à fait différent, donne des comédies musicales et des pièces d'auteurs russes contemporains.

Le **théâtre Maly,** situé en face du Bolchoï, mérite une visite, car il a été le premier théâtre d'art dramatique de Moscou, et il a joué un rôle essentiel dans l'histoire du théâtre russe.

Le **théâtre de marionnettes Obraztsov** (p. 191) est aussi divertissant pour les adultes que pour les enfants. Créé en 1931, il porte le nom de son premier directeur, Sergueï Obraztsov.

Il a un excellent répertoire et, dans la plupart des cas, il n'est pas nécessaire de connaître le russe pour apprécier le spectacle. Le soir, il n'est ouvert qu'aux plus de 18 ans.

Le **Théâtre tzigane** est spécialisé dans les danses et musiques tziganes traditionnelles.

CINÉMA

L'industrie cinématographique russe était florissante sous le régime soviétique, et Lénine (p. 28) lui-même avait compris l'importance du cinéma comme outil de propagande. Grâce à des trains spécialement aménagés, il fit ainsi projeter des films à travers toute la Russie pour informer une grande partie de la population rurale qu'une révolution avait eu lieu dans la capitale.

Jusqu'à l'éclatement de l'Union soviétique en 1991, l'industrie du cinéma était aux mains de l'État. Les films étaient subventionnés et leurs sujets sévèrement contrôlés. Les réalisateurs russes ont maintenant la liberté artistique mais souffrent du manque de moyens financiers. Les films russes récents sont difficiles à voir sur les écrans, mais peuvent se trouver en vidéocassettes.

Beaucoup de cinémas ont du matériel obsolète, des sièges inconfortables et un mauvais son. Toutefois, deux salles du centre qui passent des films en russe, le **Rossia** et l'**Oudarnik**, possèdent un équipement moderne avec son numérique. Le **Cinéma d'art** est l'un des plus anciens de Moscou, et il reste un des cinémas les plus fréquentés de la capitale. On peut y voir les derniers films russes et des films étrangers en russe. Il sert aussi de cadre à des festivals de cinéma.

Le **Kodak Cinema World** donne les derniers films américains, à la fois en anglais et en russe. On peut voir des films en anglais à l'**American House of Cinema** de l'hôtel Radisson-Slavianskaïa (p. 171), et l'ambassade de France programme des films français.

À l'**Illouzion,** on peut voir des films européens et indiens en version originale, de même qu'au **Centre du cinéma,** où a également lieu le Festival international du film de Moscou (p. 33). Les billets ne peuvent s'acheter que sur place. En général, on paye en espèces, mais l'American House of Cinema, le Dôme et le Kodak Cinema World acceptent les principales cartes de crédit.

CARNET D'ADRESSES

BALLET ET OPÉRA

Théâtre Bolchoï
Большой театр
Teatralnaïa plochtchad 1.
Plan 3 A4.
📞 927 6982.

Studio d'opéra de l'Académie de musique Gnesine
Оперная студия академии музыки имени Гнесиных
Opernaïa stoudia akademii mouzyki imeni Gnesinykh
Povarskaïa oulitsa 30/36.
Plan 2 D5.
📞 290 1096/290 4837.

Opéra Helicon
Геликон опера
Guelikon opera
Bolchaïa Nikitskaïa oulitsa 19. **Plan** 2 E5.
📞 290 6592.

Novaïa Opera
Новая опера
Oulitsa Karetny riad 3.
Plan 2 F3.
📞 200 2255.

Théâtre d'opérettes
Театр оперетты
Teatr operetty
Oulitsa Bolchaïa Dmitrovka 6.
Plan 3 A4.
📞 292 0405.

Palais des Congrès
Дворец съездов
Dvorets sezdov
Kremlin.
Plan 7 A1.
📞 928 5232.

Théâtre musical Stanislavski et Nemirovitch-Dantchenko
Музыкальный театр имени Станиславского и Немировича-Данченко
Mouzykalny teatr imeni Stanislavskovo i Nemirovitcha-Dantchenko
Oulitsa Bolchaïa Dmitrovka 17.
Plan 2 F4.
📞 229 8388.

MUSIQUE CLASSIQUE

Conservatoire de Moscou
Московская консерватория
Moskovskaïa konservatoria
Bolchaïa Nikitskaïa oulitsa 1.
Plan 2 F5.
📞 229 7412.

Salle Tchaïkovski
Концертный зал имени ПИ Чайковского
Kontsertny zal imeni PI Tchaïkovsovo
Trioumfalnaïa plochtchad 4/31.
Plan 2 E3.
📞 299 0378.

THÉÂTRES

Théâtre tzigane
Театр ромэн
Teatr romen
Leningradski prospekt 32/2.
Plan 1 B1.
📞 214 8070.

Théâtre Lenkom
Театр Ленком
Oulitsa Malaïa Dmitrovka 6.
Plan 2 F3.
📞 299 9668.

Théâtre Maly
Малый театр
Teatralnaïa plochtchad 1/6.
Plan 3 A5.
📞 923 2621.

Théâtre d'art de Moscou
МХАТ имени АП Чехова
MKhAT imeni AP Tchekhova
Kamerguerski pereoulok 3.
Plan 2 F5.
📞 229 8760.

CINÉMAS

American House of Cinema
Berejkovskaïa naberejnaïa 2.
Plan 5 B2.
📞 941 8747.

Ambassade de France
Bolchaïa Iakimanka oulitsa 15.
Plan 6 F4.
📞 236 0003.

Cinéma d'art
Художественный кино
Khoudojestvenny kino
Arbatskaïa plochtchad 14.
Plan 6 E1.
📞 291 5598.

Centre du cinéma
Киноцентр
Kinotsentr
Droujinnikovskaïa oultisa 15.
Plan 1 C5.
📞 205 7306.

Illouzion
Иллюзион
Illouzion
Kotelnitcheskaïa naberejnaïa 1/15.
Plan 8 D2.
📞 915 4353.

Kodak Cinema World
Кодак киномир
Kodak kinomir
Nastasinski pereoulok 2.
Plan 2 E3.
📞 209 4359.

Rossia
Россия
Pouchkinskaïa plochtchad 2.
Plan 2 F4.
📞 229 2111.

Oudarnik
Ударник
Oulitsa Serafimovitcha 2.
Plan 7 A3.
📞 959 0856.

La musique et la vie nocturne

Sous le régime communiste, la vie nocturne était pratiquement inexistante à Moscou. Dans les années 30, les bars où les gens allaient se détendre en buvant un verre et écouter de la musique étaient des établissements réservés à l'élite. Avec la perestroïka, une quantité de nouveaux bars et clubs ont fait leur apparition, et les groupes, réduits auparavant à la clandestinité, ont pu se produire en public. Aujourd'hui, la vie nocturne bat son plein, avec des centaines de clubs répondant à tous les goûts musicaux. Les casinos ont aussi beaucoup de succès, particulièrement auprès de ceux que l'on appelle les nouveaux Russes, qui viennent tenter leur chance et s'amuser dans les nombreuses salles de jeu de la capitale.

LES CLUBS DE ROCK

Les groupes russes connus se produisaient généralement dans les grandes boîtes de nuit, comme **Manhattan Express, Outopia** ou **Metelitsa**. Ces clubs, dont les entrées sont souvent chères, attirent une foule de jeunes, notamment des nouveaux Russes et de nombreux étrangers vivant à Moscou. Les clubs plus petits, comme le **Krizis Janra** (p. 182), **Bednye Lioudi** et **Taboula Rassa**, programment souvent des groupes tout aussi bons mais moins connus. Ces endroits sont toujours bondés. On peut aussi aller à l'**Armadillo,** un bar de style américain fréquenté par une jeune clientèle d'affaires, où la musique est bonne et les boissons et en-cas à des prix raisonnables.

La **maison de la culture Gorbounov** est un endroit à la mode pour les grands concerts de rock.

JAZZ, BLUES ET MUSIQUE LATINO-AMÉRICAINE

Les nombreux clubs de jazz de Moscou accueillent également des orchestres de blues. Les plus connus et les plus anciens sont le **Jazz Art Club, B.B. King** et l'**Arbat Blues Club.** Les soirs de concert, ces clubs sont souvent bondés, et beaucoup font payer l'entrée. Les autres soirs, ils sont au contraire plutôt vides, et le prix des boissons et de la nourriture reste modéré. Le **Woodstock-MKhAT,** dans un décor typique des années 60, est un

très bon endroit pour écouter du jazz, où se produisent des musiciens plusieurs fois par semaine. Le prix d'entrée est faible. Généralement, le rendez-vous des étrangers, la **Brasserie du Soleil** (p. 181) propose des concerts de jazz en fin de semaine, un bar et de la bonne cuisine française.

On peut également essayer le **Cabana,** un bar-restaurant de style brésilien avec des musiciens, notamment des groupes latino-américains.

LES BOÎTES DE NUIT

Les boîtes de nuit moscovites n'ont jamais été à l'avant-garde, mais elles essayent de rattraper peu à peu les clubs des autres grandes capitales européennes. Il en existe des centaines à Moscou, et il s'en crée de nouvelles chaque mois. La plupart sont ouvertes toute la soirée, mais ne sont vraiment animées qu'après 1 h. L'entrée, habituellement gratuite avant 22 h, peut devenir très chère après. Dans certains clubs, les femmes seules ne paient pas.

On distingue deux sortes de boîtes de nuit : celles qui présentent un spectacle de variétés, souvent avec strip-tease ou danses érotiques, et celles qui offrent bars et pistes de danse. Parmi celles-ci, citons les **Titanic, Outopia** et **Soho,** fréquentées surtout par des jeunes de familles aisées qui viennent pour des rave-parties. La discothèque Pilot du club Soho a une curieuse piste de danse avec un énorme avion au milieu.

Miraj, Hippopotamus et

Manhattan Express sont des discothèques rock et pop plus classiques. Miraj possède une grande piste de danse, mais les pistes de l'Hippopotamus et du Manhattan Express sont si courues qu'elles ne peuvent accueillir tout le monde le week-end. **Night Flight,** également très connu, a toutefois la réputation d'être un rendez-vous de gangsters et de prostituées.

Master est surtout fréquentée par les étudiants et les jeunes. En haut, il y a une grande pièce sombre réservée à la techno pure tandis qu'en bas, dans un bar plus petit, on diffuse un mélange de techno et de dance music.

Up and Down est sans doute le club le plus connu de la capitale, fréquenté par des célébrités, et se targue d'avoir les plus belles strip-teaseuses de Moscou. À l'étage se trouve le restaurant Tri Peskaria, un des restaurants de poisson les plus chers de la ville, où viennent parfois dîner des hommes politiques russes et étrangers. Ce club possède également un casino.

Karoussel est une autre boîte avec strip-tease en vogue. Elle a également une piste de danse et diffuse de la musique disco et techno.

LE SPORT

Traditionnellement, les sports les plus populaires en Russie sont le football et le hockey. Les matchs importants et les championnats ont lieu au **palais des Sports Dynamo,** au **complexe sportif Krylatskoïe,** au **complexe sportif olympique** et au **stade central Loujniki.** Krylatskoïe possède aussi un champ de courses et un canal où ont lieu des courses d'aviron. Le complexe sportif olympique est le stade principal des tournois de tennis.

L'**hippodrome,** rénové depuis peu, a un vaste champ de courses et une école d'équitation où on peut louer un cheval et un équipement.

Chance, en principe une boîte gay, est en fait fréquentée par une clientèle hétérosexuelle. Cet établissement est situé loin du centre.

LES CASINOS

Moscou possède des dizaines de casinos, de l'établissement de grand luxe au tripot peu recommandable. Le jeu est un passe-temps très prisé par les nouveaux Russes,

et les droits d'entrée et le prix des jetons sont très élevés. Certains casinos offrent de ramener gratuitement chez eux les clients qui gagnent ou perdent une grosse somme. Dans d'autres, le billet d'entrée donne droit à des boissons gratuites avec en-cas. La plupart des hôtels de luxe ont leur propre casino, plus discret que les établissements spécialisés.

Les casinos les plus célèbres de Moscou sont l'**Alexandre Blok,** installé sur un bateau,

le **Golden Palace,** avec un décor de style Las Vegas, un plancher en verre sous lequel nagent des poissons, et des gardes armés jusqu'aux dents, et le Cherry Casino de la boîte de nuit **Metelitsa,** fréquenté par les milieux mafieux. Le **Beverly Hills** ne demande pas de droit d'entrée aux étrangers qui montrent leur passeport. Le **Club Royal** se trouve à l'hippodrome, et on peut faire quelques paris sur les chevaux avant de jouer au casino.

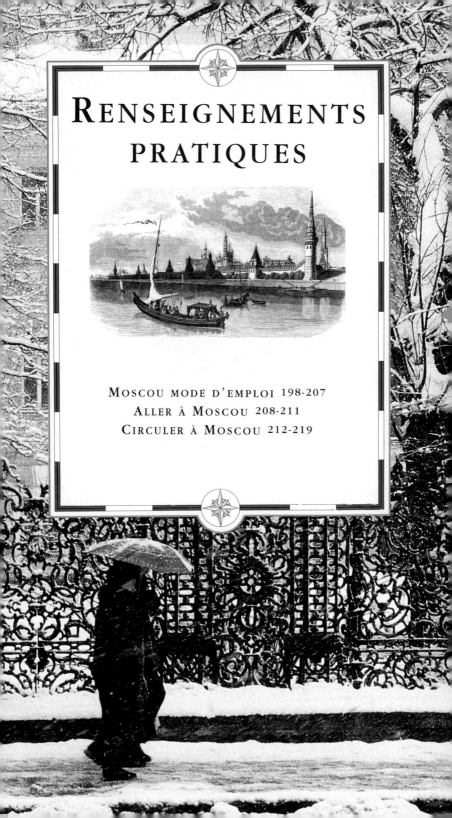

RENSEIGNEMENTS PRATIQUES

MOSCOU MODE D'EMPLOI

Moscou est une ville étendue, et les noms de rues, les panneaux et enseignes sont en cyrillique. La circulation est parfois très intense, surtout dans le centre. Pourtant, trouver son chemin à Moscou n'est pas aussi difficile qu'on pourrait le croire. Le métro est très performant, et les passants comme les employés des hôtels, des restaurants et des magasins sont en général prêts à venir en aide aux étrangers. Toutefois, il vaut mieux essayer de se familiariser avec l'alphabet cyrillique pour pouvoir déchiffrer les indications dans la rue. L'industrie du tourisme n'en étant qu'à ses débuts, les services d'information sont très peu développés. Pour les renseignements pratiques comme pour les programmes des spectacles, le mieux est de s'adresser aux hôtels. Aussi étonnant que cela paraisse, Moscou est une des villes les plus chères du monde à visiter. Si les transports publics restent bon marché, les hôtels, restaurants et places de théâtre sont parfois plus chers que leurs équivalents occidentaux.

Enseigne de l'agence Intourist

Bureau d'information tenu par le concierge de l'hôtel Baltchoug Kempinski

INFORMATION TOURISTIQUE

Il n'existe pas de bureaux d'information classiques à Moscou, et les hôtels sont la meilleure source d'information. Les concierges des hôtels de type occidental comme le Radisson-Slavianskaïa, le National, le Baltchoug Kempiski ou le Metropol *(p. 168-171)* pourront vous aider. Tous les grands hôtels occidentaux, et même russes, peuvent réserver des places de théâtre, mais prennent une commission. La plupart offrent un service de réservation de billets d'avion et acceptent le paiement par carte de crédit, ou vous mettent en rapport avec une agence de voyage. Les renseignements donnés par les hôtels russes peuvent diverger, mais la presse de langue anglaise *(p. 207)* vous fournira des indications fiables.

VISITES GUIDÉES ET EXCURSIONS

Les hôtels peuvent réserver des places pour des visites guidées en groupe et des excursions d'une journée, commentées en plusieurs langues. L'agence **Intourist** a un grand choix de visite des sites les plus connus. **Patriarchi Dom Tours** propose une sélection de visites en anglais, notamment au musée du KGB et au Kremlin, et des promenades à pied. Les listes sont publiées dans l'édition du vendredi du *Moscow Tribune*. Il faut généralement réserver au moins 48 h à l'avance.

PRIX DES BILLETS

Dans de nombreux musées et théâtres, le prix des billets est beaucoup plus élevé pour les étrangers que pour les Russes, mais reste largement dans les normes européennes. C'est le cas des billets pour la galerie Tretiakov *(p. 118-121)*, le palais des Armures *(p. 64-65)*, le musée des Beaux-Arts Pouchkine *(p. 78-81)* et le théâtre Bolchoï *(p. 90-91)*. Les écoliers et les étudiants *(p. 200)* ont droit à des tarifs réduits. Les cartes de crédit ne sont jamais acceptées aux caisses. Signalé par le mot касса *(kassa)*, la billetterie est souvent un peu éloignée de l'entrée du monument.

Car de tourisme de l'agence Intourist

Tour-opérateur sur la place Rouge proposant des excursions

Il vaut mieux mettre un foulard pour visiter les églises

HEURES D'OUVERTURE

Ouverts de 10 h ou 10 h 30 à 18 h, y compris le dimanche, la plupart des musées ont un jour de fermeture par semaine et un jour par mois réservé au nettoyage. Certaines cathédrales et églises sont ouvertes en permanence, mais d'autres seulement pour les offices.

Panneau « ouvert » (otkryto)

Panneau « fermé » (zakryto)

DANS LES ÉGLISES

Assister à un service orthodoxe est une expérience très intéressante. Les messes les plus importantes ont lieu le samedi soir, le dimanche matin et lors des fêtes religieuses. En général, un office dure plusieurs heures, et les fidèles restent debout (il n'y a pas de chaises dans les églises russes). Les visiteurs peuvent assister à la messe un moment, en respectant toutefois certaines règles vestimentaires. Ainsi, les hommes doivent enlever leur chapeau. Les femmes doivent se couvrir la poitrine et les épaules et se coiffer de préférence d'un foulard ou d'un chapeau. Si le pantalon pour les femmes est accepté dans les églises en ville, il ne l'est pas dans les monastères.

LANGUE

La langue russe s'écrit en alphabet cyrillique. Le mot vient de Cyrille (p. 17), le moine grec qui inventa, vers 860-870, l'alphabet qui est l'ancêtre de celui d'aujourd'hui. Il existe plusieurs systèmes pour la translitération des caractères cyrilliques en caractères romains (p. 252), mais ils diffèrent peu. Les Russes qui sont régulièrement en contact avec les étrangers parlent généralement un peu l'anglais. Essayez d'apprendre quelques mots de russe (p. 252-256), ce sera très apprécié et considéré comme une marque de respect.

USAGES

Les usages et attitudes russes sont en train de s'occidentaliser, fumer et boire sont encore des habitudes invétérées. Toute occasion est bonne pour prendre un verre, et on porte un toast à tout propos. Lorsqu'on est invité chez quelqu'un, il est d'usage de boire à la santé de l'hôtesse (za khoziaïkou) ou de l'hôte (za khoziaïna).

Beaucoup de Russes sont superstitieux et préfèrent ne pas se serrer la main sur le pas de la porte. Si quelqu'un écrase par inadvertance le pied d'un ami, celui-ci fait mine d'en faire autant.

Panneau d'un immeuble indiquant le n° de podezd

PAIEMENT ET POURBOIRE

Le rouble est la seule unité monétaire en Russie (p. 205). Si certains grands magasins et hôtels affichent des prix en dollars ou en deutsche Mark, tous les paiements en liquide se font en roubles. Les cartes de crédit sont acceptées dans certains restaurants et la plupart des hôtels, mais rarement dans les magasins, sauf ceux qui vendent des produits importés, bien plus chers qu'à l'étranger. Le pourboire est laissé à votre discrétion, mais les porteurs de bagages à l'aéroport et dans les gares demandent parfois des prix exorbitants.

ADRESSES

Les adresses russes s'écrivent dans l'ordre suivant : code postal, ville, nom de rue, numéro de la maison (dom), et, à la fin, le numéro de l'appartement (kvartira). Si l'appartement fait partie d'un ensemble, on ajoute un numéro de korpous (k) pour indiquer le bloc où il se trouve. Lorsqu'on rend visite à quelqu'un, il est utile de savoir quelle entrée (podezd) utiliser.

Après la révolution de 1917, de nombreuses rues ont été renommées pour éviter les connotations impériales ou commémorer de nouveaux héros soviétiques. Depuis la perestroïka, la plupart des rues du centre ont retrouvé leur nom d'avant 1917. Mais les Moscovites utilisent encore souvent les noms soviétiques, oubliant que les panneaux indiquent maintenant les noms d'origine. Mais la plupart des habitants emploient volontiers les deux, et ne s'offusquent pas si on utilise l'un plutôt que l'autre.

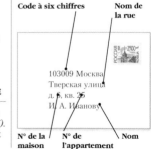

Code à six chiffres   **Nom de la rue**

103009 Москва
Тверская улица
д. 6, кв. 25
И. А. Иванову

N° de la maison   **N° de l'appartement**   **Nom**

VISAS

Les ressortissants de presque tous les pays ont besoin d'un visa pour entrer en Russie. Seuls ceux d'un État membre de la CEI (à l'exception des pays Baltes) en sont dispensés. Pour les Français, il existe quatre types de visa : touristique (pour ceux qui vont résider à l'hôtel), d'affaires (professionnels, étudiants, stagiaires), privé (pour ceux qui sont invités dans leur famille ou chez des particuliers) et de transit. Tous les renseignements spécifiques pour l'obtention de ces différents visas sont à demander aux services consulaires de la Fédération de Russie, en France à Paris, Marseille et Strasbourg. Un numéro vert y a été mis en place pour obtenir, grâce à un serveur vocal, des informations sur tous les visas ainsi que quelques informations générales et sommaires d'ordre touristique, économique et commercial.

Les formalités ne sont pas particulièrement faciles pour les voyageurs indépendants (ils devront notamment fournir un passeport en cours de validité, 3 photos d'identité, un formulaire de demande de visa dûment rempli, un justificatif avec nom, dates de départ et d'arrivée, listes des villes visitées et réservations d'hôtel avec numéro de l'agrément de l'hôtel, etc., et patienter). Aussi, le moyen le plus commode pour obtenir n'importe quel type de visa

Un visa russe

est de s'adresser à une agence spécialisée dans les voyages en Russie (à condition d'y réserver au moins son billet d'avion, voire quelques autres prestations). Les formalités pour les visas touristiques seront effectuées par les voyagistes pour ceux qui s'inscrivent à leurs voyages organisés. Les visas sont généralement valables trois mois et les visas touristiques ne peuvent normalement pas être prolongés.

La maison Igoumnov est aujourd'hui occupée par l'ambassade de France

IMMIGRATION ET DOUANES

Passeports et visas sont examinés très attentivement au contrôle de l'immigration. À l'arrivée, tous les voyageurs doivent remplir une déclaration de douane, qui est disponible dans plusieurs langues. Celle-ci doit être conservée pendant la durée du séjour et rendue avec une autre déclaration au moment du départ.

Il est illégal de sortir des roubles du pays (comme il est interdit d'en apporter). En principe, le montant de devises importées n'est pas limité, mais il doit être moins élevé à la sortie (pour prouver qu'on a acheté et non vendu des marchandises). Les objets de valeur doivent être déclarés sur la fiche de douane à l'entrée en Russie, sinon une taxe d'importation peut être perçue à la sortie. Les contrôles de douane au départ sont généralement plus stricts que dans beaucoup d'autres pays.

ENREGISTREMENT

Dans les trois jours qui suivent leur arrivée, tous les étrangers doivent officiellement être enregistrés auprès de l'OVIR, le Service des visas et de l'enregistrement. Les hôtels peuvent se charger de cette formalité pour leurs clients. Toutefois, la plupart des visiteurs omettent aujourd'hui de faire cette démarche. Si cela pose rarement un problème, les autorités peuvent infliger une amende à ceux qu'elles suspectent et les obliger à mettre leurs papiers en règle.

AMBASSADES ET CONSULATS

Tous les pays qui ont des relations diplomatiques avec la Russie ont une ambassade ou un consulat à Moscou. Toute personne ayant l'intention de rester plus de trois mois en Russie devrait se faire enregistrer auprès de celle de son pays. En cas de problème (hospitalisation, vol, emprisonnement ou autre), l'ambassade ou le consulat peuvent vous conseiller utilement et, si besoin, fournir un interprète ou encore délivrer un nouveau passeport.

PERSONNES HANDICAPÉES

Moscou est mal équipée pour les handicapés. Les transports publics sont d'accès difficile : il y a des marches et des portes étroites partout. Avant de visiter un monument, mieux vaut vérifier s'il dispose d'un accès pour personnes handicapées.

ÉTUDIANTS

Les cartes d'étudiant internationales donnent droit à des réductions dans les musées, et également pour les voyages en train et en avion réservés par STAR Travel.

VOYAGER AVEC DES ENFANTS

Les Russes adorent les enfants, et ceux qui visitent le pays avec leurs parents auront sans doute droit à des compliments. Mais on dit aussi que les grands-mères russes *(babouchki)* sont un peu trop curieuses et se permettent de faire des critiques, même bien inten-tionnées, sur la manière dont ils sont habillés.

Les transports en commun sont gratuits pour les enfants de moins de six ans, mais le plein tarif est appliqué à partir de cet âge. Les musées sont

Enfants jouant sur un canon du palais des Armures, au Kremlin

gratuits pour les bébés et les tout-petits et offrent des réductions aux écoliers.

TOILETTES PUBLIQUES

Peu de cafés et de bars possèdent ces commodités, et les toilettes publiques dans la rue laissent à désirer. Le mieux est d'aller à l'hôtel étranger le plus proche ou dans des toilettes payantes, par exemple dans un grand magasin si l'on ne peut vraiment faire autrement. Elles sont géné-ralement très bon marché. La dame à qui vous payez distribue des rations de papier, mais mieux vaut en avoir sur soi.

APPAREILS ÉLECTRIQUES

Le courant électrique en Russie est de 220 volts et nécessite des prises à deux fiches. Les vieilles prises

soviétiques ne sont toutefois pas adaptées aux prises modernes européennes, dont les fiches sont plus grosses. Les hôtels ont tous des prises modernes, mais il vaut mieux acheter des adaptateurs avant de partir (attention, ceux qui s'adaptent aux vieilles prises ne se trouvent qu'en Russie). Les appareils américains doivent être équipés d'un transformateur.

PHOTOGRAPHIES

Il n'y a plus vraiment de restrictions en ce domaine, sauf si vous voulez prendre des photographies aériennes. Toutefois, vous aurez probablement un droit à payer pour prendre des photographies ou utiliser une caméra vidéo dans un musée.

L'HEURE MOSCOVITE

L'heure de Moscou est en avance de 3 h (2 h sur Paris) sur celle de Greenwich (GMT). La Russie s'est alignée depuis peu sur le reste de l'Europe, en avançant ses pendules d'une heure à la fin mars et en les retardant d'une heure en octobre.

Panneau « toilettes » *(toualet)*

Toilettes hommes   Toilettes femmes

CARNET D'ADRESSES

CENTRE D'INFORMATION ET EXCURSIONS

Intourist
Интурист
Tverskaïa oul. 3/5,
1ᵉʳ étage.
Plan 2 F2.
☎ 956 8402.
FAX 956 8590.

Patriarchi Dom Tours
Патриарший дом турс
Vspolni per. 6.
Plan 2 D4.
☎ 795 0927.
FAX 795 0927.

VISAS

Consulat de la Fédération de Russie
40-50, bd Lannes
75016 Paris.
☎ 01 45 04 05 01.
FAX 01 45 04 17 65.
Serveur vocal :
08 36 70 20 44.

CGTT
82, rue d'Hauteville
75010 Paris.
☎ 01 40 22 88 88.

Transtours
49, av. de l'Opéra
75002 Paris.
☎ 01 53 24 34 00.

Slav' Tours
6, rue Jeanne-d'Arc

45000 Orléans.
☎ 02 38 77 07 00.

OVIR
ОВИР
Gorodskoïe otdel viz I reguistratsi
Pokrovka oul. 42.
Plan 4 D4.
☎ 200 8427.
● mer., sam., dim.

AMBASSADES ET CONSULATS

Ambassade de France
Bolchaïa Iakimanka
oul. 45.
☎ 236 0003.

Ambassade de Belgique
Malaïa

Molchanovka oul. 7.
☎ 291 6027.

Ambassade de Suisse
Ogorodnoï Slobody, 2/5.
☎ 925 5322.

Ambassade du Canada
Starokoniouchenny
per. 23.
☎ 252 2451/59.

VOYAGES POUR ÉTUDIANTS

STAR Travel
Vorontsovskaïa oul.
16/20, stroïenie 6.
☎ 935 8336.

Santé et sécurité

Si les rumeurs parfois inquiétantes qui circulent à propos de la mafia sont fondées, il faut surtout rester attentif aux petits malfaiteurs, en prenant quelques précautions élémentaires. Si vous ne parlez pas la langue, il peut être utile d'avoir votre adresse écrite en russe, notamment pour les taxis et en cas d'accident. Une assurance médicale est indispensable. On trouve de nombreux médicaments, mais les soins médicaux ne sont pas comparables à ceux auxquels on est habitué en Occident, et les services pour étrangers sont chers.

d'en arrêter au hasard dans la rue. Le métro est également sûr.

Enfin, les piétons doivent se méfier des conducteurs russes, qui semblent les considérer comme des gêneurs, et faire attention aux plaques d'égout, qui ont une fâcheuse tendance à basculer ou à s'effondrer lorsqu'on marche dessus.

LA SÉCURITÉ DES BIENS

Il est impératif, voire obligatoire, de prendre une assurance de voyage. Ne tentez pas les pickpockets, et évitez de mettre votre argent dans des poches ouvertes ou de sortir de grosses sommes en public. Mieux vaut ne prendre sur vous qu'une petite somme pour faire vos achats.

Évitez de vous arrêter si vous êtes abordé par les Tziganes faisant mine de mendier qui fréquentent parfois Tverskaïa oulitsa ou les stations de métro du centre. Surveillez sac et portefeuille et passez votre chemin sans agressivité.

Les chèques de voyage ont l'avantage d'être assurés contre la perte ou le vol. En cas de vol, avertissez immédiatement la compagnie qui les a émis car ils peuvent facilement être « blanchis » en Russie.

Tout vol doit être déclaré à la police pour obtenir une attestation à remettre à votre assurance. Avertissez tout d'abord le service de sécurité de l'hôtel, qui peut généralement fournir un interprète ou s'occuper des formalités. Les ambassades interviennent seulement dans les cas graves.

Contrôle par un agent de la GAI

LA SÉCURITÉ DES PERSONNES

Les voleurs à la tire représentent le danger le plus sérieux. En Russie, comme dans n'importe quel pays, ils peuvent devenir violents si on leur résiste.

Si la mafia est répandue, elle a peu de contacts avec les étrangers, particulièrement les touristes, généralement beaucoup moins riches que les hommes d'affaires russes. Le soir, il est plus prudent de prendre des taxis réservés à l'avance que

LA POLICE

Il y a plusieurs types de policiers à Moscou, et leur uniforme change en fonction des saisons. L'hiver, ils portent une chapka et un long manteau. La police que l'on rencontre le plus souvent est la *militsia,* toujours armée.

Se camouflant, la police anti-émeute, ou OMON (*otriad militsi osobovo naznatchenia*) se rencontre rarement dans la rue.

La police de la circulation, ou GAI (*gossoudarst-vennaïa avto inspektsia),* est armée d'une matraque rayée noire et blanche et arbore le mot ГАИ sur son insigne et son uniforme. Elle peut arrêter n'importe quel véhicule pour un contrôle des papiers.

Militsia

La *militsia* et le GAI augmentent leurs revenus en interpellant les piétons pour de petites infractions, et il vaut mieux payer l'« amende », qui ne représente généralement que l'équivalent de cinq ou dix dollars.

Voiture de pompiers

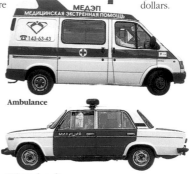

Ambulance

Voiture de police

Pharmacie *(apteka)*

LES PHARMACIES

L es pharmacies portent
l'enseigne Аптека
(apteka) et sont généralement
signalées par une croix verte à
l'extérieur. Les mieux fournies
sont situées sur Novy Arbat,
Tverskaïa oulitsa et Koutouzovski prospekt, et vendent
de nombreux médicaments
importés, certains avec la
notice en langue d'origine.
Tous les médicaments peuvent
s'obtenir sans ordonnance, y
compris les antibiotiques.
Les vendeurs sont des
pharmaciens qualifiés, et si
on indique le nom
du médicament
étranger recherché,
ils peuvent
proposer un équivalent
russe. Toutefois, les
visiteurs qui ont besoin
de médicaments
spécifiques comme
l'insuline doivent en apporter
suffisamment pour leur
séjour.

Enseigne de pharmacie

LES SOINS MÉDICAUX

L a plupart des hôtels ont
leur propre médecin, et si
vous tombez malade adressez-
vous en priorité au vôtre.
Toutefois, il existe plusieurs
établissements destinés aux
étrangers, comme le **European
Medical Centre** et l'**American
Medical Center,** auxquels on
peut s'adresser aussi bien pour
un traitement simple que pour
un rapatriement sanitaire.
Leurs tarifs sont très élevés,
mais ils ont l'habitude de
traiter avec les systèmes
d'assurance étrangers. **Assist-
24** est un peu moins cher, et
vous y trouverez des

médecins russes
anglophones, tout à
fait capables de
soigner les maux
sans gravité.
US Dental Care
prodigue tous les
soins dentaires.
En cas d'urgence,
si vous n'avez pas
le temps de
contacter les centres
mentionnés, allez au
service des urgences
de l'**hôpital Botkine.**
Le personnel peut
faire des piqûres ou
des points de suture, et donner
les premiers soins, mais ne
parle pas anglais.
Si, par hasard, vous vous
réveillez dans un hôpital local,
contactez votre ambassade ou
un des centres ci-dessus, qui
pourront s'occuper de vous
faire transférer dans un autre
endroit ou surveiller les soins.

LES PRÉCAUTIONS SANITAIRES

N e buvez pas l'eau du
robinet, préférez l'eau
minérale en bouteille, et
évitez les fruits et légumes
crus qui risquent
d'avoir été lavés à
l'eau courante.
Vous risquez des
ennuis digestifs en
mangeant les pâtés à la
viande ou à la saucisse
(pirojki) vendus dans
la rue. Ces dernières
années, les cas de diphtérie
ont augmenté parmi la
population locale, et il est
prudent de vous faire vacciner
avant d'aller en Russie.

LES MOUSTIQUES

L es moustiques *(komari)*
sont un véritable fléau entre
juin et fin septembre. Vous
pourrez vous procurer des
prises à moustiques, particulièrement efficaces pour la
nuit. On peut aussi acheter
des sprays ou des huiles
antimoustiques. Un produit
antimoustique est également
nécessaire en forêt ou à la
campagne. Ceux que l'on
trouve localement n'étant pas
toujours efficaces, mieux vaut
en apporter avec soi, ainsi que
de la crème anti-histaminique.

Banques et monnaie

L es principales cartes bancaires occidentales peuvent maintenant être utilisées dans les hôtels, les grands restaurants et certains magasins. Mais partout ailleurs, les paiements se font en espèces, et la seule monnaie légale est le rouble. Les bureaux de change sont nombreux et acceptent les chèques de voyage de préférence émis en dollars américains. On peut aussi obtenir des roubles avec une carte de crédit. Les commissions varient, mais les taux de change des banques sont favorables. En revanche, il ne faut jamais changer de l'argent dans la rue, sous peine de se faire escroquer.

CHANGER DE L'ARGENT

O n ne peut pas se procurer de roubles en dehors de la Russie, mais il existe de nombreux bureaux de change dans toute la ville et aux aéroports. Certains sont ouverts 24 h/24.

Pour changer de l'argent, il faut présenter son passeport. Tout billet étranger ayant un défaut perd sa validité en Russie et sera refusé. Assurez-vous donc que vos billets sont en bon état, et s'il s'agit de dollars, qu'ils ont été émis après 1990.

Lors du change, on vous remettra un reçu. Tous ces reçus doivent être conservés et joints à la déclaration de douane remplie à l'arrivée *(p. 200)*, que vous devrez présenter en quittant le pays.

Enseigne de bureau de change
(obmen valiouty)

À LA BANQUE

L es banques étrangères sont peu nombreuses à Moscou, et elles n'ont généralement pas de guichets. En revanche, la plupart des banques russes ont des bureaux de change. Elles acceptent de nombreuses monnaies, les cartes de crédit et, certaines, les chèques de voyage. **Most-Bank** et **Inkombank** offrent les meilleurs taux. Si vous voulez vous faire envoyer de l'argent dans une banque russe, les plus fiables sont **Inkombank** et **Promstroïbank.** Il est prudent de se renseigner sur la fiabilité des autres banques.

Inkombank, Most-Bank, Promstroïbank et **American Express** peuvent transférer de l'argent en provenance d'une banque à l'étranger, mais ces services peuvent coûter cher et ils sont plutôt réservés à la clientèle d'affaires.

LES CARTES BANCAIRES

O n peut maintenant retirer de l'argent liquide (roubles ou dollars) avec une carte bancaire dans les plus grandes banques, aux distributeurs automatiques de certaines agences, et dans les grands hôtels. La plus couramment acceptée est la carte VISA. Les

Reçu officiel d'une
opération de change

BANQUES

American Express
Sadovaïa-Koudrinskaïa oul. 21a.
Plan 2 D4.
755 9001.

Inkombank
Инкомбанк
Slavianskaïa pl. 4, stroïenie 1.
Plan 7 C1.
956 3808.

Most-Bank
Мост-Банк
Vorontsovskaïa oulitsa 43.
Plan 8 F4.
785 1550.

Promstroïbank
Промстройбанк
Tverskoï boulvar 13.
Plan 2 E5.
200 7974.

DISTRIBUTEURS AUTOMATIQUES

American Express
Sadovaïa-Koudrinskaïa oul. 21a.
Plan 2 D4.
(N'accepte que la carte American Express.)

Most-Bank
Мост-Банк
Vorontsovskaïa oulitsa 43.
Plan 8 F4.
(Accepte VISA, MasterCard, Eurocard.)

Hôtel Radisson-Slavianskaïa
Гостиница Рэдиссон-Славянская
Gostinitsa Radisson-Slavianskaïa
Berejkovskaïa nab. 2.
Plan 5 B2.
(Accepte VISA, MasterCard, American Express.)

cartes Diners, MasterCard, Eurocard et American Express sont moins souvent reconnues.
Les distributeurs automatiques de la **Most-Bank** qui prennent les MasterCard, Eurocard et VISA ne prélèvent aucune commission.

Les cartes volées ou perdues doivent être immédiatement signalées à la société émettrice du pays d'origine. Il n'y a aucun service de sécurité local.

Distributeur automatique

Les chèques de voyage

Les banques prennent une commission d'au moins 3 % pour encaisser des chèques de voyage. Seules les grandes banques comme **Promstroïbank**, la **Most-Bank** et l'**Inkombank** offrent ce service. Les chèques American Express sont plus avantageux : la commission n'est que de 2 % s'ils sont encaissés au bureau d'**American Express.** Les chèques ne sont acceptés qu'en dollars américains, deutsche Mark, livres anglaises et francs français. Dans tous les cas, on préfère les chèques en dollars américains.

Monnaie locale

L'unité monétaire russe est le rouble (écrit рубль ou en abrégé p ou руб). Les plus fortes valeurs se présentent sous forme de billets avec des dessins de villes russes, les plus faibles valeurs sont en pièces (les kopecks). Le rouble est divisé en 100 kopecks. Les dessins des billets ont changé depuis 1990. Début 1998, l'inflation semblant jugulée, le rouble a été réévalué et de nouveaux billets émis. Les valeurs ont été divisées par 1 000 (1 000 roubles devenant 1 rouble). Ces billets sont toujours valables mais le rouble s'est de nouveau effondré fin 1998, et la situation reste encore très instable.

Les billets de banque

Les billets russes existent en coupures de 10, 50, 100 et 500 roubles, et ressemblent aux billets d'avant la réévaluation de début 1998. À partir du 31 décembre 1998, les anciens billets ne pourront être échangés que dans les grandes banques.

10 roubles

50 roubles

100 roubles

500 roubles

Les pièces

La réévaluation du rouble début 1998 avait redonné une nouvelle vie au kopeck, qui a gardé une valeur surtout sentimentale. Traditionnellement, le rouble a toujours valu 100 kopecks. En plus des pièces de 1, 2 et 5 roubles, il en existe maintenant de 1, 10 et 50 kopecks. Toutes les pièces émises avant 1997 (avant la réévaluation) ne valent plus rien. Il faut donc vérifier la monnaie qu'on vous rend et refuser les vieilles pièces.

1 rouble

2 roubles

5 roubles

1 kopeck

10 kopecks

50 kopecks

Communications et médias

D'importants efforts ont été faits pour moderniser les services téléphoniques obsolètes de Moscou. Dans beaucoup d'hôtels et de téléphones publics, la ligne est automatique, mais ce n'est pas toujours le cas pour les téléphones privés. Dans le même temps, on a assisté à une véritable explosion du nombre de magazines, journaux et chaînes de télévision. Malheureusement, le système postal ne s'est pas développé aussi vite.

Enseigne de bureau de poste *(potchta)*
avec téléphones publics *(telefon)*

LE TÉLÉPHONE

D es cabines de téléphone bleues, par satellite Comstar, sont installées dans les aéroports, les centres d'affaires, les halls de la plupart des hôtels et dans certains restaurants. Elles fonctionnent avec des cartes bancaires ou des cartes téléphoniques vendues dans les grands hôtels, restaurants et clubs, mais les communications sont chères. Le système local est bien meilleur marché. Les appareils à carte, bleu et blanc, du réseau public de Moscou (MITC), situés dans la rue et dans

Téléphone MITC

certaines stations de métro, permettent d'appeler directement à l'étranger. Les cartes, de 25, 50, 100, 120, 200, 400 et 1 000

Jeton de téléphone

unités, s'achètent dans les kiosques, le métro et les bureaux de poste. Une communication internationale coûte au moins 100 unités. Les communications internationales et interurbaines sont moins chères entre 22 h et 8 h et le week-end. Les anciens téléphones gris de MITC ne servent que pour les appels locaux. Ils ne fonctionnent qu'avec des jetons *(jetony)* vendus aux mêmes endroits que les cartes. Les communications locales à partir d'un poste privé, incluses dans le prix de l'abonnement, devraient faire l'objet d'une taxation par appel.

Le **Télégraphe central** a des téléphones à usage local ou international et les communications se payent au guichet.

OBTENIR LE BON NUMÉRO

- Renseignements (Moscou seulement) : 09.
- Opérateur pour communications interurbaines : 07.
- Il n'existe pas de renseignements internationaux.
- Opérateur pour appels internationaux : 8 (tonalité) 194.
- Indicatifs internationaux (appels automatiques) :
  France : 8 (tonalité) 1033 + n° du correspondant.
  Belgique : 8 (tonalité) 1032.
  Suisse : 8 (tonalité) 1041.
  Canada : 8 (tonalité) 101
  Renseignements carte France Télécom (en France) : 0800 102040.
- Numéro France Direct (en Russie) :
  8 10 800 110 10 33.
- Renseignements internationaux Russie (en France) :
  00 33 12 71.

Le mode d'utilisation des appareils à carte MITC est expliqué ci-dessous. Les appareils Comstar, utilisés avec une carte téléphonique, fonctionnent de la même façon. L'appareil donne automatiquement des instructions en anglais.

UTILISEZ UN TÉLÉPHONE À CARTE

Cartes de téléphone

1 Décrochez le combiné et attendez la tonalité.

2 Les téléphones MITC donnent les instructions en russe, anglais, français et allemand. Appuyez sur ce bouton pour changer de langue. Les instructions sont à la fois affichées sur un écran et diffusées par l'écouteur.

3 Le moment venu, introduisez la carte dans le sens de la flèche. Attendez pour vérification de la carte.

4 Composez le numéro et attendez que la communication soit établie.

5 Appuyez sur ce bouton pour augmenter le volume.

6 Dès que quelqu'un répond, appuyez sur ce bouton pour parler.

7 À la fin de la communication raccrochez et retirez la carte.

SERVICES POSTAUX

Les bureaux de poste comme la **Poste centrale** et ceux des hôtels vendent des timbres ordinaires ou commémoratifs, des cartes postales, des enveloppes et des cartes téléphoniques. Les petits bureaux, signalés par le mot почта *(pochta)*, sont surtout nombreux dans le centre. Ils ont généralement de grandes baies vitrées et des boîtes aux lettres bleues à l'extérieur.

Timbres-poste

Le service d'expédition internationaux sont souvent lents et peu fiables, et il vaut mieux les éviter, sauf pour les cartes postales. **Post International,** qui a un service de poste restante, fournit les mêmes services que les sociétés de messagerie. **American Express** a un service de poste restante pour les possesseurs de sa carte.

Il est préférable d'avoir recours à une société de messagerie pour expédier des documents importants. Il en existe plusieurs à Moscou, entre autres **DHL, Worldwide Express, Federal Express** et **TNT Express Worldwide.**

FAX, TÉLEX, TÉLÉGRAMME ET SERVICES E-MAIL

De nombreux hôtels et la **Poste centrale** ont des services de fax, télex et télégramme. Les télégrammes en langue étrangère peuvent aussi être envoyés du **Télégraphe central. Post International** propose des services de fax et de e-mail.

TÉLÉVISION ET RADIO

Les hôtels reçoivent depuis longtemps les chaînes Eurosport, CNN, BBC World Service TV et NBC. La télévision russe est submergée de séries étrangères, généralement doublées en russe plutôt que sous-titrées. La chaîne 6 donne les nouvelles de NBC

La façade d'inspiration romane de la Poste centrale de Moscou

en anglais à 8 h 30 tous les matins. Les meilleures informations nationales en russe sont sur NTV, et les meilleures informations locales, sur TV-Tsentr. Les meilleures émissions radiophoniques en anglais sont sur BBC World Service et Voice of America sur les ondes courtes. Ekho Moskvy a un excellent service d'informations en russe. Radio Maximum (103.7 FM) et Europe Plus (106.2 FM) diffusent de la bonne musique pop occidentale, et Rousskoïe Radio (105.7 FM) de la musique russe. Orfey (73.4 FM) est une station de musique classique sans publicité.

Boîte aux lettres

JOURNAUX ET MAGAZINES

Deux grands journaux en anglais paraissent tous les jours sauf dimanche et lundi : *The Moscow Times* et *The Moscow Tribune,* un peu plus modeste, de qualité équivalente. Tous deux publient un guide complet des expositions et spectacles dans leurs éditions du vendredi. Celles du samedi donnent les programmes de télévision pour la semaine, y compris ceux des chaînes par satellite. *The*

Journaux anglais et russes

Exile, également en anglais, recense les restaurants et les distractions. *Kapital,* hebdomadaire russe qui paraît le mercredi, présente les différentes manifestations. Tous ces journaux peuvent s'obtenir gratuitement dans les restaurants et les hôtels, et dans certains supermarchés et fast-foods. Vous trouverez certainement les plus grands titres de la presse francophone du jour, vendue très chère, dans les kiosques des plus grands hôtels. D'autres hôtels et certains kiosques sur Tverskaïa oulitsa ont parfois des numéros moins récents.

CARNET D'ADRESSES

TÉLÉPHONE

Télégraphe central
Центральный телеграф
Tsentralny telegraf
Tverskaïa oul. 7. **Plan** 2 F5.
📞 924 4758. 🕐 *de 8 h à 22 h.*

SERVICES POSTAUX

American Express
Sadovaïa-Koudrinskaïa oul. 21a.
Plan 2 D4.
📞 755 9001.

Poste centrale
Главный почтамт
Glavny potchtamp
Miasnitskaïa oul. 26.
Plan 3 C4.
📞 928 6311. 🕐 *de 8 h à 20 h du lun. au ven., de 8 h à 19 h le sam., de 9 h à 19 h le dim., de midi à 18 h.*

Post International
Malaïa Dmitrova oul. 15.
Plan 2 F3.
📞 733 9278. 🕐 *de 9 h à 20 h du lun. au ven., de 10 h à 17 h le sam., de midi à 17 h le dim.*

SOCIÉTÉ DE MESSAGERIE

DHL Worldwide Express
3-i Samotetchny per. 11/2.
Plan 3 A2.
📞 956 1000.

Federal Express
125167 Aviatsionny per. 8/17.
📞 234 3400.

TNT Express Worldwide
Denejny per. 1.
Plan 6 D2. 📞 201 2585.

ALLER À MOSCOU

L'avion reste le moyen le plus rapide et le plus confortable pour aller à Moscou. En effet, les nombreuses frontières à traverser, et les routes souvent défoncées ou en travaux, rendent le voyage en voiture un peu hasardeux. Toutefois, le train ou l'autocar sont plus économiques si l'on vient de Saint-Pétersbourg, ou de Biélorussie et d'Ukraine. En outre, il faut

Un avion de la compagnie Aeroflot

planifier son séjour avant de demander un visa *(p. 200)*, car les autorités russes exigent des renseignements détaillés sur votre voyage, notamment sur les villes d'entrée et de sortie. Quelle que soit l'option choisie, comparez les différentes formules proposées par les agences pour trouver la plus avantageuse, en sachant que les prix peuvent varier notablement en cours d'année.

Cheremetevo 2, principal aéroport international de Moscou

LES TRANSPORTS AÉRIENS

Il existe des vols directs Paris-Moscou par Air France et Aeroflot. Mais renseignez-vous aussi auprès d'autres grandes compagnies (SAS, KLM, Lufthansa, Austrian Airlines, Sabena, Swissair) qui peuvent proposer, à des conditions intéressantes, des vols avec escale dans les différentes capitales européennes. Aeroflot relie Montréal à Moscou deux fois par semaine, ainsi que British Airways. Transaero, une autre compagnie russe, dessert Moscou tous les jours *via* Riga en Lettonie, et propose des vols charters. Comme pour tout autre voyage, comparez les différentes offres des voyagistes généralistes (voyages organisés, vols secs, séjours à la carte, hébergement dans les familles). Il n'existe pas à Paris d'agence vraiment spécialisée sur la Russie. Toutefois, certaines comme CGTT (qui publie un petit magazine *Quoi de Neuf ?*, avec des adresses récentes sur la vie à Moscou)

ou Transtours bénéficient d'une longue expérience de cette destination et sont fiables.

AÉOPORT DE CHEREMETEVO 2

Cheremetevo 2 est le principal aéroport international de Moscou. Situé à environ 28 km au nord-ouest du centre-ville, il possède un seul terminal, constitué d'une aile gauche et d'une aile droite entre lesquelles les vols sont répartis. Au centre des halls de départ et d'arrivée, les panneaux d'affichage indiquent, pour chaque vol, de quel côté se diriger. Cheremetevo 2 n'est ni moderne ni particulièrement

Panneaux de Cheremetevo 2

pratique, mais offre néanmoins les services habituels : un bureau de change *(p. 204)*, quelques boutiques, un restaurant et plusieurs endroits pour se restaurer rapidement. On y trouve également un choix de produits détaxés, à l'arrivée comme au départ, et certains, comme l'alcool, sont très bon marché. D'autres spécialités, notamment le caviar, coûtent presque aussi cher qu'à l'étranger.
Le contrôle des passeports en Russie est encore extrêmement rigoureux et, si plusieurs vols arrivent en même temps, on peut faire la queue pendant deux heures.

LES AUTRES AÉROPORTS

Il y a quatre autres aéroports à Moscou. **Cheremetevo 1,** est utilisé principalement pour des vols intérieurs, entre autres ceux de Saint-Pétersbourg. Il sert également à tous les vols Transaero et à certains charters d'Aeroflot venant de l'étranger. Les vols à destination des régions de Russie les plus proches et d'autres États membres de la CEI partent souvent de l'aéroport de **Vnoukovo,** au sud-ouest de Moscou. **Domodedovo,** au sud de la ville, dessert des destinations plus lointaines en Russie et dans la CEI, notamment la Russie orientale, la Sibérie et l'Asie centrale. Situé à l'ouest de la ville, **Bykovo,** le plus petit des aéroports moscovites, dessert les destinations moins fréquentées, à l'intérieur de la Russie, et sert aussi l'été à des charters.

LIGNES D'AUTOBUS ET DE MÉTRO VERS LE CENTRE-VILLE

Aéroports Cheremetevo 1 et 2

Station d'autobus Retchnoï Vokzal

Речной Вокзал
Retchnoï Vokzal

Водный Стадион
Vodny Stadion

Войковская
Voïkovskaïa

Сокол
Sokol

Terminal aérien
Аэровокзал
Aerovokzal

Аэропорт
Aeroport

Динамо
Dinamo

↓ *Moscou centre*

LÉGENDE

▬ Ligne de métro 2

▬ Trajet du bus et du minibus

■ ■ Trajet à pied

La station de métro Retchnoï Vokzal, terminus de la ligne 2

Panneau au départ des bus express pour l'arrêt Retchnoï Vokzal

REJOINDRE LE CENTRE-VILLE

Même si le moyen de transport le plus pratique pour se rendre à Moscou depuis Cheremetevo 2 est le taxi, il existe également deux lignes d'autobus. La première relie en 35 mn le hall d'arrivée de l'aéroport à l'aérogare *(aerovokzal)*, située à environ 7 km du centre. Il faut ensuite marcher 15 mn environ jusqu'aux stations de métro Aeroport ou Dinamo. La seconde mène à la station d'autobus Retchnoï Vokzal, proche de la station de métro Retchnoï Vokzal. Les deux lignes fonctionnent de 6 h 25 à 23 h 30, et le trajet en métro prend de 15 à 20 mn.

De l'aéroport de Cheremetevo 1, des services de bus et de minibus desservent également la station de bus Retchnoï Vokzal ou l'aérogare de 6 h 25 à 23 h 30.

Pour ceux qui préfèrent le taxi *(p. 212)*, il y a quelques règles à connaître. Ainsi, pour le transfert, il est plus commode de réserver une voiture en passant par votre agence de voyage ou en s'adressant à l'hôtel. Les taxis de l'aéroport sont chers (l'équivalent de 50 $ à 60 $ pour le centre-ville), et ils ne sont pas tous officiels. À peine sortis de la douane, les voyageurs sont assaillis par des chauffeurs proposant leurs services. Ces chauffeurs non officiels sont généralement fiables, mais mieux vaut sortir du hall pour aller prendre un des taxis officiels alignés à l'extérieur. Leurs voitures jaunes se distinguent par leur toit à carreaux noirs. La plupart ont des compteurs, mais comme ceux-ci sont rarement utilisés, il faut absolument négocier le prix de la course avant le départ. Une fois le prix fixé, le pourboire n'est pas nécessaire.

L'hôtel Novotel de l'aéroport *(p. 170)* est le seul hôtel qui offre un service de bus pour prendre les voyageurs à Cheremetevo 2, où on peut aussi louer une voiture *(p. 218)*. Les voyageurs arrivant dans un plus petit aéroport pourront utiliser les nombreux transports publics ou les taxis.

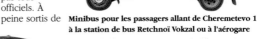

Minibus pour les passagers allant de Cheremetevo 1 à la station de bus Retchnoï Vokzal ou à l'aérogare

Passagers montant à Cheremetevo 2 pour la station de bus Retchnoï Vokzal

Rangée de taxis non officiels devant le hall d'arrivée de Cheremetevo 2

LE TRAIN

On peut se rendre à Moscou par le train depuis Paris en 36 h (*via* Cologne en TGV, puis Varsovie par le trajet le plus court) et de plusieurs autres capitales européennes. Les voies ferrées russes étant plus larges que celles des autres pays, il faut se préparer à une attente à la frontière pendant qu'on change les roues.

Trois des principales gares de Moscou sont situées sur Komsomolskaïa plochtchad

Wagon-restaurant du train de Budapest en gare de Kiev

(*p. 144*), appelée aussi plochtchad Trekh Vokzalov (« place des Trois Gares »). Les gares **Iaroslavski** (« de Iaroslavl ») et **Kazanski** (« de Kazan ») sont réservées aux lignes intérieures. La gare **Leningradski** (« de Léningrad ») est le terminus des trains en provenance de Saint-Pétersbourg et de la Finlande. Parmi les autres gares, **Rijski** (« de Riga ») dessert la Baltique, **Kievski** (« de Kiev ») l'Europe de l'Est, et **Belorousski** (« de Biélorussie ») l'Europe de l'Ouest et la Pologne. Les gares **Paveletski** (« de Pavelets ») et **Kourski** (« de Koursk ») sont les terminus des trains en provenance de la Russie méridionale et de certaines

L'imposante entrée de la gare de Biélorussie

régions de l'Ukraine.

Les billets doivent être réservés à l'avance pour tous les trains. Il y a 4 catégories de train : les trains express *(ekspressy)*, unique-ment sur la ligne Moscou-Saint-Pétersbourg ; les rapides *(skorie)*, sur les longues distances, avec peu d'arrêts ; les trains de passagers *(passajirskie)* pour les longues distances mais avec des arrêts à toutes ou presque toutes les gares ; et enfin les trains de banlieue *(prigorodnie) (p. 219)*.

LES AUTOCARS

S'il n'y a pas actuellement de possibilités depuis Paris, il existe des liaisons en autocar entre Moscou et la République tchèque, la Pologne, la Hongrie et la Slovaquie. Certaines lignes passent par l'Ukraine, d'autres par la Biélorussie. Il faut parfois changer de car, et les routes entre Moscou et la Biélorussie ou l'Ukraine étant mal entretenues, le voyage, dans les deux cas, prend de 12 h à 16 h.

Emblème soviétique à l'extérieur de la gare de Kiev

LES GRANDES GARES DE MOSCOU

🚉 **Belorousski**
Trains pour Varsovie et les villes d'Europe de l'Ouest.
Ⓜ *Belorousskaïa.*

🚉 **Kievski**
Trains pour Prague, Budapest et Kiev.
Ⓜ *Kievskaïa.*

🚉 **Rijski**
Trains pour les pays Baltes (Lettonie, Lituanie et Estonie).
Ⓜ *Rijskaïa.*

🚉 **Iaroslavski**
Liaisons avec le nord de la Russie et les villes de l'Anneau d'Or (p. 155).
Ⓜ *Komsomolskaïa.*

🚉 **Leningradski**
Trains pour Saint-Pétersbourg et la Finlande.
Ⓜ *Komsomolskaïa.*

🚉 **Kazanski**
Dessert l'Oural, la Sibérie et la Russie d'Extrême-Orient.
Ⓜ *Komsomolskaïa.*

0   2 km

LÉGENDE

🚉 Gare ferroviaire

Ⓜ Station de métro

🚉 **Paveletski**
Dessert une grande partie de la Russie méridionale.
Ⓜ *Paveletskaïa.*

🚉 **Kourski**
Liaisons avec l'Ukraine et certaines parties de la Russie méridionale.
Ⓜ *Kourskaïa.*

DE SAINT-PÉTERSBOURG À MOSCOU

P our rejoindre Moscou depuis Saint-Pétersbourg, le mieux est de prendre le train express qui part de la gare pétersbourgeoise Moskovski et arrive à la gare Leningradski de Moscou. Il est plus pratique de réserver son billet auprès d'un hôtel ou d'une agence de voyage.

Billet de l'express Moscou-Saint-Pétersbourg

Les trains de nuit les plus fiables sont les n° 1 (appelé *La Flèche rouge*) et n° 3 de

Saint-Pétersbourg à Moscou, et les n° 2 et n° 4, de Moscou à Saint-Pétersbourg. Ils partent tous à minuit, arrivent à 8 h 30 le lendemain matin et sont habituellement ponctuels. Les autres trains, notamment les n° 47 et n° 159 (*l'Aurora*), sont presque aussi bons, surtout pour ceux qui préfèrent voyager de jour.

Une place coûte l'équivalent de 12 $ et peut atteindre 80 $ par personne dans un compartiment pour deux. Les étrangers payent en général plus cher que les Russes. On peut choisir entre des places assises (*sidiachtchi*) et des couchettes, plus chères. On peut trouver de quoi manger dans le train, mais il vaut mieux apporter sa nourriture. Il y a également des liaisons aériennes entre

Compartiment de *la Flèche rouge* express Saint-Pétersbourg -Moscou

Moscou et Saint-Pétersbourg, qui reviennent toutefois beaucoup plus cher. Le vol ne dure que 50 mn mais les trajets ville-aéroport prennent beaucoup de temps, particulièrement à Moscou (*p. 209*). Les avions décollent de l'aéroport de Poulkovo 1 à Saint-Pétersbourg et atterrissent à Cheremetevo 1 (*p. 208*).

Enseigne du train *Aurora* Saint-Pétersbourg-Moscou

CARNET D'ADRESSES

AGENCES DE VOYAGE EN FRANCE

CGTT
82, rue d'Hauteville, 75010 Paris.
📞 *01 40 22 88 88.*

Transtours
49, av. de l'Opéra, 75002 Paris.
📞 *01 53 24 34 00.*

Aeroflot
33, avenue des Champs-Élysées, 75008 Paris.
📞 *01 42 25 43 81.*

LES COMPAGNIES AÉRIENNES

Air France
7, oul. Korovy Val
Plan 7 A5.
📞 *234 33 77.*

Aeroflot
Аэрофлот
Oulitsa Petrovka 20.
Cette adresse est en fait une agence de réservation centrale pour de nombreuses compagnies.

Plan 3 A4.
📞 *258 2492.*

British Airways
Krasnopresnenskaïa naberejnaïa 12, bureau 1905.
Plan 5 A1.
📞 *258 2492.*

KLM
Oulitsa Oussatcheva 35, étage 1.
Plan 5 A5.
📞 *258 3600.*

Swissair
12, Krasnopresnenskaïa nab., bureau 2005.
📞 *258 1818.*

Transaero
Трансаэро
Oulitsa Okhotny Riad 2.
Plan 3 A5.
📞 *241 7676.*
📞 *01 47 42 25 80*
(Inexco en France).

AÉROPORTS DE MOSCOU

Cheremetevo 1 et 2
Шереметьево 1 & 2
📞 *578 2372/ 956 4666.*

Bykovo
Быково
📞 *558 4738.*

Domodedovo
Домодедово
📞 *155 0922.*

Vnoukovo
Внуково
📞 *155 0922.*

GARES

Belorousski
Белорусский
Plochtchad Tverskoï Zastavy 7. **Plan** 1 C2.
📞 *973 8191.*

Kazanski
Казанский
Komsomolskaïa plochtchad 2. **Plan** 4 D2.
📞 *264 6409.*

Kievski
Киевский
Plochtchad Kievskovo vokzala. **Plan** 5 B2.
📞 *240 0415.*

Kourski
Курский
Oulitsa Zemlianoï val 29.
Plan 4 E5.
📞 *917 3152.*

Leningradski
Ленинградский
Komsomolskaïa plochtchad 3.
Plan 4 D2.
📞 *262 9143.*

Paveletski
Павелецкий
Paveletskaïa plochtchad 1.
Plan 7 C5.
📞 *235 0522.*

Rijski
Рижский
Plochtchad Rijkovo vokzala.
📞 *266 1364.*

Iaroslavski
Ярославский
Komsomolskaïa plochtchad 5.
Plan 4 D2.
📞 *921 5914.*

Renseignements
📞 *266 9333.*

Réservations
📞 *266 8333.*

GARES ROUTIÈRES

Gare routière de Moscou
Московский автовокзал
Moskovski avtovokzal
Près du métro Chtchelkovskaïa.
Ouralskaïa oulitsa 2.
📞 *468 0400.*

CIRCULER À MOSCOU

Une connaissance de l'alphabet cyrillique est nécessaire pour déchiffrer les différentes indications et les panneaux des transports publics, et parmi ceux-ci le métro est le moyen le plus fiable pour se déplacer dans Moscou. Son réseau très développé permet d'accéder facilement à tous les sites les plus importants, mais mieux vaut éviter les heures de pointe. Les services de bus, trolleybus et tramways sont également

Zone piétonne

assez efficaces, même si les retards sont plus fréquents qu'à l'époque soviétique. Les autobus de banlieue sont particulièrement commodes pour se rendre dans les quartiers périphériques non desservis par le métro, et les lignes partent souvent des stations les plus importantes. Les tramways vont aussi jusqu'en banlieue, mais les services sont progressivement réduits, et les trolleybus sont particulièrement pratiques pour circuler dans le centre.

Le Kremlin, au cœur de Moscou (p. 52-67), se visite à pied

MOSCOU À PIED

Le centre de Moscou est très étendu et ne se prête pas véritablement à la découverte à pied, sauf peut-être dans la zone comprise à l'intérieur de la ceinture des Boulevards, où sont situés bon nombre de musées et de monuments. En revanche, la place Rouge et le Kremlin (p. 106) ne se visitent qu'à pied (il faut compter 3 h pour visiter toutes les cathédrales.

Passage souterrain

Sur l'autre rive de la Moskova, le quartier de Zamoskvorietchie (p. 114-125) est également un endroit agréable pour les piétons.

Si les Moscovites ne sont pas eux-mêmes de grands marcheurs, le soir ou en fin de semaine, on les voit souvent flâner du côté du Vieil Arbat (p. 70-71), quartier fréquenté par les artistes, les musiciens et les amuseurs publics. Les amateurs de marche peuvent aussi aller se promener dans

Tverskaïa oulitsa (p. 89) ou découvrir les espaces verts de la ville, comme les parcs Gorki (p. 129) d'Izmaïlovo (p. 141) et Sokolniki, ou encore les rives de la Moskova. Patriarchi Dom est une agence recommandable pour les promenades en groupe (p. 198).

Si vous voulez parcourir Moscou à pied, mettez de bonnes chaussures, usagées de préférence, car les rues sont parfois sales. La circulation en ville est intense, et, pour traverser les grandes artères, il existe des passages souterrains. S'il n'y en a pas, utilisez les passages pour piétons et attendez le feu vert (les chauffeurs moscovites ne s'arrêtent qu'aux passages équipés d'un signal lumineux).

LES TAXIS

Pour des raisons de sécurité, il vaut mieux n'utiliser que les taxis officiels, jaunes avec un motif de damier noir sur le toit. Les réservations se font par téléphone auprès de la compagnie du **Taxi de Moscou**, ou par l'intermédiaire d'un hôtel si vous ne parlez pas russe. En général, le taxi arrive en une demi-heure. Pour l'aéroport, il faut réserver suffisamment à l'avance. Certains hôtels ont leur propre station de taxis, mais ceux-ci sont parfois très chers. On peut également héler un taxi dans la rue. Certains signalent qu'ils sont libres par une

Taxi officiel de Moscou

DÉCOUVERTE EN BALLON

Les promenades en ballon sont devenues, depuis peu, une attraction à la mode pour les touristes et les nouveaux Russes, particulièrement en été. L'agence **Avgour** lance ses ballons près de la rivière Istra à Zvenigorod, à côté de Moscou. Trois passagers (même les enfants) peuvent embarquer avec le pilote. Même si cela revient cher, pendant environ deux heures, on découvre un panorama exceptionnel de la ville, notamment des vues sur les gratte-ciel staliniens.

Les Russes utilisent fréquemment les taxis privés

lumière verte sur le pare-brise ou sur le toit. Les autres s'arrêtent à la demande s'ils sont disponibles. Tous les taxis officiels ont des compteurs, dont certains sont périmés, et le chauffeur préfère parfois négocier un prix forfaitaire pour la course. Il faut convenir d'un prix ou vous assurer que le compteur fonctionne avant de démarrer.

Les Russes préfèrent utiliser les taxis privés *(tchastniki)*. On peut héler n'importe quelle voiture au hasard et se mettre d'accord sur un prix. Il arrive ainsi que d'autres voitures s'arrêtent lorsqu'on fait signe à un taxi officiel. Les taxis privés sont bon marché et généralement sûrs.

CROISIÈRES FLUVIALES

Les promenades en bateau sont très appréciées en été. Les compagnies fonctionnent de mai à octobre, et suivent un long parcours sur la Moskova. Il y a 10 arrêts, et vous pouvez monter et descendre à votre guise, mais en rachetant un billet à chaque fois.

La promenade en bateau est une autre façon de découvrir la ville. L'embarcadère principal est situé en face de la gare de Kiev. Les autres embarcadères importants se trouvent près de l'université d'État de Moscou, aux monts des Moineaux *(p. 129)*, au parc Gorki et près de la place Rouge (Bolchoï **Oustinski**

(p. 129)

most). Le **Port des passagers** *(Passajirski port)* est la principale compagnie de navigation. Elle loue des bateaux pour des excursions et y organise des réceptions.

Bateau à deux ponts : un bon moyen de découvrir les monuments

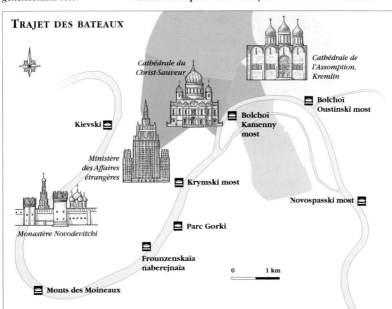

TRAJET DES BATEAUX

Cathédrale du Christ-Sauveur

Cathédrale de l'Assomption, Kremlin

Bolchoï Oustinski most

Kievski

Bolchoï Kamenny most

Ministère des Affaires étrangères

Krymski most

Novospasski most

Parc Gorki

Monastère Novodevitchi

Frounzenskaïa naberejnaïa

0   1 km

Monts des Moineaux

Le métro

Symbole du métro de Moscou

Moscou est une ville tentaculaire et trépidante, mais elle a l'avantage de posséder un excellent métro dont le réseau s'étend du centre-ville à une grande partie des banlieues. Le métro permet de se déplacer souvent plus rapidement qu'en voiture, surtout aux heures de pointe, quand la circulation est intense.

Pendant des années, les transports publics sont restés très bon marché en Union soviétique, et les tarifs du métro sont encore très bas. Les passagers payent toujours le même prix quelle que soit la longueur du trajet, mais il est question d'introduire des tarifs variables.

Construit à l'époque de Staline dans le cadre des grands projets de reconstruction de Moscou, le métro est également un site historique à part entière à ne pas manquer *(p. 38-41)*.

Entrée principale de la station Tretiakovskaïa

Le vaste intérieur de la somptueuse station Arbatskaïa

LE RÉSEAU

Le réseau du métro de Moscou, bien conçu et très étendu, comprend 10 lignes qui desservent l'ensemble de la ville sauf les banlieues les plus éloignées. La ligne circulaire relie entre elles toutes les grandes gares ferroviaires *(p. 210)*. Les changements entre les stations de métro et les gares sont généralement faciles car elles portent le même nom, mais décliné : la gare de Biélorussie, par exemple, est reliée au métro Belorousskaïa, et celle de Kiev à Kievskaïa. La seule exception est Komsomolskaïa, également sur la ligne circulaire, qui dessert les gares de Léningrad, Kazan et Iaroslav. Les lignes de métro ont chacune une couleur et sont numérotées de 1 à 10. Toutes les indications sont en alphabet cyrillique. Les rames sont fréquentes : toutes les 1 à 2 mn les jours de semaine, un peu plus espacées le week-end. Aux heures de pointe, l'intervalle entre les trains est souvent inférieur à 1 mn.

En règle générale, le métro de Moscou est sûr et fiable. Il y a du personnel dans toutes les stations, mais les employés ne parlent souvent que russe. Les passagers avec un sac lourd ou une valise auront à payer un supplément.

Interphone d'urgence

LES CORRESPONDANCES

Ceux qui n'ont pas l'habitude du métro de Moscou risquent de trouver le système un peu compliqué au début, notamment pour les changements, car les stations avec correspondance, regroupées par deux, trois ou quatre sur le plan *(p. 216),* portent souvent un nom différent sur chaque ligne. Par exemple, près du centre-ville, il y a une correspondance entre quatre lignes (1, 3, 4 et 9), et les quatre intersections portent un nom différent : Biblioteka imeni Lenina, Arbatskaïa, Aleksandrovski Sad et Borovitsakaïa.

Quand vous voulez prendre une correspondance, il est donc important de connaître le nom que porte la station sur l'autre ligne. Ensuite, il est facile de trouver le bon quai en suivant le signe переход *(perekhod =* correspondance) portant le nom de l'autre station.

Rame de métro prête à partir à la station Maïakovskaïa

TICKETS ET CARTES

La carte de métro à la journée n'existe pas à Moscou, mais on peut acheter une carte mensuelle *(p. 217)*. Il existe deux sortes de ticket. Le premier est un jeton démodé en plastique jaune *(jeton)* que l'on achète au guichet, ou касса *(kassa)*, dans toutes les stations de métro. Quelle que soit la longueur du parcours, le tarif est le même. Avec un seul jeton, on peut donc découvrir l'architecture des plus belles stations de métro *(p. 38-41)* en changeant autant de fois qu'on veut. Il vaut mieux acheter plusieurs jetons à la fois pour éviter les files d'attente, souvent longues aux heures d'affluence, le matin et le soir.

La carte magnétique *(magnitnaïa karta)*, vendue pour 20 ou 60 trajets, remplace progressivement les jetons. Elle s'utilise comme une carte de téléphone. Il suffit de l'introduire dans la fente prévue à cet effet pour déclencher l'ouverture du portillon. À chaque passage, la carte est débitée d'un point, et le nombre de trajets restants est affiché sur l'appareil. Plusieurs personnes peuvent se servir de la même carte puisque tout le monde paye le même tarif. Ces cartes s'achètent dans la plupart des stations, notamment toutes celles du centre.

Il n'y a pas de tarif spécial pour enfant, mais les enfants de moins de six ans voyagent gratuitement. Les guichets du métro vendent également des cartes de téléphone et des tickets de bus, tramways et trolleybus *(p. 217)*.

Il faut introduire les cartes magnétiques dans le portillon

UN TRAJET DANS LE MÉTRO

1 Consultez le plan du métro *(p. 216)* et étudiez votre parcours à l'avance. Chaque station, dont le nom est inscrit en lettres immenses sur le quai, est annoncée par le conducteur, et il est donc très utile d'apprendre la prononciation des noms en russe. Vous pouvez aussi compter le nombre d'arrêts.

2 Achetez un jeton ou une carte magnétique au guichet (касса = *kassa*), situé dans le hall d'entrée de la station. Introduisez le jeton ou la carte dans le portillon automatique pour accéder au quai.

Jeton de métro

3 Suivez les panneaux portant l'inscription к поездам до станции *(k poïezdam do stantsi)*, qui indiquent les arrêts dans chaque direction à partir de la station où vous êtes.

Arrêts dans une direction

4 Sur le quai, consultez les panneaux indiquant les stations de la ligne que vous utilisez. Le train s'arrête à toutes les stations. Regardez les colonnes de noms sous chaque correspondance : elles indiquent les stations accessibles en changeant à cet endroit.

Couleur d'une ligne desservant cette station **Arrêts sur d'autres lignes** **Ligne**

5 Le tableau à affichage numérique indique le temps écoulé depuis le passage de la dernière rame. En semaine, l'intervalle entre les rames est de 1 à 2 mn.

Minutes, secondes et centièmes de seconde depuis le dernier train **Heure actuelle**

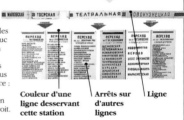

6 Si vous changez de ligne en cours de route, suivez les panneaux portant l'inscription переход *(perekhod)* ou на станцию *(na stantsiou)* et le nom de la station recherchée. Arrivé à destination, suivez les panneaux выход *(vykhod)*, qui indiquent la sortie.

Panneau de correspondance

Panneau de sortie et de correspondance

LE MÉTRO DE MOSCOU

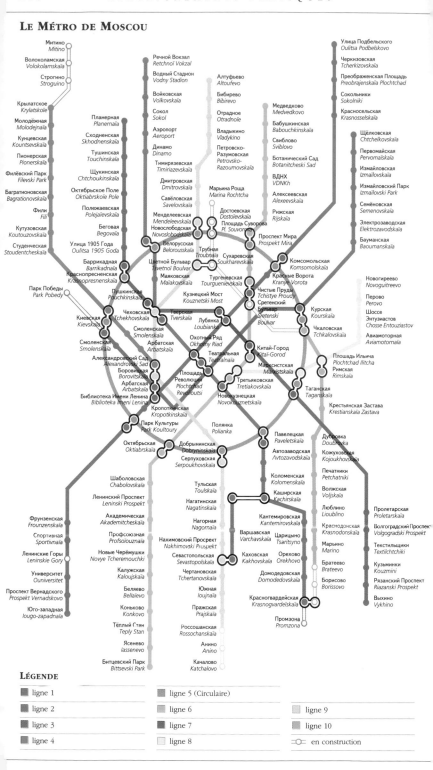

LÉGENDE

■ ligne 1	■ ligne 5 (Circulaire)	■ ligne 9
■ ligne 2	■ ligne 6	■ ligne 10
■ ligne 3	■ ligne 7	⊃O⊂ en construction
■ ligne 4	■ ligne 8	

Circuler en tramway, trolleybus et bus

Moscou a un réseau de bus, trolleybus et tramways très étendu. Quelques-unes des lignes les plus utiles sont indiquées sur la carte des transports publics à la fin de ce guide. Certaines lignes sont en parallèle avec le métro *(p. 214-216)* et vont souvent d'une station à une autre. Les grandes avenues sont généralement desservies à la fois par les bus et les trolleybus. Les tramways sont moins utiles, mais leur allure plus tranquille en fait un moyen de transport propice à la découverte des sites. Les itinéraires les plus fréquentés peuvent être bondés aux heures de pointe, et la circulation est alors très ralentie. Les banlieues les plus récentes et les plus éloignées sont bien desservies par ces différents moyens de transport. Les arrêts sont bien signalés et assez rapprochés.

File d'attente à un arrêt de bus du centre de Moscou

LES TRAMWAYS

Bien que les tramways restent le moyen de transport le plus traditionnel à Moscou, les services sont progressivement réduits et certaines lignes ont été complètement supprimées. Mais un trajet en tramway est toujours distrayant, surtout pour les enfants, et même si on y est un peu secoué, c'est une façon intéressante de découvrir la ville.

Un tramway moscovite jaune et blanc

Un autobus de Moscou jaune

Les trolleybus, avec prise de courant par trolley, suivent un parcours fixe

Les tramways encore en service sont assez fréquents, surtout en banlieue, où ils font la liaison entre les stations de métro et les immeubles d'habitation. Les arrêts sont marqués par un panneau transparent portant les lettres T. Les trams possèdent une ou deux voitures à trois portes, et les tickets s'achètent à l'intérieur. Auparavant, les Moscovites montaient à l'arrière et descendaient à l'avant, mais cet usage n'a plus cours.

La ligne de tram A, qui part du métro Tchistye Proudy, est utile aux visiteurs car elle fait le tour de la ville par la ceinture des Boulevards.

LES TROLLEYBUS

Les trolleybus sont très pratiques pour circuler dans le centre-ville. Bien qu'ils soient moins confortables et que les Moscovites préfèrent le bus, la plupart des lignes sont bondées aux heures de pointe. Les arrêts sont marqués par un panneau portant la lettre T. Bleus, jaunes ou rouges, les trolleys à deux voitures ont trois portes, les autres, à une seule voiture, n'en ont que deux. Comme dans le tramway, il n'y a pas d'usage établi pour la montée et pour la descente.

Le trolleybus Б suit la ceinture des Jardins et permet de se familiariser avec la ville. La ligne 15 part de Souvorov plochtchad, à côté du métro Novoslobodskaïa, et traverse le centre pour arriver au stade central Loujniki *(p. 194-195)*.

LES BUS

Les bus sont très utiles pour circuler dans les banlieues de Moscou, où les stations de métro sont plus éloignées les unes des autres que dans le centre. Les arrêts sont marqués par des panneaux blancs et jaunes portant la lettre A, et on en trouve à distance équivalente aux arrêts de trolleys. Les autobus publics sont jaunes, rouges ou rouge et blanc. Dans le centre, peu de lignes fonctionnent, et il n'y en a pas le long de Tverskaïa oulitsa. En revanche, celles suivant Koutouzovski prospekt passent par le panorama de Borodino, l'arc de triomphe et le parc de la Victoire *(p. 128-129)*.

Ticket de tram, bus et trolleybus

Introduire le ticket ici

Appuyez sur le gros bouton pour composter le ticket

Machine à composter pour les tickets de tram, trolleybus et bus

LES TICKETS ET LES CARTES

S'il n'y a pas de carte à la journée, il existe en revanche plusieurs types de cartes mensuelles qui s'achètent dans les stations de métro. Elles sont valables soit pour le métro seulement, pour le tramway, bus et trolleybus (séparément ou pour les trois) ou encore pour les quatre transports à la fois. Les tickets de bus, trolleybus et trams sont identiques et s'achètent dans les stations de métro, les kiosques ou auprès du conducteur, mais dans ce cas ils sont un peu plus chers.

Circuler en voiture à Moscou

Conduire à Moscou peut être éprouvant pour le non-initié. La réglementation routière est quelquefois ignorée. Ainsi, si la plupart des conducteurs s'arrêtent aux feux rouges, d'autres n'y prêtent aucune attention. Les voitures empruntent n'importe quelle file et font des embardées imprévisibles pour éviter les nids-de-poule. Les conducteurs sont facilement agressifs et sans égards les uns pour les autres. Les panneaux routiers suivent en général les conventions internationales mais la signalisation des routes principales est affichée seulement en cyrillique.

Station d'essence appartenant à une des chaînes de Moscou

LES RÈGLES DE CIRCULATION

Les règles de la circulation à Moscou sont complexes. Les agents du GAI *(p. 202)*, la police de la circulation, ont le droit d'arrêter les voitures à tout moment pour contrôler les papiers. Ils peuvent dresser une contravention immédiatement si vous n'avez pas d'extincteur ou de trousse de premiers secours, ou si votre ceinture n'est pas attachée. Aucun taux d'alcoolémie n'est toléré, et les amendes sont très lourdes pour les contrevenants. Il est interdit de faire demi-tour dans beaucoup des principales artères.

Fin de priorité à droite

La priorité à droite est de règle sauf aux endroits signalés par un panneau jaune en forme de losange.

Enfin, sachez qu'en Russie un permis peut s'acheter et que les usagers de la route ne sont pas tous qualifiés et responsables.

STATIONNEMENT ET ESSENCE

Le stationnement est cher presque partout dans le centre. Il n'y a pas de parcmètres, et on règle à des préposés en uniforme gris. Les contraventions pour stationnement dans les zones interdites (signalées par des panneaux internationaux) sont élevées. Pour les voitures étrangères, on trouve du A98 (super-plus) et du A95 (super). A92 (ordinaire) est réservé aux modèles russes.

LOCATION DE VOITURES

Plusieurs compagnies de location de voitures connues sont installées à Moscou. **Hertz** et **Europcar** ont des agences à l'aéroport de Cheremetevo 2 et dans le centre. On trouve aussi **National Car Rental** et **Rolf.** Pour louer une voiture, il faut une assurance et un permis internationaux, un passeport et une carte de crédit. Certains grands hôtels internationaux peuvent aussi se charger de louer le véhicule pour vous.

Files de voitures sur Teatralni proïezd, une des rues les plus encombrées de Moscou

CONDUIRE EN HIVER

En général, on utilise des pneus cloutés pour l'hiver, car les routes sont souvent verglassées et enneigées. La conduite, dangereuse dans ces conditions, est déconseillée, sauf à ceux qui y sont habitués.

CIRCULER EN DEHORS DE MOSCOU

Les routes conduisant hors de Moscou sont relativement bonnes, et Koutouzovski prospekt est particulièrement bien entretenue car cette voie est utilisée par les personnages officiels et les nouveaux Russes propriétaires d'une datcha. Une bonne carte est indispensable pour ne pas manquer les routes secondaires.

CARNET D'ADRESSES

LOCATION DE VOITURES

National Car Rental
Bolchaïa Kommounistitcheskaïa oulitsa 1/5.
📞 298 6146.

Europcar
Hôtel Mejdounarodnaïa,
1er étage,
Krasnopresnenkaïa
naberejnaïa 12.
📞 253 1369.
Aéroport de Cheremetevo 2.
📞 578 3878.

Hertz
Tcherniakhoskovo oulitsa 4.
📞 151 5426.
Aéroport de Cheremetevo 2.
📞 578 5646.

Rolf
Рольф
Choubinski pereoulok 2/3.
Plan 5 C2.
📞 241 5393.

SERVICES DE SECOURS

Avto-SOS
Авто-СОС
2-ïa Maguistralnaïa oulitsa 10.
📞 256 0636.

**Stations de secours
(24 h/24)**
Riazanski pereoulok 13.
Plan 4 D3.
📞 267 0113.

Excursions en dehors de Moscou

S'il est plus pratique quelquefois de s'adresser à un hôtel ou à une agence de voyage, pour visiter un site en dehors de Moscou *(p. 126-161),* il est aussi possible de s'y rendre individuellement en train, en bus ou en voiture. La plupart des endroits mentionnés ne sont pas éloignés de la ville et peuvent se visiter en une journée. Mais il faudra réserver au moins deux jours à la découverte de sites comme Souzdal et Vladimir. Patriarchi Dom Tours *(p. 198)* propose un grand choix d'excursions autour de Moscou. Les réservations doivent être faites 48 h avant le départ.

Un wagon de train de banlieue moscovite

EN TRAIN ET EN BUS

L es trains de banlieue *(prigorodnye poïezda)* pour les sites les plus proches se prennent à la gare les desservant. Les trains de grandes lignes *(passajirskie poïezda)* conduisent aux sites plus éloignés.

Pour les sites proches, les autobus de banlieue *(prigorodnye marchrouty)* se prennent à la gare routière de Moscou *(p. 211),* située à la station de métro Chtchelkovskaïa, au nord-est de la ville. Les villes plus éloignées sont desservies par des autobus interurbains *(mejdougorodnye avtoboussy).*

Un bus interurbain pour les excursions éloignées

EXCURSIONS D'UNE JOURNÉE

A u sud de la ville, le monastère Novodevitchi *(p. 130-131)* est desservi par le métro Sportivnaïa, et Kolomenskoïe *(p. 138-139)* par la station Kolomenskaïa. Pour Kouskovo *(p. 142-143),* situé à l'est de Moscou, le mieux est de prendre le métro jusqu'à Riazanski prospekt ou Vykhino, d'où un bus vous emmène au domaine.

Arkhangelskoïe *(p. 152),* à 20 km à l'ouest du centre-ville, est desservi par le métro Touchinskaïa, puis le bus. En voiture, on doit emprunter la Volokolamskoïe chosse ou la Roublevskoïe chosse.

Le village et le champ de bataille de Borodino *(p. 152)* peuvent s'atteindre en train (départ gare Belorousski), en bus (depuis la gare routière) ou en voiture en quittant Moscou par Mojaïskoïe chosse.

Au nord-ouest de la ville, la maison-musée Tchaïkovski *(p. 153)* peut être atteinte en deux heures de voiture par la Leningradskoïe chosse, et également par le train, depuis la gare de Léningrad, ou par le bus, de la gare routière de Moscou.

Abramtsevo *(p. 154),* au nord-est de Moscou, donne sur Iaroslavskoïe chosse. Les trains partent de la gare de Iaroslav, et les bus, de la gare routière. Le trajet dure environ une heure.

Le monastère de la Trinité-Saint-Serge *(p. 156-159)* se trouve également au nord-est, sur la Iaroslavskoïe chosse, à un peu plus d'une heure de la ville. Le train part de la gare de Iaroslav, et le bus, de la gare routière.

On peut se rendre à Pereslavl-Zaleski *(p. 154)* en deux heures environ, en voiture par la Iaroslavskoïe chosse, en train depuis la gare de Iaroslav, ou en bus de la gare routière.

EXCURSIONS DE DEUX JOURS

P our se rendre à Souzdal *(p. 160)* en voiture, il faut quitter la ville par la Gorkovskoïe chosse. Les bus partent de la gare routière de Moscou et font le trajet en quatre heures.

L'excursion de 170 km pour Vladimir *(p. 160-161),* située également au nord-ouest sur la Gorkovskoïe chosse, peut se faire en bus, à partir de la gare routière de Moscou, en train ou en voiture, en trois heures environ.

Iasnaïa Poliana *(p. 161)* est situé à 180 km au sud de Moscou sur la Simferopolskoïe chosse. Les trains partent de la gare de Koursk et les cars de la gare routière de Moscou et atteignent le domaine en quatre heures environ.

Les deux villes de Vladimir et Souzdal sont reliées par un service de bus quotidien.

Arrivée d'un train à Serguiev Possad

ATLAS DES RUES

L e schéma ci-dessous indique les quartiers de Moscou détaillés dans l'*Atlas des rues*. Les reports au plan indiqués pour chaque site, monument, restaurant, hôtel, magasin ou salle de spectacle décrits dans ce guide se rapportent aux plans de cet atlas. Les principaux sites qui y figurent sont faciles à localiser. La légende ci-dessous contient d'autres

Une famille moscovite visitant la ville

pictogrammes figurant sur les plans. Les rues sont indiquées en translitération française, suivie des noms en caractères cyrilliques (ces derniers ne figurant que pour les rues principales). Les anciens noms de rues, qui ont remplacé ceux de l'époque soviétique *(p. 199),* ont été utilisés. Les lieux à visiter sont en revanche traduits en français.

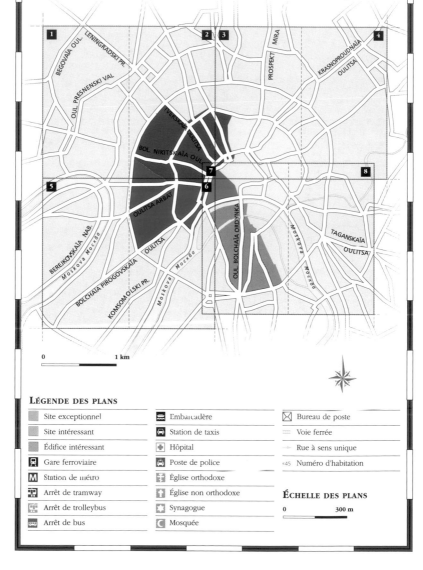

0   1 km

LÉGENDE DES PLANS

Site exceptionnel	Embarcadère	Bureau de poste
Site intéressant	Station de taxis	Voie ferrée
Édifice intéressant	Hôpital	Rue à sens unique
Gare ferroviaire	Poste de police	45 Numéro d'habitation
M Station de métro	Église orthodoxe	
Arrêt de tramway	Église non orthodoxe	**ÉCHELLE DES PLANS**
Arrêt de trolleybus	Synagogue	0 300 m
Arrêt de bus	Mosquée	

Répertoire des noms de rues

1 Maïa, park im	1 МАЯ, ПАРК ЙМ	4F5
1-ïa Borodinskaïa oulitsa		
1-Я БОРОДИНСКАЯ УЛИЦА		5B2
1-ïa Brestskaïa oulitsa		
1-Я БРЕСТСКАЯ УЛИЦА		2D2
1-ïa Doubrovskaïa oulitsa		
1-Я ДУБРОВСКАЯ УЛИЦА		8F5
1-ïa Frounzenskaïa oulitsa		
1-Я ФРУНЗЕНСКАЯ УЛИЦА		6D5
1-ïa Mioussaïa oulitsa		
1-Я МИУССКАЯ УЛИЦА		2D1
1-ïa Tverskaïa-Iamskaïa oulitsa		
1-Я ТВЕРСКАЯ-ЯМСКАЯ УЛИЦА		2D2
1-ïa Iamskovo Polia oulitsa		
1-Я ЯМСКОГО ПОЛЯ, УЛИЦА		1C1
1-y Babegorodski pereoulok		
1-ЫЙ БАБЕГОРОДСКИЙ ПЕРЕУЛОК		6F3, 7A4
1-y Basmanny pereoulok		
1-ЫЙ БАСМАННЫЙ ПЕРЕУЛОК		4E3
1-y Botkinski proïezd		
1-ЫЙ БОТКИНСКИЙ ПРОЕЗД		1A1
1-y Briantski pereoulok		
1-ЫЙ БРЯНСКИЙ ПЕРЕУЛОК		5B2
1-y Gontchamy pereoulok		
1-ЫЙ ГОНЧАРНЫЙ ПЕРЕУЛОК		8D3
1-y Kadachevski pereoulok		
1-ЫЙ КАДАШЕВСКИЙ ПЕРЕУЛОК		7B3
1-y Kazatchi pereoulok		
1-ЫЙ КАЗАЧИЙ ПЕРЕУЛОК		7A4
1-y Khvostov pereoulok		
1-ЫЙ ХВОСТОВ ПЕРЕУЛОК		7A4
1-y Kolobovski pereoulok		
1-ЫЙ КОЛОБОВСКИЙ ПЕРЕУЛОК		3A3
1-y Koptelski pereoulok		
1-ЫЙ КОРТЕЛСКИЙ ПЕРЕУЛОК		3C2
1-y Kotelnitcheski pereoulok		
1-ЫЙ КОТЕЛЬНИЧЕСКИЙ ПЕРЕУЛОК		8D3
1-y Kojevnitcheski pereoulok		
1-ЫЙ КОЖЕВНИЧЕСКИЙ ПЕРЕУЛОК		8D5
1-y Kroutitski pereoulok		
1-ЫЙ КРУТИЦКИЙ ПЕРЕУЛОК		8E5
1-y Lesnoï pereoulok		
1-ЫЙ ЛЕСНОЙ ПЕРЕУЛОК		2D1
1-y Lioussinovski pereoulok		
1-ЫЙ ЛЮСИНОВСКИЙ ПЕРЕУЛОК		7A5
1-y Neopalimovski pereoulok		
1-ЫЙ НЕОРАЛИМОВСКИЙ ПЕРЕУЛОК		5C3
1-y Nikolochtchepovski pereoulok		
1-ЫЙ НИКОЛОЩЕПОВСКИЙ ПЕРЕУЛОК		5C1
1-y Novokouznctski pereoulok		
1-ЫЙ НОВОКУЗНЕЦКИЙ ПЕРЕУЛОК		7B4
1-y Novy pereoulok		
1-ЫЙ НОВЫЙ ПЕРЕУЛОК		4F1
1-y Obydenski pereoulok		
1-ЫЙ ОБЫДЕНСКИЙ ПЕРЕУЛОК		6E2
1-y Samotetchny pereoulok		
1-ЫЙ САМОТЕЧНЫЙ ПЕРЕУЛОК		2F2
1-y Chtchemilovski pereoulok		
1-ЫЙ ЩЕМИЛОВСКИЙ ПЕРЕУЛОК		2F1
1-y Chibaïevski pereoulok		
1-ЫЙ ШИБАЕВСКИЙ ПЕРЕУЛОК		5C5
1-y Chliouzovoï pereoulok		
1-ЫЙ ШЛЮЗОВОЙ ПЕРЕУЛОК		8D4
1-y Smolenski pereoulok		
1-ЫЙ СМОЛЕНСКИЙ ПЕРЕУЛОК		5C1
1-y Spassonlivkovski pereoulok		
1-ЫЙ СПАСОНАЛИВКОВСКИЙ ПЕРЕУЛОК		7A4
1-y Troujenikov pereoulok		
1-ЫЙ ТРУЖЕНИКОВ ПЕРЕУЛОК		5B3
1-y Tverskoï-Iamskoï pereoulok		
1-ЫЙ ТВЕРСКОЙ-ЯМСКОЙ ПЕРЕУЛОК		2E3
1-y Vrajski pereoulok		
1-ЫЙ ВРАЖСКИЙ ПЕРЕУЛОК		5B3
1-y Zatchtevski pereoulok		
1-ЫЙ ЗАЧАТЬЕВСКИЙ ПЕРЕУЛОК		6E3
1-y Zemelny pereoulok		
1-ЫЙ ЗЕМЕЛЬНЫЙ ПЕРЕУЛОК		1A3
2-oï Botkinski proïezd		
2-ОЙ БОТКИНСКИЙ ПРОЕЗД		1A1
2-oï Brianski pereoulok		
2-ОЙ БРЯНСКИЙ ПЕРЕУЛОК		5B2
2-oï Kadachevski pereoulok		
2-ОЙ КАДАШЕВСКИЙ ПЕРЕУЛОК		7B3
2-oï Kazatski pereoulok		
2-ОЙ КАЗАЧИЙ ПЕРЕУЛОК		7B4
2-oï Khvostov pereoulok		
2-ОЙ ХВОСТОВ ПЕРЕУЛОК		7A4

ABRÉVIATIONS ET MOTS UTILES

oul.	**oulitsa**	rue
pl.	**plochtchad**	place
pr.	**prospekt**	avenue
per.	**pereoulok**	ruelle/ passage/allée
	most	pont
	podezd	entrée
	proïezd	ruelle/ passage/allée
	sad	jardin
	chosse	route
	stroïenie	bâtiment
	toupik	cul-de-sac

2-oï Kojevnitcheski pereoulok		
2-ОЙ КОЖЕВНИЧЕСКИЙ ПЕРЕУЛОК		8D5
2-oï Kroutitski pereoulok		
2-ОЙ КРУТИЦКИЙ ПЕРЕУЛОК		8E5
2-oï Lessnoï pereoulok		
2-ОЙ ЛЕСНОЙ ПЕРЕУЛОК		2D1
2-oï Neopalimovski pereoulok		
2-ОЙ НЕОРАЛИМОВСКИЙ ПЕРЕУЛОК		5C3
2-oï Novokouznetski pereoulok		
2-ОЙ НОВОКУЗНЕЦКИЙ ПЕРЕУЛОК		7B4
2-oï Obydenski pereoulok		
2 ОЙ ОБЫДЕНСКИЙ ПЕРЕУЛОК		6E2
2-oï Raouchski pereoulok		
2-ОЙ РАУШСКИЙ ПЕРЕУЛОК		7C2
2-oï Chtchemilovski pereoulok		
2-ОЙ ЩЕМИЛОВСКИЙ ПЕРЕУЛОК		2F2
2-oï Chliouzovoï pereoulok		
2-ОЙ ШЛЮЗОВОЙ ПЕРЕУЛОК		8D4
2-oï Smolenski pereoulok		
2-ОЙ СМОЛЕНСКИЙ ПЕРЕУЛОК		5C2
2-oï Spassonalivkovski pereoulok		
2-ОЙ СПАСОНАЛИВКОВСКИЙ ПЕРЕУЛОК		7A5
2-oï Troujenikov pereoulok		
2-ОЙ ТРУЖЕНИКОВ ПЕРЕУЛОК		5B3
2-oï Vrajski pereoulok		
2-ОЙ ВРАЖСКИЙ ПЕРЕУЛОК		5C3
2-ïa Borodinskaïa oulitsa		
2-Я БОРОДИНСКАЯ УЛИЦА		5B1
2-ïa Brestskaïa oulitsa		
2-Я БРЕСТСКАЯ УЛИЦА		2D2
2-ïa Doubrovskaïa oulitsa		
2-Я ДУБРОВСКАЯ УЛИЦА		8F5
2-ïa Mioussaïa oulitsa		
2-Я МИУССКАЯ УЛИЦА		2D2
2-ïa Tverskaïa-Iamskaïa oulitsa		
2-Я ТВЕРСКАЯ-ЯМСКАЯ УЛИЦА		2D2
2-ïa Zvenigorodskaïa oulitsa		
2-Я ЗВЕНИГОРОДСКАЯ УЛИЦА		1A4
3-i Goloutvinski pereoulok		
3-ИЙ ГОЛУТВИНСКИЙ ПЕРЕУЛОК		6F3, 7A3
3-i Kadachevski pereoulok		
3-ИЙ КАДАШЕВСКИЙ ПЕРЕУЛОК		7B3
3-i Kotelnitcheski pereoulok		
3-ИЙ КОТЕЛЬНИЧЕСКИЙ ПЕРЕУЛОК		8D3
3-i Kroutitski pereoulok		
3-ИЙ КРУТИЦКИЙ ПЕРЕУЛОК		8E5
3-i Lessnoï pereoulok		
3-ИЙ ЛЕСНОЙ ПЕРЕУЛОК		2D2
3-i Monetchikovski pereoulok		
3-ИЙ МОНЕТЧИКОВСКИЙ ПЕРЕУЛОК		7B4
3-i Neopalimovski pereoulok		
3-ИЙ НЕОРАЛИМОВСКИЙ ПЕРЕУЛОК		6D3
3-i Samotetchny pereoulok		
3-ИЙ САМОТЕЧНЫЙ ПЕРЕУЛОК		2F1
3-i Chliouzovoï pereoulok		
3-ИЙ ШЛЮЗОВОЙ ПЕРЕУЛОК		8D4
3-i Smolenski pereoulok		
3-ИЙ СМОЛЕНСКИЙ ПЕРЕУЛОК		5C1
3-i Zatchatevski pereoulok		
3-ИЙ ЗАЧАТЬЕВСКИЙ ПЕРЕУЛОК		6E3
3-ïa Frounzenskaïa oulitsa		
3-Я ФРУНЗЕНСКАЯ УЛИЦА		5C5
3-ïa Tverskaïa-Iamskaïa oulitsa		
3-Я ТВЕРСКАЯ-ЯМСКАЯ УЛИЦА		2D2

L

M

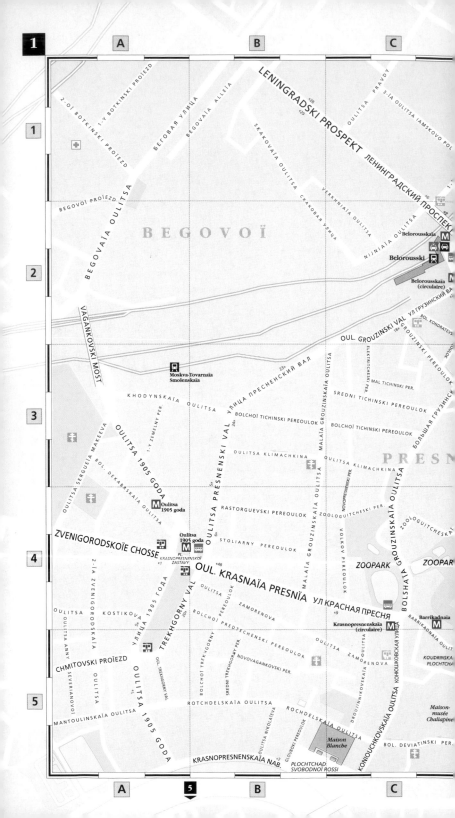

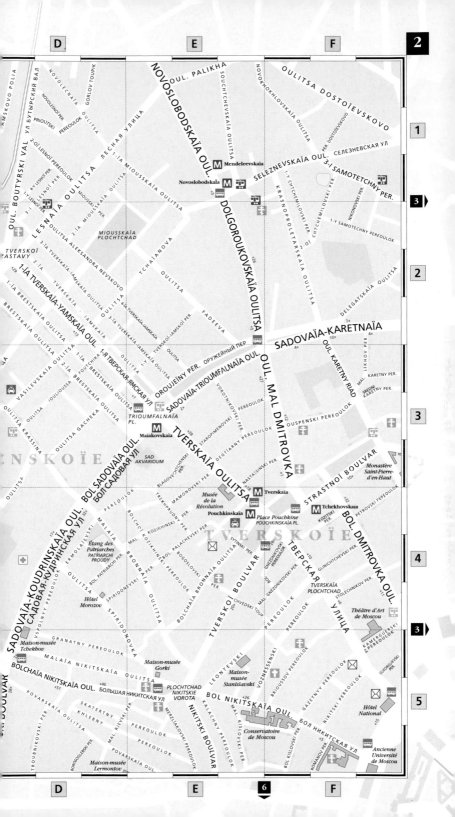

D   E   F

1

3 ▶

2

3

4

3 ▶

5

D   **E**   **F**

6

OUL. PALIKHA

NOVOSLOBODSKAÏA OUL.

SOUCHTCHEVSKAÏA OULITSA

NOVOKHOKHLOVSKAÏA OULITSA

OULITSA DOSTOÏEVSKOVO

PER. DOSTOÏEVSKOVO

СЕЛЕЗНЕВСКАЯ УЛ

SELEZNEVSKAÏA OUL. 3-I SAMOTETCHNY PER.

Ⓜ Mendeleïevskaïa

Novoslobodskaïa Ⓜ

1-Y CHTCHEMILOVSKI PER.

KRASNOPROLETARSKAÏA OULITSA

2-OI CHTCHEMILOVSKI PER.

NIKONOVSKI PER.

1-Y SAMOTETCHNY PEREOULOK

NOVOLECNAÏA OULITSA

NOVOLESNOÏ PER.

PRIOUTSKI PEREOULOK

GORLOV TOUPIK

OUL. BOUTYRSKI VAL • УЛ БУТЫРСКИЙ ВАЛ

YAMSKOVO POLIA

2-OI LESNOÏ PER.

4Y LESNOÏ PER.

3Y LESNOÏ PER.

1-Y LESNOÏ PER.

LESNAÏA OULITSA • ЛЕСНАЯ УЛИЦА

1-I A MIOUSSKAÏA OULITSA

2-IA MIOUSSKAÏA OULITSA

1-Y MIOUSSKI PER.

2-I MIOUSSKI PER.

DOLGOROUKOVSKAÏA OULITSA

MIOUSSKAÏA PLOCHTCHAD

3-IA TVERSKAÏA ALEKSANDRA NEVSKOVO

TVERSKOÏ ZASTAVY

2-IA TVERSKAÏA-IAMSKAÏA OULITSA

2-IA TVERSKAÏA-IAMSKAÏA

3-IA TVERSKAÏA-IAMSKAÏA OUL

1-IA BRESTSKAÏA OULITSA

1-IA TVERSKAÏA-YAMSKAÏA OUL. • 1-Я ТВЕРСКАЯ-ЯМСКАЯ УЛ

1-IA TVERSKAÏA-IAMSKAÏA OULITSA

4-IA TVERSKAÏA-IAMSKAÏA

TCHAÏANOVA OULITSA

FADEEVA

DELEGATSKAÏA OULITSA

SADOVAÏA-KARETNAÏA

OUL. KARETNY RIAD

MAL LIKHOV PER.

KARETNY PER.

SREDNI KARETNY PER.

OROUJEÏNY PER. ОРУЖЕЙНЫЙ ПЕР

SADOVAÏA-TRIOUMFALNAÏA OUL.

VOROTNIKOVSKI PEREOULOK

STAROPIMENOVSKI PER.

DEGTIARNY PEREOULOK

OUL. MAL DMITROVKA

OUSPENSKI PEREOULOK

2-IA BRESTSKAÏA OULITSA

1-IA BRESTSKAÏA OULITSA

VASILEVSKAÏA OULITSA

IOULIOUSSA OULITSA

TRIOUMFALNAÏA PL.

Ⓜ Maïakovskaïa

TVERSKAÏA OULITSA

NASTASINSKI PER.

STRASTNOÏ BOULVAR

Monastère Saint-Pierre-d'en-Haut

SAD AKVARIOUM

OULITSA GACHEKA

OULITSA KRASSINA

BLAGOVECHTCHENSKI PER.

BOL. SADOVAÏA OUL. • БОЛ САДОВАЯ УЛ

Musée de la Révolution

Ⓜ Tverskaïa

BOL. DMITROVKA OUL.

KOZITSKI PER.

Ⓜ Tchekhovskaïa

PETROVSKI PEREOULOK

MAMONOVSKI PER.

TREKHPROUDNY PER.

Pouchkinskaïa Ⓜ

Place Pouchkine POUCHKINSKAÏA PL.

T V E R S K O Ï E

SYTINSKI PER.

GNEZDNIKOVSKI PER.

GLINICHTCHEVSKI PER.

Etang des Patriarches PATRIARCHI PROUDY

SAD. BOL. PATRIARCHI PER.

BOLCHOÏ KOZIKHINSKI PER.

MAL. KOZIKHINSKI PER.

BOL. PALACHEVSKI PER.

BOGOSLOVSKI PEREOULOK

MAL GNEZDNIKOVSKI PER.

STOLECHNIKOV PER.

TVERSKAÏA PLOCHTCHAD

TVERSKAÏA OULITSA • ТВЕРСКАЯ УЛИЦА

SADOVAÏA-KOUDRINSKAÏA OUL. • САДОВАЯ-КУДРИНСКАЯ УЛ

Hôtel Morozov

MALAIA BRONNAÏA OULITSA

SPIRIDONOVKA

SPOLNY PEREOULOK

ERMOLAEVSKI PER.

CHVEDSKI TOUP.

BOLCHAÏA BRONNAÏA OULITSA

TVERSKOÏ BOULVAR

Théâtre d'Art de Moscou

KAMERGUERSKI PEREOULOK

Maison-musée Tchekhov

GRANATNY PEREOULOK

Maison-musée Gorki

LEONTEVSKI PER.

Maison-musée Stanislavski

VOZNESSENSKI PEREOULOK

BRIOUSSOV PEREOULOK

GAZETNY PEREOULOK

NIKITSKI PEREOULOK

GUEORGUIEVSKI PER.

Hôtel National

BOL BOULVAR

MALAÏA NIKITSKAÏA OULITSA

BOLCHAÏA NIKITSKAÏA OUL. • БОЛЬШАЯ НИКИТСКАЯ УЛ

PLOCHTCHAD NIKITSKIE VOROTA

BOL NIKITSKAÏA OUL • БОЛ НИКИТСКАЯ УЛ

Conservatoire de Moscou

Ancienne Université de Moscou

POVARSKAÏA OULITSA

SKATERTNY PER.

KHLEBNY PEREOULOK

MAL. RJEVSKI PER.

MERZLIAKOVSKI PEREOULOK

NIKITSKI BOULVAR

KALACHNY PEREOULOK

MAL. KISLOVSKI PER.

BOL KISLOVSKI PER.

ROMANOV PER.

TROUBNIKOVSKI PER.

BORISOGLEBSKI PER.

POVARSKAÏA OUL.

Maison-musée Lermontov

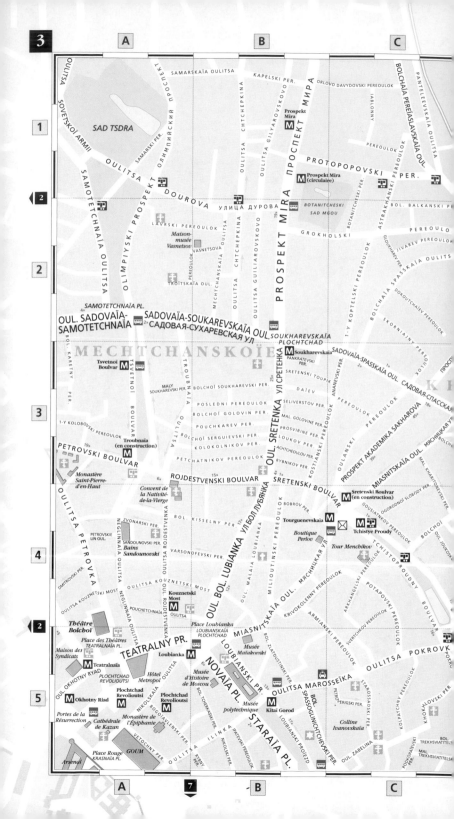

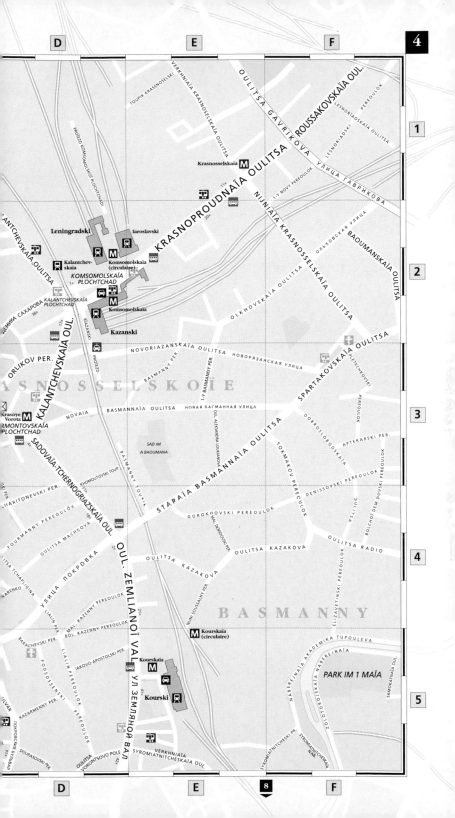

1

OULITSA GAVRIKOVA ROUSSAKOVSKAÏA OUL.

УЛИЦА ГАВРИКОВА

LESNORIADSKAÏA PEREOULOK

LESNORIADSKI OULITSA

TOUPIK KRASNOSELSKI

VERKHNIAÏA KRASNOSELSKAÏA OULITSA

PROIEZD KOMSOMOLSKOI PLOCHTCHADI

Krasnosselskaïa **M**

1-Y NOVY PEREOULOK

KRASNOPROUDNAÏA OULITSA

NIJNIAÏA KRASNOSSELSKAÏA OULITSA

OLKHOVSKAÏA OULITSA

OLIOVSKAÏA ULITSA

BAOUMANSKAÏA OULITSA

2

Leningradski   Iaroslavski

M

Kalantchev-skaia

Komsomolskaïa (circulaire) **M**

KOMSOMOLSKAÏA PLOCHTCHAD

ANTCHEVSKAÏA OULITSA

KALANTCHEVSKAÏA PLOCHTCHAD

NIEMKA SAKHAROVA

Komsomolskaïa **M**

RIAZANSKI

Kazanski

PROIEZD

OLKHOVSKAÏA OULITSA

SPARTAKOVSKAÏA OULITSA

PILETECHKOVSKI

3

ORLIKOV PER.

NOVORIAZANSKAÏA OULITSA   НОВОРЯЗАНСКАЯ УЛИЦА

BASMANNY PER.

1-Y BASMANNY PER.

KALANTCHEVSKAÏA OUL.

KRASNOSSELSKOÏE

PEREOULOK

Krasnye Vorota **M**

RMONTOVSKAÏA PLOCHTCHAD

NOVAIA BASMANNAÏA OULITSA   НОВАЯ БАСМАННАЯ УЛИЦА

OUL. ALEKSANDRA LOUKIANOVA

DOBROSLOBODSKAÏA

APTEKARSKI PER.

SADOVAÏA-TCHERNOGRIAZSKAÏA OUL.

SAD IM A BAOUMANA

BASMANNY TOUPIK

KHOMOUTOVSKI TOUPIK

STARAÏA BASMANNAÏA OULITSA

TOKMAKOV PEREOULOK

DENISSOVSKI PEREOULOK

ILITSA

BOLCHOI DEMIDOVSKI PEREOULOK

4

HARITONEVSKI PER.

FOURMANNY PEREOULOK

OULITSA MACHKOVA

OULITSA POKROVKA

OUL. ZEMLIANOÏ VAL   УЛ. ЗЕМЛЯНОЙ ВАЛ

GOROKHOVSKI PEREOULOK

MAL. DEMIDOVSKI PER.

OULITSA KAZAKOVA

OULITSA KAZAKOVA

OULITSA RADIO

ITSA TCHAPLIGINA

LIALIN PER.

NIJNI SOUSSALNY PER.

ELIZAVETINSKI PEREOULOK

B A S M A N N Y

5

Kourskaïa (circulaire) **M**

BARACHEVSKI PER.

MAL. KAZENNY PEREOULOK

BOL. KAZENNY PEREOULOK

Kourskaïa **M**

IAKOVO-APOSTOLSKI PER.

PODSOSSENSKI PEREOULOK

Kourski

LIALIN PEREOULOK

NABEREJNAÏA AKADEMIKA TUPOULEVA

NABEREJNAÏA

ZOLOTOROJSKAÏA NABEREJNAÏA

PARK IM 1 MAÏA

SAMOKATNAÏA OUL.

BOULVAR

KAZARMENNY PER.

POKROVSKAÏA BULVAR

DOURASOVSKI PER.

OULITSA VORONTSOVO POLE

VERKHNIAÏA SYROMIATNITCHESKAÏA OUL.

SYROMIATNITCHESKI PR.

SYROMIATNITCHESKAÏA NAB.

SYROMIATNITCHESKI PR.

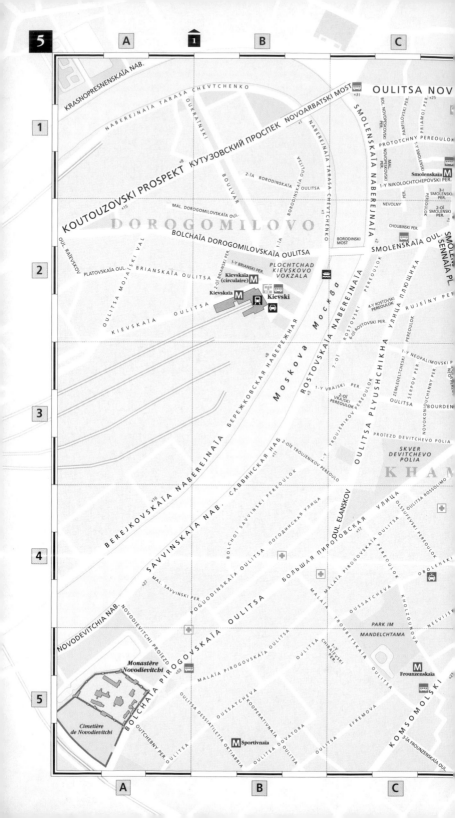

A 1 B C

KRASNOPRESNENSKAÏA NAB.

NABEREJNAÏA TARASA CHEVTCHENKO

OUKRAÏNSKI

KOUTOUZOVSKI PROSPEKT КУТУЗОВСКИЙ ПРОСПЕК NOVOARBATSKI MOST

NABEREJNAÏA TARASA CHEVTCHENKO

SMOLENSKAÏA NABEREJNAÏA

OULITSA NOV

BOL. NOVOVSPOSKI PER.
PANFILOVSKI PER.
MAL. NOVOPESKOVSKI PER.
PROTOTCHNY PEREOULOK

1
BOULVAR
2-IA BORODINSKAÏA OULITSA
BORODINSKAÏA OULITSA
Smolenskaïa M
1-Y NIKOLOCHTCHEPOVSKI PER.
NEVOLNY
2-OÏ SMOLENSKI PER.
3-I SMOLENSKI PER.

MAL. DOROGOMILOVSKAÏA OUL.
CHOUBINSKI PER.

D O R O G O M I L O V O

BOLCHAÏA DOROGOMILOVSKAÏA OULITSA

BORODINSKI MOST

SMOLENSKAÏA OUL.

SMOLEN
SENNAÏA PL.

OUL RAÏEVSKOV

PLATOVSKAÏA OUL.

BRIANSKAÏA OULITSA

1-Y BRIANSKI PER.

PLOCHTCHAD KIEVSKOVO VOKZALA

2
OULITSA MOJAÏSKI VAL
Kievskaïa (circulaire) M
Kievskaïa M
Kievski

RUJEÏNY PER

4-Y ROSTOVSKI PEREOULOK
6-OÏ ROSTOVSKI PER.
ROSTOVSKI PEREOULOK

KIEVSKAÏA OULITSA

ROSTOVSKAÏA NABEREJNAÏA

7 -OÏ

1-Y VRAJSKI PER.

ZEMLEDELTCHESKI PER.
SERPOV PER.

1-Y NEOPALIMOVSKI PE
NOVOKONIOUCHENNY PER.

3
Moskova Москва
2-OÏ VRAJSKI PEREOULOK
TROUJENIKOV PEREOULOK

OULITSA

BOURDEN

OULITSA PLYUSHCHIKHA УЛИЦА ПЛЮЩИХА

PROÏEZD DEVITCHEVO POLIA

SKVER DEVITCHEVO POLIA

K H A M

BEREJKOVSKAÏA NABEREJNAÏA БЕРЕЖКОВСКАЯ НАБЕРЕЖНАЯ

2-OÏE TROUJENIKOV PEREOULO
1-Y TROUJENIKOV PEREOULOK

BOLCHOÏ SAVVINSKI PEREOULOK

POGODINSKAÏA OULITSA

БОЛЬШАЯ ПИРОГОВСКАЯ

OUL. ELANSKOV

OLSSOUFIEVSKI PEREOULOK

OLESSOUFIEVSKAÏA OULITSA ROSSOLIMO

УЛИЦА

4
SAVVINSKAÏA NAB. - САВВИНСКАЯ НАБ.

MAL SAVVINSKI PER.

MAL. POGUODINSKAÏA OULITSA

MALAÏA PIROGOVSKAÏA OULITSA

PEREOULOK

OBOLENSKI

OUSSATCHEVA

MALAÏA

KHOLZOUNOVA

NESVIJS

NOVODEVITCHIA NAB.
NOVODIEVITCHI PROÏEZD

BOLCHAÏA PIROGOVSKAÏA OULITSA

MALAÏA TROUBNAÏA OULITSA

1-Y CHIRIAÏEVSKI PER.

PARK IM MANDELCHTAMA

Frounzenskaïa M

5
Monastère Novodievitchi

OULITSA CHIRIAÏEVSKI

OULITSA

Cimetière de Novodievitchi

OUTCHEBNY PER.

MALAÏA PIROGOVSKAÏA OULITSA

OULITSA DESSIATILETIA OKTIABRIA

OUSSATCHEVA

KOOPERATIVNAÏA

OULITSA DOVATORA

OULITSA

EFREMOVA

KOMSOMOLSKI

3-IA FROUNZENSKAÏA OUL.

Sportivnaïa M

A B C

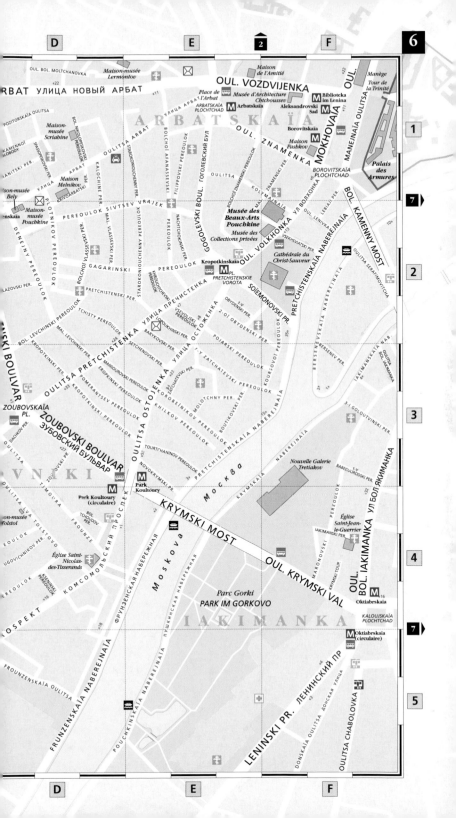

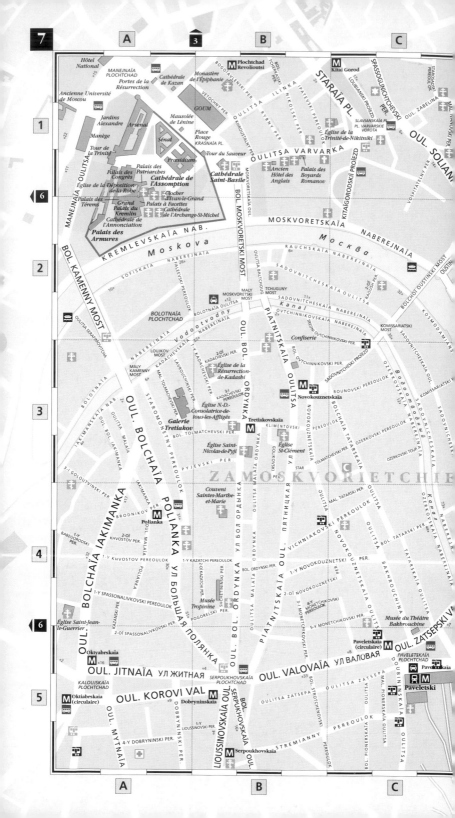

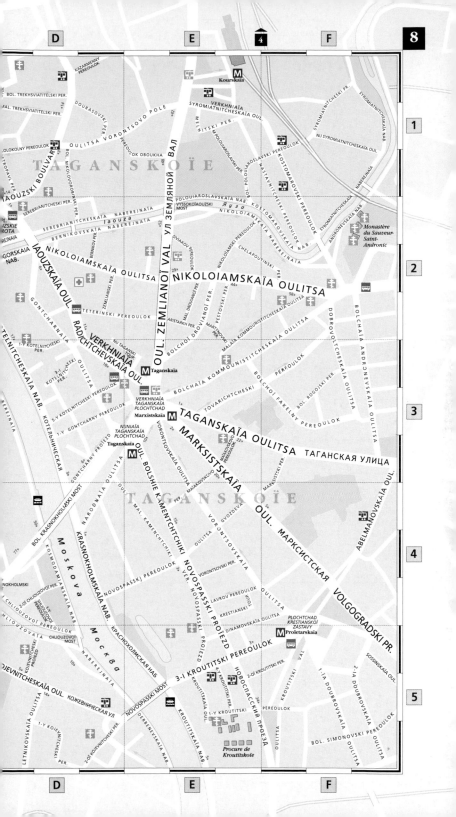

Index général

Remerciements

L'ÉDITEUR remercie les personnes suivantes dont la contribution a permis la préparation de cet ouvrage.

AUTEURS

CHISTOPHER RICE a un doctorat d'histoire russe de l'université de Birmingham. Avec sa femme Mélanie, également écrivain, il a fait un premier séjour en Russie en 1978, et tous deux n'ont cessé d'y retourner régulièrement depuis. Ils ont écrit de nombreux guides sur Moscou et sur d'autres destinations, notamment Prague, Berlin et Istanbul, et aussi le guide de cette collection sur Saint-Pétersbourg.

AUTRES COLLABORATEURS

ROSE BARING a commencé à étudier le russe à 12 ans. Titulaire d'une maîtrise d'histoire moderne, elle a fait de nombreux séjours à Moscou et Saint-Pétersbourg au début des années 90. Elle est l'auteur de plusieurs guides, notamment sur Saint-Pétersbourg, Moscou et, dans cette collection, sur Istanbul.

MARINA BOUGHTON a une licence de cinéma de l'université de Londres. Elle a également étudié en Russie, où elle a travaillé pendant plusieurs années. Elle est aujourd'hui correspondante de la BBC radio à Moscou.

SERGUEI KONSTANTINOVITCH ROMANOUIK est diplômé de l'université d'État de Moscou. Spécialiste de géographie économique, de l'histoire et de la vie culturelle de Moscou, il a écrit quelque 200 articles et livres sur cette ville.

AVEC LE CONCOURS SPÉCIAL DE :

Ian Viznievski (nourriture et boissons), Frank Althaus (hôtels), Radhika Jones (restaurants), Natacha Linkova (à Moscou), Maria Fetissova (autorisations de photographier), Elena Mirskaïa (DK Moscou), Oleksi Nesnov (conseiller linguistique), Victoria Ratchevskaïa (conseillère linguistique), et Sylvain Borsi du restaurant Nikita, Londres

RELECTURE

Stewart J. Wild.

INDEX

Hilary Bird.

COLLABORATION ARTISTIQUE ET ÉDITORIALE

Liz Atherton, Laurence Broers, Dawn Davies-Cooke, Claire Folkard, Freddy Hamilton, Leanne Hogbin, Sarah Martin, Adam Moore, Ellen Root, Luke Rozkowski, Ingrid Vienings, Veronica Wood.

ILLUSTRATIONS D'APPOINT

Paul Weston, Joy Fitzsimmonds.

PHOTOGRAPHIE D'APPOINT

Andy Crawford, Erich Crichton, Neil Fletcher, Steve Gorton, Ian O'Leary, Gary Ombler, Clive Streeter.

AUTORISATIONS DE PHOTOGRAPHIER

L'éditeur remercie tous ceux qui lui ont donné l'autorisation de prendre des photos dans les cathédrales, églises, musées, restaurants, hôtels, magasins, galeries et transports et autres sites trop nombreux pour être tous cités.

CRÉDITS PHOTOGRAPHIQUES

h = en haut ; hg = en haut à gauche ; hgc = en haut à gauche au centre ; hc = en haut au centre ; hdc = en haut à droite au centre ; hd = en haut à droite ; cgh = au centre à gauche en haut ; ch = au centre en haut ; chd = au centre en haut à droite ; cg = centre gauche ; c = centre ; cd = centre droit ; cgb = au centre à gauche en bas ; cb = au centre en bas ; cbd = au centre en bas à droite ; bg = en bas à gauche ; b = en bas ; bc = en bas au centre ; cbg = au centre en bas à gauche ; bd = en bas à droite ; d = détail.

Les œuvres d'art ont été reproduites avec l'autorisation des organismes suivants : *Poissons rouges,* Henri Matisse (1911-1912) @ Succession H. Matisse/DACS 1998

79chd ; *Improvisations,* Vassili Kandinski @ ADAGP, Paris et DACS, Londres 1998 81h ; *Acrobate à la balle,* Pablo Picasso @ Succession Picasso/DACS 1998 46bg.

L'ÉDITEUR remercie les personnes, entreprises et librairies suivantes d'avoir donné l'autorisation de reproduire leurs photographies :

AISA, Barcelone : 21b, 22mbg, 51 (gravure), 46h, 58h, 59hg, 61cd, 64b, 121h ; AKG, Londres : 17cg, 18c, 27cg, 28bd, 28-29c, 29ch, 55bd, 107b, 118bd, 120hd, 121b, 155chd/bg ; Erich Lessing 26h, 28bg, 155 cgb ; ARTEPHOT, PARIS : 16, 118bg ; AVANT-GARDE PUBLISHING HOUSE : Victor Korniouchine 4b, 196-197.

KATHLEEN BERTON MURRELL : 42cb, 62b ; THÉÂTRE BOLCHOI : 90h/b, 91hg/hd ; THE BRIDGEMAN ART LIBRARY, Londres/New York : l'Ermitage, Saint-Pétersbourg 25hg ; musées du Kremlin 64c ; Mark Gallery 159h ; Novosti 21 mdb, 25 mdb ; Collection privée 23c, 29hd ; musée Pouchkine, Moscou 81b ; Richardson and Kailas Icons, Londres 155h ; galerie Tretiakov 22h, 47bg, 118cg, 120b.

CAMERA PRESS : Richard Ellis 76-77 et 212bd ; JEAN-LOUP CHARMET : 18h ; CATHERINE COOKE : 71bg ; CORBIS UK : Dean Conger 34cd, 190cg ; Library of Congress 28cg ; Steve Raymer 31mdb.

JAMES DAVIS TRAVEL PHOTOGRAPHY : 57h, 60h.

ET ARCHIVE : 24-25c ; MARY EVANS PICTURE LIBRARY : 9 (gravure), 21h, 22b, 24bd, 29cb, 134h, 197 (gravure).

JOHN FREEMAN : 37hg, 54cg, 55bg, 58cg, 60b, 62h, 63h/b, 96cd.

GIRAUDON : 24bg ; Bridgeman 119cd ; Lauros 61h; Bildarchiv Preussischer Kulturbesitz 25b.

ROBERT HARDING PICTURE LIBRARY : 63g.

MICHAEL HOLFORD : 17h, 20b, 22c ; HULTON-GETTY : 163 (gravure), 178h.

KEA PUBLISHING SERVICES : Francesco Venturi 47hg ; DAVID KING COLLECTION : 27h, 29hg, 30h, 40c, 75h, 111bd. RAYMOND MANDER & JOE MITCHENSON THEATRE COLLECTION 91b ; JOHN MASSEY STEWART : 19cd, 57cg, 147 (gravure).

NETWORK PHOTOGRAPHERS : H-J Burkhard/Bilderberg 32cg ; A. Reiser/Bilderberg 72bd ; Nikolaï Ignatiev 31mdb ; NOVOSTI (LONDRES) : 19h, 20cgh, 26cg, 27cd, 30cg, 32cd/bg, 34b, 35c, 56c/b, 61cg, 93h, 112c, 124bg.

ORONOZ, MADRID : 23h.

PLODIMEX AUSSENHANDELS GMBH, HAMBURG : 178cd/bg.

RENAISSANCE HÔTEL, MOSCOU : 173hg ; REX FEATURES : SIPA 2-3, 30cd ; ELLEN ROONEY : 33b, 35b, 56h.

GREGOR M. SCHMID : 59cd, 65c/b ; SINY MOST : N. Alexeev 20cbg, 37cg, 48b, 55cd, 65h ; V Tetebenine 24hg, 161b ; SOCIETY FOR COOPERATION IN RUSSIAN AND SOVIET STUDIES : 18b, 64h ; Novosti 191c ; SCIENCE PHOTO LIBRARY : SNES, 1995 Distribution Spot Image 11c ; FRANK SPOONER PICTURES : Georges Merillon/Gamma 31h ; STOCKMARKET : 57bd.

TONY STONE IMAGES : Demetrio Carrasco 67h ; TRIP : N. & J. Wiseman 154b ; HÔTEL TVERSKAIA : 172hg.

VISUAL ARTS LIBRARY : 25chd, 61c, 73h, 81c, 120hg ; *Au-dessus de la ville,* Marc Chagall (1924) @ ADAGP, Paris et DACS, Londres 1998 119hg.

Couverture : photos additionnelles sauf ELLEN ROONEY : première de couverture gauche.

Lexique

L a translitération des mots, noms de rues, sites et personnages russes adoptée dans ce guide suit les règles préconisées par l'Institut d'études slaves de Paris. Toutefois, certains noms de personnages et sites célèbres ont gardé l'orthographe la plus usitée (par exemple Léon Tolstoï et non Lev), et certains personnages historiques sont traduits en

français (comme Pierre le Grand). Tout au long du guide, cette translitération peut être une indication pour la prononciation. Toutefois, le lexique indique plus précisément la transcription phonétique de quelques mots russes de la vie quotidienne.

RÈGLES DE PRONONCIATION

L'alphabet cyrillique comprend 33 lettres, dont 5 seulement (а, к, м, о, т) correspondent exactement aux lettres équivalentes françaises. En russe, il existe deux prononciations (dure et molle) pour chaque voyelle, et plusieurs consonnes n'ont pas d'équivalent en français. Ci-dessous la colonne de droite indique les sons français correspondant aux lettres de l'alphabet russe. Toutefois, certaines lettres ont une prononciation différente selon leur position dans le mot. Les exceptions importantes sont signalées.

Dans les pages suivantes, la colonne de gauche comprend les mots en français, celle du milieu le mot russe et sa translitération. La colonne de droite donne une transcription phonétique, et le caractère gras indique l'accent tonique. Dans la partie consacrée aux menus, l'ordre est inversé : à gauche les mots russes et à droite la traduction française. Les formes pouvant varier selon le genre, certaines phrases sont données au masculin et au féminin.

L'ALPHABET CYRILLIQUE

А а	a	**ba**s
Б б	b	**bon**
В в	v	**ver**
Г г	g	**ga**i (voir note 1)
Д д	d	**don**
Е е	e	**hier** (voir note 2)
Ё ё	e	**yo**ga
Ж ж	j	**jeu**
З з	z	**zèle**
И и	i	**vie**
Й й	y	pa**yer** (voir note 3)
К к	k	**ka**ki
Л л	l	**l**oup
М м	m	**ma**in
Н н	n	**nez**
О о	o	**o**ttoman (voir note 4)
П п	p	**po**is
Р р	r	**r**at (roulé, comme en italien)
С с	s	**s**top
Т т	t	**to**it
У у	ou	**b**ou**t**
Ф ф	f	**feu**
Х х	kh	(sans équivalent)
Ц ц	ts	**ts**ar
Ч ч	tch	**Tch**ad
Ш ш	ch	**ch**at
Щ щ	chtch	
ъ		signe dur (ne correspond pas à un son, mais voir note 5)
Ы ы	y	**livre**
ь		signe mou (ne correspond pas à un son, mais voir note 5)
Э э	e	**net**
Ю ю	iou	**you**goslave
Я я	ya	**ya**ck

Notes

1) Г   Prononcé *v* dans les terminaisons -oro et -ero.
2) Е   Toujours prononcé « ié » au début d'un mot, et au milieu plutôt « ie ».
3) Й   Cette lettre n'a pas de son propre. Elle allonge généralement la voyelle qui précède.
4) О   Non accentuée, se prononce comme *a*.
5) ъ, ь Le signe dur (ъ) est rare et indique une pause très brève avant la lettre suivante. Le signe mou (ь, marqué dans le guide de prononciation par ') adoucit la consonne précédente et ajoute un léger son *y* : par exemple, *n'* se prononce gn comme dans « compa**gne** ».

EN CAS D'URGENCE

Au secours !	Помогите! *Pomoguite*	pamag**ui**tié !
Stop !	Стоп! *Stop !*	stop
Laissez-moi tranquille !	Оставте меня в покое! *Ostavte menia v pokoïe*	ost**a**vtié m**ie**nia v pak**o**ie !
Appelez un docteur !	Позовите врача! *Pozovite vratcha !*	pazav**i**tié vratch**a** !
Appelez une ambulance !	Вызовите скорую помощь! *Vyzovite skorouïou pomochtch !*	vizav**i**tié sk**o**rouyou pomach' !
Au feu !	Пожар! *Pojar !*	paj**a**r !
Appelez les pompiers !	Вызовите пожарных! *Vyzovite pojarnykh !*	vizav**i**tié paj**a**rnikh !
Police	Милиция! *Militsia*	mil**i**tsi-ia !
Où est le plus proche... ...téléphone ?	Где ближайший... *Gde blijaïchi...* ...телефон? *...telefone ?*	gdié blij**a**ichi... ...tiélief**o**ne ?
...hôpital ?	...больница? *...bolnitsa ?*	...bal'n**i**tsa ?
...poste de police ?	...отделение милиции? *...otdelenie militsi ?*	...atdieli**é**nie mil**i**tsi ?

L'ESSENTIEL

Oui	Да *Da*	da
Non	Нет *Net*	nièt
S'il vous plaît	Пожалуйста *Pojalouïsta*	paj**a**lsta
Merci	Спасибо *Spassibo*	spass**i**ba
Je vous en prie	Пожалуйста *Pojalouïsta*	paj**a**lsta
Excusez-moi	Извините *Izvinite*	izvin**i**tié
Bonjour	Здравствуйте *Zdravstvouïte*	zdrastvou**i**tié
Au revoir	До свидания *Do svidania*	da svid**a**nia
Bonjour (le matin)	Доброе утро *Dobroe outro*	d**o**braie **ou**tra
Bonjour (a-m/ journée)	Добрый день *Dobri dien*	d**o**bri di**e**n'
Bonsoir	Добрый вечер *Dobry vetcher*	d**o**bri vi**é**tcher
Bonne nuit	Спокойной ночи *Spokoïnoï notchi*	spak**o**inaï n**o**tchi
Matin	утро *outro*	**ou**tra
Après-midi	день *den*	dien'
Soir	вечер *vetcher*	vi**é**tchier
Hier	вчера *vtchera*	ftchi**é**ra
Aujourd'hui	сегодня *sevodnia*	sev**o**dnia
Demain	завтра *zavtra*	z**a**ftra
Ici	здесь *zdes*	zdies'

Là	там / *tam*	tam
Quoi ?	Что? / *Tchto ?*	chto ?
Où	Где? / *Gde*	gdié ?
Pourquoi ?	Почему? / *Potchemou*	patchemou ?
Quand ?	Когда? / *Kogda*	kagda
Maintenant	сейчас / *seïtchas*	seïtchass
Plus tard	позже / *pozje*	nozje
Puis-je ?...	можно? / *mojno ?*	mojna... ?
C'est possible/permis	можно / *mojno*	mojna
Ce n'est pas possible/permis	нельзя / *nelzia*	nielzia

QUELQUES PHRASES UTILES

Comment allez-vous ?	Как дела? / *Kak dela ?*	kak diela ?
Très bien, merci	Хорошо, спасибо / *Khorocho, spassibo*	kharacho, spassiba
Enchanté	Очень приятно / *Otchen priatno*	otchen priiatna
Comment va-t-on à... ?	Как добраться до...? / *Kak dobratsia do ?...*	kak dabrat'sia da... ?
Pouvez-vous me dire quand nous arrivons à ?	Скажите, пожалуйста, когда мы приедем в...? / *Skajite, pojalouista kogda mi priedem v ?*	skajitié, pajalsta, kagda mi pri-iédiem v... ?
C'est très loin ?	Это далеко? / *Eto daleko ?*	eta daliéko ?
Parlez-vous anglais	Вы говорите по-английски? / *Vy govorite po-angliiski ?*	vi gavarit-ié po-angliiski ?
Je ne comprends pas	Я не понимаю / *Ia ne ponimaiou*	ia nié panimaiou
Pouvez-vous parler plus lentement ?	Говорите медленнее / *Govorite medlennee*	gavaritié miedlieniéié
Pouvez-vous répéter s'il vous plaît ?	Повторите, пожалуйста / *Povtorite, pojalouista*	paftaritié pajalsta
Je suis perdu	Я заблудился (заблудилась) / *Ia zabloudilsia (zabloudilas)*	ia zabloudilsia (zabloudilas')
Comment dit-on... en russe ?	Как по-русски...? / *Kak po-rousski... ?*	kak parouski ?

QUELQUES MOTS UTILES

grand	большой / *bolchoï*	bal'choï
petit	маленький / *malenki*	malien'ki
chaud (eau, nourriture)	горячий / *goriatchi*	gariatchi
chaud (temps)	жарко / *jarko*	jarka
froid	холодный / *khlodony*	khalodni
bon, bien	хорошо / *khorocho*	kharacho
mauvais, mal	плохо / *plokho*	plokha
très bien, bon	нормально / *normalno*	narmal'na
près	близко / *blizko*	blizka
loin	далеко / *daleko*	daliéko
en haut	наверху / *naverkhou*	navierkhou

en bas	внизу / *vnizou*	vnizou
tôt	рано / *rano*	rana
tard	поздно / *pozdno*	pozdna
libre	свободно / *svobodno*	svabodna
gratuit	бесплатно / *besplatno*	biesplatna
caisse, guichet	касса / *kassa*	kassa
avenue	проспект / *prospekt*	praspiekt
pont	мост / *most*	most
quai	набережная / *naberejnaia*	nabiéréjnaïa
grande route, autoroute	шоссе / *chosse*	chassé
ruelle	переулок / *pereoulok*	piériéoulak
place	площадь / *plochtchad*	plochat'
rue	улица / *oulitsa*	oulitsa
appartement	квартира / *kvartira*	kvartira
étage	этаж / *etaj*	étach
maison, immeuble	дом / *dom*	dom
entrée	вход / *vkhod*	fkhot
sortie	выход / *vykhod*	vykhot
rivière	река / *reka*	rika
maison de campagne	дача / *datcha*	datcha
piscine	бассейн / *bassein*	bassiéin
ville	город / *gorod*	gorat
toilettes	туалет / *toualet*	toualiét

AU TÉLÉPHONE

Est-ce que je peux téléphoner à l'étranger d'ici ?	Можно отсюда позвонить за границу? / *Mojno otsiouda pozvonit za granitsou ?*	mojna atsiouda pazvanit' za granitsou ?
Je voudrais parler à...	Позовите, пожалуйста... / *Pozovite, pojalouista...*	pazaviitié, pajalsta...
Pouvez-vous lui (il, elle) laisser un message ?	Вы можете передать ему/ей? / *Bi mojete peredat emy/ei ?*	vi mojetié pieriédat' iémou/iaï ?
Mon numéro est...	Мой номер... / *Moï nomer...*	moï nomier...
Je rappellerai plus tard	Я позвоню позже / *Ia pozvoniou poje*	ia pazvaniou pozje

LE TOURISME

château	замок / *zamok*	zamak
cathédrale	собор / *sobor*	sabor
église	церковь / *tserkov*	tsérkaf
cirque	цирк / *tsirk*	tsirk
fermé pour nettoyage,	санитарный день / *sanitarny den*	sanitarny dien'
en cours de restauration	ремонт / *remont*	remont
exposition	выставка / *vystavka*	vystafka
forteresse	крепость / *krepost*	kriepost'
galerie	галерея / *galereia*	galérïeïa

Français	Русский	Phonétique
jardin	сад / *sad*	sad
île	остров / *ostrov*	ostraf
kremlin/ ville fortifiée	кремль / *kreml*	krieml'
bibliothèque	библиотека / *biblioteka*	bibliatiéka
monument	памятник / *pamiatnik*	pamiatnik
mosquée	мечеть / *metchet*	mietchiet'
musée	музей / *mouzeï*	mouziéï
palais	дворец / *dvorets*	dvariets
parc	парк / *park*	park
parlement	дума / *douma*	douma
synagogue	синагога / *sinagoga*	sinagoga
information touristique	пункт информации для туристов / *pounkt informatsii dlia touristov*	pounkt infarmatsii dlia touristaf
zoo	зоопарк / *zoopark*	zaapark

LES ACHATS

Français	Русский	Phonétique
ouvert	открыто / *otkryto*	atkryta
fermé	закрыто / *zakryto*	zakryta
Combien cela coûte-t-il ?	Сколько это стоит? / *Skolko eto stoit?*	Skol'ka eta stoit ?
Je voudrais acheter	Я хотел (хотела) бы купить... / *Ia khotel (khotela) by koupit...*	ia khatiel (khatiela) bi koupit...
Avez-vous... ?	У вас есть...? / *Ou vas iest... ?*	ou vass iest'...?
Prenez-vous les cartes de crédit ?	Кредитные карточки вы принимаете? / *Kreditnye kartotchki vy prinimaiete ?*	krieditniyé kartatchki vy prinimaietié ?
A quelle heure ouvrez-vous/ fermez-vous ?	Во сколько вы открываете/ закрываете? / *Vo skolko ty otkryvaete/ zakryvaete ?*	Va skol'ka vy atkryvaietiés'/ zakryvaitiés' ?
Celui-ci	этот / *etot*	etat
cher	дорого / *dorogo*	doraga
bon marché	дёшево / *dechevo*	diochiéva
taille	размер / *razmer*	razmiér
blanc	белый / *bely*	biély
noir	чёрный / *tcherny*	tchiorny
rouge	красный / *krasny*	krasny
jaune	жёлтый / *jelty*	jolty
vert	зелёный / *zeleny*	ziéliony
bleu foncé	синий / *sini*	sini
bleu clair	голубой / *goluboï*	galouboï
brun	коричневый / *koritchnevy*	karitchnievy

LES MAGASINS

Français	Русский	Phonétique
la boulangerie	булочная / *boulotchnaia*	boulatchna-ia
la librairie	книжный магазин / *knijny magazine*	knijny magazine
la boucherie	мясной магазин / *miasnoï magazine*	miasnoï magazine

Français	Русский	Phonétique
le photographe	фото-товары / *foto-tovary*	foto-tavary
la pharmacie	аптека / *apteka*	aptiéka
le magasin d'alimentation	гастроном / *gastronom*	gastranom
le grand magasin	универмаг / *ounivermag*	ouniviermag
le fleuriste	цветы / *tsvety*	tsviéty
l'épicier	бакалея / *bakaleia*	bakalié-ia
le coiffeur	парикмахерская / *parikmakherskaïa*	parikmakhierskaïa
le marché	рынок / *rynok*	rynak
le kiosque à journaux	газетный киоск / *gazetny kiosk*	gazietny kiosk
la poste	почта / *potchta*	potchta
le disquaire	грампластинки / *gramplastinki*	gramplastinki
le magasin de chaussures	обувь / *obouv*	obouf
l'agence de voyages	бюро путешествий / *biouro poutechestvi*	biouro poutiechestvi
la banque	банк / *bank*	bank

A L'HÔTEL

Français	Русский	Phonétique
Avez-vous une chambre libre ?	У вас есть свободный номер? / *Ou vas iest svobodny nomer ?*	ou vas iést' svabodny nomiér ?
une chambre pour deux personnes avec un grand lit	номер с двуспальной кроватью / *nomer s dvouspalnoï krovatiou*	nomiér dvouspal'noï kravat'-iou
une chambre à deux lits	двухместный номер / *dvoukhmestny nomer*	dvoukhmiéstny nomiér
une chambre pour une personne	одноместный номер / *odnomestny nomer*	adnamiéstny nomiér
salle de bains	ванная / *vannaia*	vanna-ia
douche	душ / *douch*	douch
le porteur	носильщик / *nossilchtchik*	nassil'chik
la clé	ключ / *klioutch*	klioutch

AU RESTAURANT

Français	Русский	Phonétique
Une table pour deux s'il vous plaît	Стол на двоих, пожалуйста / *Stol na dvoikh, pajalsta*	stol na dva-ikh, pajalsta
J'aimerais réserver une table	Я хочу заказать стол / *ia khatchou zakazat stol*	la khotchou zakazat' stol
L'addition s'il vous plaît	Счёт, пожалуйста / *Stchet, pojalouista*	stchiot, pajalsta
Je suis végétarien	Я вегетерианец (вегетерианка) / *la veguetierianets (veguetierianka)*	ia viéguiétérianiéts (viéguiétcrianka)
le petit déjeuner	завтрак / *zavtrak*	zaftrak
le déjeuner	обед / *obed*	abièt
le dîner	ужин / *oujine*	oujine
Garçon !	официант! / *ofitsiant !*	afitsi-ant !
la serveuse	официантка! / *ofitsianka*	afitsi-antka!
le plat du jour	фирменное блюдо / *firmennoïe blioudo*	firmiénoïe bliouda
l'entrée	закуски / *zakouski*	zakouski